Верую, Господи, помоги моему неверию...

Минск
Свято-Елисаветинский монастырь
2014

УДК 271.22
ББК 86.372
В35

Допущено к изданию
Издательским советом Белорусского Экзархата
Русской Православной Церкви
(решение № 1656 от 20.01.2014)

Книга «Верую, Господи, помоги моему неверию...» открывает перед читателем таинственный и неповторимый мир Православной веры. В тематически составленный сборник вошли слова святых угодников Божиих, истории из жизни подвижников благочестия и простых людей, свидетельствующие о жизни в Боге, о радости обретения света и смысла жизни.

Книгу отличает живость изложения, близость к проблемам современного человека, попытка найти ясные принципы для построения настоящей христианской жизни.

ISBN 978-985-7020-42-3

Предисловие

Блуждает душа в этом мире, мучается, страдает. Идет человек по широким дорогам жизни, бесцельно, бессмысленно, безрадостно проживая дни, и в душе нет покоя.

Смотрит человек вокруг себя, всматривается в людей и не видит никого — душа его слепа, — и не слышит ничего. Мучается человек и не знает причины своих страданий. Вроде можно жить, а душа мертва — нет в ней радости, нет в ней стремления, желания, дерзновения. Все непрочно, все временно. Сегодня — радость, завтра — печаль и уныние. Сегодня — красота, завтра — старость и смерть. Страдает человек, пытаясь найти выход из замкнутого пространства мира. Тесен мир для души. Где найти радость? Где найти смысл дальнейшей жизни? Куда, за кем идти? Ведь любая дорога рано или поздно закончится.

Человек всматривается в прожитые годы и ищет той встречи, которая могла бы изменить его жизнь, воскресить его к новой жизни. И встреча обязательно состоится.

Эта книга для тех, кто ищет встречи с Богом, для тех, чьи души хотят прикоснуться к Свету. Мы надеемся, что слова и мысли, собранные в книге, помогут человеку войти в храм и найти Бога, Который есть Спаситель, Творец, Источник жизни для всех, кто хочет быть живым.

Протоиерей Андрей Лемешонок

Следы Бога

Милый друг, иль ты не видишь,
Что все видимое нами —
Только отблеск, только тени
От незримого очами?

Милый друг, иль ты не слышишь,
Что житейский шум трескучий —
Только отклик искаженный
Торжествующих созвучий?

Владимир Соловьев

С глубокой древности и до наших дней несчетное число людей свидетельствует о реальном, невыразимом человеческими словами личном опыте переживания Бога, встрече и общении с Ним в своем сердце. Люди разных исторических эпох, различных культур, разных национальностей, знатные и простые, ученые и малообразованные — одинаково свидетельствуют о своем религиозном опыте видения Бога. Их свидетельства — не фантазия, не вымысел, не плод невежества. Не может быть сомнения в здравомыслии, честности, искренности, высокой образованности таких глубоко верующих в Бога гениев человечества, как христианские подвижники: святой апостол Павел, Блаженный Августин, преподобный Иоанн Дамаскин, святитель Василий Великий, святитель Григорий Богослов, святитель Иоанн Златоуст и многие другие угодники Божии; ученые с мировым именем, такие как Ньютон, Паскаль, Ампер, Кеплер, Декарт, Лейбниц, Леонардо да Винчи, Ломоносов, Менделеев, Фарадей, Максвелл, Эдиссон, Коши, Гаусс, Мендель, Карл Линней, Пастер, Пирогов и другие; писатели и поэты, как, например, Достоевский, Гоголь, Никитин, Хомяков и так далее. Выдающиеся ученые-естествоведы, которые дальше и глубже, чем простые умы, заглянули в тайны мироздания, свидетельствуют, что вселенная помогла им увидеть величие Божественной деятельности.

Иоганн Кеплер, величайший астроном, физик и математик, открывший законы движения планет в Солнечной системе, таким молитвенным обращением к Богу закончил свой последний научный труд: «Прежде чем оставить этот стол, за которым я совершил все свои исследования, мне остается только, возведя очи к Небу и подняв руки, поблагодарить Творца вселенной за Его милосердие ко мне!»

Фламмарион Камиль, знаменитый астроном, исследовавший Луну, Марс, двойные звезды, в таком восторге исповедует величие и непостижимость Божии: «О Неведомое, Таинственное Существо! О Великое и Непостижимое! Верховный Виновник всей стройности и красоты! Кто же и что же такое Ты, если дела Твои столь велики? Жалкие человеческие существа, эти ничтожные муравьи, копошащиеся на поверхности их ничтожной планеты и уверенные, что знают Тебя, о Всевышний! И какое имя дать тем, кто отрицает Тебя, кто не живет мыслью о Тебе, кто никогда не чувствовал Твоего присутствия, Отец всей природы! Я с любовью преклоняюсь перед Тобой, о Божественное Начало, но я так ничтожен, что не смею думать, чтобы я мог быть услышан Тобою. Но Ты слышишь меня, Создатель, Ты, дающий красоту и благоухание полевому цветочку, внимаешь и мне. Голос океана не может заглушить для Тебя моего лепета, и моя мысль доходит до Тебя в этой общей молитве!»

Гигант в крошечной упаковке

В одном из мельчайших семян упаковано самое большое растение в мире — гигантская секвойя. Она достигает высоты более ста метров. На расстоянии приблизительно метра от земли ее ствол может достигать в диаметре 11 метров. Из дерева одной секвойи можно построить 50 домов с шестью комнатами каждый. Кора толщиной в 60 см содержит танин, который отгоняет насекомых, и ее губчатая, волокнистая структура придает ей почти такую же огнестойкость, как у асбеста. Корневая система занимает площадь до 1,5 гектара. Живет она свыше 3 000 лет.

Крылатые же семена, миллионами падающие с секвойи, немногим больше булавочной головки. Стоя у подножия этого дерева, маленький человек может только глядеть вверх и молча благоговеть перед его массивным величием. Разумно ли полагать, что формирование этого величественного гиганта из крошечного семени, в которое он упакован, обошлось без творческого замысла?

Случай или Божия Премудрость?

Каким образом миллионы слепых термитов координируют свои действия, чтобы соорудить сложные постройки и снабдить их кондиционером?

Откуда паук, живущий под водой в своем «водолазном колоколе», знает, что, когда иссякает кислород, он должен прорезать в своем подводном колоколе отверстие, выпустить несвежий воздух, заделать отверстие и затем пополнить запас свежего воздуха?

Откуда жуку-дровосеку известно, что он должен отложить яйца под кору ветви мимозы, затем проползти приблизительно 30 см в сторону ствола и сделать в коре кольцевой надрез, чтобы умертвить ветвь, потому что в живой древесине из его яиц не выведутся личинки?

Откуда детеныш кенгуру — величиной с фасоль, слепой и слаборазвитый — знает, что для того, чтобы выжить, он должен сам, без посторонней помощи пробраться сквозь мех матери к ее животу, залезть в мешок и прикрепиться к одному из ее сосков?

Каким образом танцующая медоносная пчела сообщает другим пчелам, где находится нектар, сколько его там, на каком расстоянии, в каком направлении и на каких цветках он находится?

***

Простри на небеса задумчивый твой взор:
Не зришь ли в них Творцу согласный стройный хор?
Не чувствуешь ли ты невольного восторга?
Дерзнешь ли не признать и власть и силу Бога,
Таинственный устав, непостижимый перст
В премудром чертеже миров, планет и звезд?

А. И. Полежаев

Вечный, Великий, Всеведущий и Всемогущий Бог прошел мимо меня! Я не видел Его в лицо, но Его отражение охватило мою душу и погрузило ее в благоговение! Я тут и там замечал следы Его в Его творениях. Во всех Его делах, даже самых малых и незаметных, какая сила, какая мудрость, какое невообразимое совершенство!

Карл Линней (1707–1778), шведский натуралист

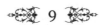

Вероятность случайного появления человека

В человеческом организме насчитывается около 25000 ферментов. Вероятность случайного их возникновения один-единственный раз за миллиард лет составляет исчезающе малое число $10^{-599\,9503}$. При этом подсчете даже не учитывалось существование целого ряда других белков, образующих различные органы и ткани, как не учитывалось и то, что все эти органы, в свою очередь, должны были бы образовать всю конструкцию человеческого тела.

Адам и Ева

Человеческий геном биохимически также в основном определяется белками-ферментами. Каждый такой белок закодирован отдельным геном, которых всего в человеческом организме насчитывают до 110 000 различных типов. С максимальным учетом всех ограничений значение вероятности появления единственного гена за всю историю Земли лежит в пределах от 10^{-109} до 10^{-217}. Таким образом, и предполагаемого многомиллиарднолетнего возраста вселенной не хватит даже на то, чтобы за время ее существования просто успеть перебрать все возможные комбинации нуклеотидной основы белка.

Вероятность же образования случайным образом человеческой хромосомы, содержащей весь набор генов, колеблется между $10^{-12000000}$ и $10^{-240000005}$.

Как говорится, комментарии излишни.

Создатель дал роду человеческому две книги. В одной показал Свое величество; в другой — Свою волю. Первая — видимый этот мир, Им созданный. Вторая книга — Священное Писание.

Михаил Васильевич Ломоносов (1711–1765),
русский ученый и поэт

Власть над временем

Библия учит, что Солнце, Луна и другие небесные тела созданы *для знамений и времен* [Быт. 1 :14]*, что их предназначение — помогать человеку разграничивать время. Например, разделяя неделю на дни, мы можем строить на неделю планы, работать шесть дней, а седьмой посвящать Господу. Если бы время не делилось на отрезки, мы не смогли бы им управлять, смиряя себя в постах и прославляя Воскресение Господне. Это библейское понимание времени и нашего отношения к нему — одна из главных причин замечательного развития западной цивилизации, в основе которого лежит христианство. В восточных культурах, которые отводят решающую роль астрологии, люди, как правило, не планируют свое время и не распоряжаются им, поскольку верят, что у них нет власти над временем, что время определяет их судьбу. Те, кто не принимает библейского взгляда на мир, категорически заявляют: наша смертность означает, что время властвует над нами, а не мы над ним; мы рождаемся и умираем, а время продолжает свой бег. Но христианство противопоставляет кажущейся неотвратимости смерти учение о вечной жизни, учение

Воскресение Христово

о Воскресении Христовом. Наши прародители Адам и Ева были созданы, чтобы жить вечно, то есть они были выше времени. Вместе с прародительским грехом в мир пришла смерть. Своим искупительным подвигом, Своим победным Воскресением Господь Иисус Христос освобождает нас от власти греха, от власти смерти. Он называет Себя Альфой и Омегой, Началом и Концом. Это значит, что Он выше времени. Он обещает, что принявшие Его будут *править с Ним во веки веков* [Ср.: Откр. 22 :5] (то есть мы тоже будем

---

* Здесь и далее в квадратных скобках помещаются редакторские вставки издательства Свято-Елисаветинского монастыря.

властвовать над временем). Таким образом, наш выбор — верить или не верить в астрологию — сводится к другой проблеме: желаем ли мы властвовать над временем — или находиться в его власти.

(85)

Наука — перевод мыслей Творца на человеческий язык. Мир есть самое наглядное доказательство бытия личного Бога, Творца всех вещей и Промыслителя мира.

Людвиг-Иоанн-Рудольф Агассис (1807–1873),
швейцарский натуралист и педагог

Я верю в Бога как в Личность и по совести могу сказать, что ни одной минуты моей жизни я не был атеистом. Еще будучи молодым студентом, я решительно отверг взгляды Дарвина, Геккеля и Гексли как взгляды беспомощно устаревшие.

Альберт Эйнштейн (1879–1955),
немецкий физик, создатель теории относительности

Чем более я занимаюсь изучением природы, тем более останавливаюсь в благоговейном изумлении перед делами Творца. Я молюсь во время своих работ в лаборатории.

Луи Пастер (1822–1895), французский микробиолог и химик

Библия или теория эволюции?

Мой друг, выписавший меня из Югославии в Англию на аспирантуру, Николай Михайлович Зернов, пригласил посетить знаменитый Лондонский музей естественной истории в Кенсингтоне. Меня тогда интересовало все, и я охотно принял приглашение. То, что я там увидел, меня ослепило. Начать с огромного памятника-изваяния, сидящего Дарвина, явно доминировавшего над музеем. Сомнений не было — это был научный музей Эволюции. Экспонаты были настолько серьезны, так умно расставлены, с такой глубокой идеей, что я... растерялся! Раньше все было ясно: теория

Епископ Василий
(Родзянко)

эволюции — научная фантастика, ее нет, есть только Библия! Но здесь — все рухнуло: «Неужели это правда?» ...Я не верил своим глазам. Страшно было не увиденное мною, а то, как оно было представлено. Передо мной была не фантастика: скелеты динозавров — во всю залу — были реальностью, развитие видов выглядело очевидностью... «Что же это такое? Как я могу расстаться с дорогим для меня миром Божиим, который я впитал в себя у ног моего покойного старца? Как все это понять?»

Вернулся в колледж... Охватило раздумье... Засел в библиотеку... Читал, читал и читал... Мысли вихрем вносились и выносились, их прерывала молитва в отчаянии... Как? Кому? Где все?

И вдруг, в один из таких моментов, когда уж очень страшно стало потерять навсегда этот Божий мир, прорезала откуда-то мысль: «Ничего не теряешь, этот мир есть, но он не здесь; здесь — результат грехопадения, а тот, дорогой для тебя мир, — там...»

Все это надо понять. Надо учиться...

Епископ Василий (Родзянко), (10)*

Именно мои работы привели меня к Богу, к вере.

Анри Беккерель (1852–1908), французский физик,
первооткрыватель радиоактивности

Я поражаюсь, почему люди предпочитают блуждать в неизвестности по многим важным вопросам, когда Бог подарил им такую чуднейшую книгу Откровения?

Майкл Фарадей (1791–1867), английский физик

---

* Здесь и далее смотри: «Биографические сведения» и «Источники».

Наука подтверждает Писание

23 ноября 1995 года ученые обнаружили «Адама» и связали эту находку с обнаружением «Евы»: все живущие сегодня на земле люди обладают идентичным ДНК. В современной науке смерть побеждена жизнью! Да, именно так! Первое сообщение об этом было напечатано в научном журнале «Nature» («Природа»).

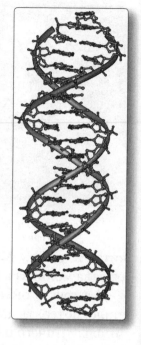

Вся теория эволюции до сих пор решительно строилась на смерти, на палеонтологии: на изучении останков животных и человека, скелетов, костей, черепов... Теперь она получила подарок — «живую жизнь» — ДНК! Конечно, нуклеиновая кислота — тоже «смертные останки», но, в отличие от скелетов, их язык несет в себе запись жизни, ничем не смываемую.

ДНК — дезоксирибонуклеиновая кислота — находится в ядрах клеток огромной ленточной молекулы — хромосомы, отрезки которой и есть гены.

«В новых генетических исследованиях происхождения современного человечества, — пишет "Нью-Йорк Таймс" от 23 ноября 1995 года, — ученые полагают, что они нашли серьезные данные о том, что около 188 000 лет тому назад существовал предок "Адам", связанный с ранее обнаруженной "Евой"».

(10)

Есть три разряда людей: одни обрели Бога и служат Ему; люди эти разумны и счастливы. Другие не нашли и не ищут Его; эти безумны и несчастны. Третьи не обрели, но ищут Его; это люди разумные, но еще несчастны.

Блез Паскаль (1623–1662),
французский математик, физик, философ, писатель

Где находится рай?

Убеждение, что библейский рай существовал на земле, настолько укоренилось, особенно на Западе, что то и дело становится причиной споров между учеными и богословами.

Печальным последствием таких нелепых споров становится непонимание (даже серьезными богословами) основного намерения Библии — дать знать человеку, что он — изгнанник в этот мир из мира иного.

Православная Церковь эту весточку сохранила в святоотеческом предании и в литургической жизни.

Из текста Библии весточка вычитывается не буквально, а, как многое в нем, представлена в картинах, образах и символах. Язык Библии в значительной степени символичен именно потому, что обычным языком трудно передать необычное и потустороннее, то, что даже и *в мире сем* [Ин. 12: 25] относится к бытию таинственному и духовному.

В ветхозаветной Библии, в описании Творения и рая, нет большого смысла в буквальном восприятии того, что Еву в раю искушала змея, заговорившая человеческим языком. Под нею понимают дьявола, но почему-то все дальнейшее в рассказе продолжают понимать прямолинейно! Однако же «вольному воля, а спасенному — рай»!

Вот и давайте искать подлинный рай ради подлинного спасения.

Епископ Василий (Родзянко), (10)

***

Тихая, теплая ночь. — Позабудь
Жалкие нужды земли.
Выйди, взгляни: высоко Млечный Путь
Стелется в синей дали.

Что перед светлою звездной стезей
Темные наши пути?
Им, ознакомленным с ложью людской,
Неба красой не цвести.

Глаз не сводил бы с лучистых высот...
Выйди, зову тебя вновь:
В небо вглядись, отрешись от забот,
К вечности душу готовь.

К.Р. (Великий Князь Константин Романов)

Бог во всем

Радуйтесь тому, что окружает нас. Все учит нас и ведет к любви Божией. Все вокруг — это капли любви Божией: и одушевленное, и неодушевленное, и растения, и звери, и птицы, и горы, и море, и закат, и усыпанное звездами небо.

Когда вас воодушевляет прекрасное место, церковка, что-нибудь еще дивное, не останавливайтесь на этом, идите дальше, переходите на славословие за всю красоту, чтобы жить одним лишь Прекрасным.

Старец
Порфирий Кавсокаливит

Все свято: и море, и купание, и пища. Радуйтесь всему. Все нас обогащает, все направляет нас к великой Любви, все нас приводит ко Христу.

Обращайте внимание на все, что создал человек: на дома, на здания, маленькие или большие, на города, на деревни, на людей, на их культуру. Спрашивайте, пополняйте свои знания обо всем, не оставайтесь равнодушными. Это будет помогать более глубокому изучению чудных свойств Божиих. Все это бывает хорошим поводом соединить нас со всем и со всеми. Во всем есть причина для молитвы и благодарности Господу.

Старец Порфирий Кавсокаливит, (65)

Из воспоминаний о святом праведном Иоанне Кронштадтском

Батюшка очень любил цветы, и вообще природу; ему беспрестанно подносили цветы, или из сада, или полевые. Бывало, возьмет в ручку розу или пион, какие расцветут к его приезду, и поцелует цветок, говоря: «Лобызаю Десницу, создавшую тебя столь дивно, столь прекрасно, благоуханно! О Творец, Творец! Сколь дивен Ты и в самомалейшей травке, в каждом лепестке!» Подержит, бывало, Батюшка в руке своей цветочек и отдаст кому-нибудь из присутствующих; и сколько радости получает с этим цветочком обладатель его! А Батюшка продолжает восхвалять Творца за Его благодеяния к людям. Подадут ли ему ягод из саду, какие поспеют, он говорит: «Какой Господь-то, Отец наш Небесный, милостивый, добрый, щедрый, всеблагой! Посмотрите, поймите: Он не только дает нам насущное, необходимое пропитание, а и услаждает

Святой праведный Иоанн Кронштадтский

*Святой праведный
Иоанн Кронштадтский*

нас, лакомит ягодками, фруктами, и какими разнообразными по вкусу — одни лучше других! Заметьте, вот у каждого сорта ягод свой вкус, своя сладость, свой аромат». Кто-то из приезжих заметил при этом ему однажды, что ныне культура усовершенствована и дает лучшие сорта продуктов. Батюшка, не глядя на говорившего, а продолжая смотреть на ягоды, ответил: «Культура — культурой, а Творец — Творцом. На то и дан человеку разум, чтобы он работал им, возделывал, совершенствовал, или, как ныне выражаются, культивировал прежде всего самого себя, а затем и другие творения Божии, хотя бы и дерево, и плоды, и все, что предано в его руки Творцом. Из готового-то семени легко выращивать, доводить до высшего качества; а семя-то самое создать, если его нет, одну каплю воды создать там, где ее нет, — попробуйте-ка с вашей культурой! Из готовой воды можно и водопады устраивать; из готовых веществ — земли, песка, глины — можно какие угодно громады воздвигать; а при отсутствии этих веществ что вы сделали бы? О Творче всеблагий, Отче Небесный, доколь создание Твое не познает Тебя и не падет в прах пред величием Твоим?!»

Пꙋти Господни

Еще покоя я не знаю,
еще свет вечности не вижу,
но с каждой скорбью приближаюсь
я к Небу ближе.

Инок Всеволод (Филипьев)

«Я хочу быть мудрым»

Замечательный американский православный подвижник иеромонах Серафим (в миру Юджин Роуз) — родился 12 августа 1934 года в Калифорнии, в курортном городке Сан-Диего, и рос в типичной американской протестантской семье. Еще в детстве он обращал на себя внимание учителей своей чрезвычайной одаренностью.

Его поиски истины начались уже в раннем возрасте. Однажды мать, видя, как старательно он занимается в школе, сказала: «Когда-нибудь ты станешь толковым человеком». Юджин

Иеромонах Серафим (Роуз)

ответил: «Я не хочу быть толковым. Я хочу быть мудрым». Не принимая идеалов своих сверстников, развлекавшихся на вечеринках, разъезжавших на спортивных машинах, он бродил в одиночестве по заросшему лесом каньону, терзаясь вопросами: что есть жизнь и где его место в ней? Ощущение своей неадекватности миру причиняло ему жестокие страдания. И чем старше он становился, тем напряженнее исследовал саму природу своего существа.

Окончив школу с отличием, в 1952 году он поступает в колледж в Помоне, недалеко от Лос-Анджелеса.

К тому времени Юджина перестает удовлетворять тот вариант христианства, который предлагает протестантизм. Он чужд прагматичному и самодовольному миру, в котором вырос, подсознательно ощущает, что учение этого мира о Боге слишком выхолощено. Он не мог согласиться с тем, что христианство призвано только лишь утешать в житейских неудачах людей, живущих плотской жизнью и не заботящихся о стяжании Царствия Небесного. Ему хотелось, как писал он позднее, «найти мир непреходящий, лежащий глубже повседневных забот». В поисках истины он изучает западную философию (Фридрих Ницше, Рене Генон) и, не находя там ответа на мучившие его вопросы, обращается к Востоку.

В 1956 году, по окончании колледжа, Юджин поступил в академию (Сан-Франциско) для изучения Азии, а еще через полтора года в Калифорнийский университет в Беркли. Курс сравнитель-

Иеромонах Серафим (Роуз)

ной религии при академии давал возможность попробовать себя в различных духовных школах: в индуизме, буддизме, иудаизме, суфизме и других. Юджин изучил их все, ища, как он сам говорил, «прежде всего истину», причем каждую религию он изучал на ее родном языке. Например, конфуцианские тексты он читал на древнекитайском языке. В университете за работу о древних наречиях китайского языка он получил степень магистра.

Однажды один из друзей Юджина, специализировавшийся на восточном христианстве, посоветовал ему посетить православное богослужение. Это произошло в Великую Пятницу на Страстной неделе в Православном соборе Сан-Франциско. Спустя много лет он вспоминал: «Когда я впервые переступил порог православного храма, я ощутил то, чего не ощущал ни в одном буддийском или западном храме. Мое сердце говорило мне, что это мой дом и что мои искания закончены». Он начал посещать православные богослужения, учить русский язык, читать книги о Православии.

Обращение Юджина было все глубже. Вскоре он ощутил внутреннюю необходимость давать выход переполнявшим его чувствам. Он начал писать.

В 1961 году, завершив подготовку диссертации на звание бакалавра и несмотря на то, что в университете ему прочили блестящую карьеру, он решает оставить учебу на время, необходимое для написания книги — исследования духовного состояния современного человека. Задуманная вещь требовала отдачи всех его душевных сил и энергии. Отказавшись от преподавания в университете, он выбирает для заработка неквалифицированную работу уборщика, дворника, предпочитая тяжелый физический труд умственному, чтобы не мешать ходу своих мыслей. В том же 1961 году Юджин серьезно заболел. Врачи нашли его болезнь неизлечимой и предсказывали близкую смерть. Физические страдания усугублялись мыслью о том, что он не успел свершить своего предназначения. Юджин горячо молился Богородице — и выздоровел. Окончательно осознав, что хочет стать православным, он 12 (25) февраля 1962 года был принят в лоно Православной Церкви.

Юджин много времени проводил в храме, посещая все утренние и вечерние службы, с особенным благоговением взирая на архиепископа Иоанна (Максимовича), о котором было известно, что он ведет аскетическую жизнь и имеет дар чудотворения. Владыка Иоанн приметил молодого человека, не пропускавшего ни одной службы, и предложил ему читать на клиросе. Юджин быстро освоился со сложными церковнославянскими текстами. Когда же владыка Иоанн учредил в Сан-Франциско теологическую школу, Юджин, отучившись три года, закончил курс с отличием, несмотря на то, что лекции читались на русском языке.

По благословению архиепископа Иоанна Юджин пишет статьи в местный православный бюллетень «Православный вестник».

Вместе с другом Глебом Подмошенским он организовывает братство, работа которого началась с открытия книжной лавки «Православные книги и иконы». Затем Юджин и Глеб начинают издавать журнал. Свою типографию братья разместили в пустыньке в нескольких милях от небольшого городка Платина. Первые номера набирались вручную. Вскоре братья приняли монашеский постриг. Новопостриженный отец Серафим сказал в тот день другу: «Как я рад умереть для мира».

Отец Серафим ценил каждое мгновение жизни, часто говоря: «Сейчас позднее, чем ты думаешь. Спеши делать дела Божии».

Благодаря ежедневным богослужениям, постоянному изучению духовной литературы и отдаленности от мира, отец Серафим приобретал все более глубокий духовный опыт. Изучая святоотеческие писания, он успешно передавал дух их в своих работах, окормляя тем самым тысячи читателей. В 1977 году отец Серафим был рукоположен во иеромонаха, а через несколько лет он отошел ко Господу. Как написано в Книге Премудрости Соломона: *Достигнув совершенства в короткое время, он исполнил долгие лета; ибо душа его была угодна Господу, потому и ускорил он из среды нечестия* (Прем. 4: 13, 14).

(45)

ПРИТЧА

Однажды люди собрались вместе и, выйдя в поле, сделали вызов Богу: «Если Ты есть, то почему в мире царит жестокость, происходят грабежи, насилия, убийства, войны?» И Господь ответил им: «А вам это не нравится?» —«Нет, конечно», — говорили они.

«Тогда зачем вы грабите, насилуете, убиваете, воюете?»

Совет современникам

Дорогой брат во Христе, рад вас приветствовать о Господе, и спасибо вам за ваше письмо. Я понимаю, насколько это серьезные вопросы, и постараюсь ответить вам с той же серьезностью.

В первую очередь я должен сказать вам вот что: судя по всему, в наши дни нет настоящих богоносных старцев — таких, например, как были некогда оптинские старцы, руководившие людьми по благодати Святого Духа, а не по собственному разумению или толкованию святых отцов. Этот путь духовного руководства не дан нашему времени — и, сказать по правде, с нашими грехами, слабостями и душевной порчей мы его не заслуживаем.

Нашему времени дан другой, более скромный путь, о котором пишет епископ Игнатий Брянчанинов в своей замечательной книге «Приношение современному монашеству», — духовный совет.

Это значит — жить по Божиим заповедям, усвоенным из Писания и святых отцов, опираясь на совет и помощь тех, кто старше и опытнее. В отличие от безоговорочного послушания старцу, совет мы принимаем с рассуждением и сами испытываем его на практике.

Затрудняюсь сказать, кто именно мог бы помочь вам духовным советом по-английски. Но если это вам и в самом деле необходимо, Господь непременно даст вам это в свое время, так что не следует слишком настойчиво искать себе «советника».

И раз уж вы написали мне, я рискну предложить вам несколько слов общего характера, исходя из вашего письма, из опыта нашего небольшого монашеского братства и из нашего понимания святых отцов.

1. Прежде всего научитесь смиряться с тем состоянием, в котором вы оказались, и извлекать из него максимальную пользу. Если оно не приносит духовных плодов — не отчаивайтесь, а напротив, удвойте усилия: что вы сами конкретно можете сделать для своей духовной жизни в создавшемся положении? Регулярные церковные службы и причастие Святых Таин — это уже дело огромной важности. Вслед за тем налаживайте утренние и вечерние молитвы всей семьей и совместное чтение вслух, причем все должно быть по мере ваших сил и возможностей в данных жизненных обстоятельствах.

2. Из литературы могу порекомендовать вам те книги, которые специально предназначены для живущих в миру, и те, где изложены основы духовной жизни, как, например, «Моя жизнь во Христе» святого праведного Иоанна Кронштадтского, «Невидимая брань» преподобного Никодима Святогорца, жития святых и упомянутое выше «Приношение современному монашеству»: эта книга, в той части, которая составляет «духовную азбуку», адресована также и мирянам.

3. Большую пользу духовному росту и трезвому взгляду на жизнь приносит дневник (подойдет обычная общая тетрадь), куда хорошо записывать как выдержки из прочтенных книг, на которые вы по той или иной причине обратили особенное внимание, так и свои собственные заметки, в том числе и о своих недостатках, требующих исправления. О том, насколько это важно, ясно свидетельствует «Моя жизнь во Христе» праведного Иоанна Кронштадтского.

4. Не критикуйте и не судите окружающих; смотрите на людей как на Ангелов, оправдывайте их ошибки и слабости, а себя самого осуждайте как последнего грешника. Из всего, что необходимо в духовной жизни, это — первое.

Надеюсь, что это хоть в какой-то мере вам поможет. Если у вас будут конкретные вопросы, особенно по учению святых отцов, буду рад помочь вам с ответом: у нас есть почти вся святоотеческая литература по-русски.

Прошу ваших молитв, с любовью во Христе — инок Серафим.

Иеромонах Серафим (Роуз), (99)

Человек предполагает, а Бог располагает.

Фома Кемпийский (1380–1471), немецкий монах и священник

Встреча

Однажды мне пришлось стоять в ожидании такси около гостиницы «Украина». Ко мне подошел молодой человек и говорит: «Судя по вашему платью, вы верующий, священник?» Я ответил: «Да». — «А я вот в Бога не верю…» Я на него посмотрел, говорю: «Очень жаль!» — «А как вы мне докажете Бога?» — «Какое доказательство, какого рода доказательство вам нужно?» — «А вот: покажите мне на ладони вашего Бога, и я уверую в Него…» Он протянул руку, и в тот момент я увидел, что у него обручальное кольцо. Я ему говорю:

Митрополит Антоний Сурожский

«Вы женаты?» — «Женат». — «Дети есть?» — «И дети есть». — «Вы любите жену?» — «Как же, люблю». — «А детей любите?» — «Да». —

«А вот я не верю в это!» — «То есть как: не верю? Я же вам говорю...» — «Да, но я все равно не верю. Вот выложите мне свою любовь на ладонь, я на нее посмотрю и поверю...» Он задумался: «Да, с этой точки зрения я на любовь не смотрел!..»

Митрополит Антоний Сурожский, (5)

Господь так много нас любит, что и выразить невозможно, и ум постигнуть не может, и только Духом Святым познается Божия любовь от веры, от ума же не познается.

Некоторые спорят о вере, и конца нет этим спорам, а ведь спорить не надо, а только молиться Богу и Божией Матери, и Господь без спора просветит, и скоро просветит.

Многие изучили все веры, но истинную веру, как должно, так и не познали, но кто будет во смирении молиться Богу, чтобы просветил его Господь, тому даст Господь познать, как много Он любит человека.

Преподобный Силуан Афонский

Инок-миссионер

Иоанн, с детства отличавшийся прекрасными умственными способностями и живым веселым характером, блестяще окончил в 1856 году семинарию и был принят на казенный счет в Петербургскую Духовную Академию. На четвертом курсе ему на глаза попалось объявление, предлагавшее студентам занять место настоятеля домовой церкви при русском консульстве в Хакодатэ, в Японии. Прочитав это приглашение и не обратив на него особого внимания, Иоанн Димитриевич отправился ко всенощной. И во время службы, в храме Божием, в нем явилась и окрепла мысль отправиться в Японию для проповеди христианства. Он подал соответствующее прошение, и 8 июня 1860 года состоялось его

назначение в Хакодатэ. И вот, только что отпраздновавший окончание
академического курса и еще недавно веселившийся на свадьбе у своих
родственников, он вдруг превраща-
ется в инока-миссионера. 24 июня
1860 года он был пострижен в монашество с именем Николай, затем
рукоположен во иеродиакона и во
иеромонаха.

Вскоре после этого отец Николай отправился в Японию через
Сибирь. В городе Николаевске ему
пришлось провести зиму. Здесь он
встретился с миссионером архиепи-
скопом Иннокентием (впоследствии
митрополитом Московским), который ласково принял его, дал ему

Святой равноапостольный
Николай Японский

много полезных советов, сам скроил ему рясу и, в виде благословения, возложил на него бронзовый крест за Севастопольскую
кампанию.

2 июля 1861 года иеромонах Николай прибыл в Хакодатэ. Но
начать миссионерскую деятельность молодому иноку было чрезвычайно трудно. Япония в то время была недавно открыта для
иностранцев. Японцы ненавидели иностранцев, бросали в них
камнями, а то даже рубили саблями, если представлялась к тому
возможность. Исповедание христианской религии было запреще-
но под страхом смертной казни.

Восемь лет прошло в тяжелых трудах по изучению японского
языка, и святитель достиг того, что стал как бы природным япон-
цем, отлично знающим историю, литературу, как древнюю, так и
новую. Изучая страну, ее язык, присматриваясь к жизни японцев,
святитель Божий стал понемногу сеять семена христианского учения. Исповедуя действия благодати Божией, в день 50-летнего
юбилея своего служения, об этих первых шагах своей деятельности святитель говорил так: «Пятьдесят лет тому назад я приехал
в эту страну проповедовать учение Христово; но тогда не только

никто не был расположен слушать его, а все с враждой относились к нему. Один из тогдашних врагов христианства пред нашими глазами, ныне один из почетнейших между нами. Он тогда известен был в Хакодатэ как замечательный фехтовальщик; поэтому был приглашен давать уроки фехтования сыну русского консула в Хакодатэ. Каждый день я встречался с ним, и всегда он молча с враждебным видом смотрел на меня; наконец враждебное чувство привело его ко мне. Придя, он грубо начал: "Вы, варвары, приезжаете высматривать нашу страну; особенно такие, как ты, вредны; твоя вера злая". — "А вы знаете мою веру, что так отзываетесь о ней?" — спросил я. "Ясно, не знаю". — "А не зная вещи, поносить ее — разумно ли?" Это несколько остановило его, но он с прежнею грубостью произнес: "Так что же за вера твоя? Говори". — "Изволь слушать", — ответил я. И стал говорить о Боге Едином, о Боге Творце вселенной, Боге Искупителе. По мере того как я говорил, лицо моего слушателя прояснялось, и он, не переставая внимательно слушать, одною рукою достал из-за пояса тушницу, другою — из рукава бумагу и стал записывать мою речь. Через час или полтора он был совсем не тот человек, который пришел. "Это совсем не то, что я думал", — сказал он, когда я окончил говорить. "Поговорите еще", — попросил он уже ласково. "Приходите", — пригласил я. И он стал приходить каждый день; а через неделю был уже в душе христианином».

(52)

Мешает ли профессия быть верующим?

Все мы живем очень разной жизнью: кто-то из нас служит в Церкви, кто-то посвящает себя искусству, науке, есть среди нас актеры, музыканты, дипломаты, бизнесмены, учителя, литераторы — одним словом, люди самых разных профессий. Но чем бы мы ни занимались, мы можем посвящать свой труд Богу. Профессия может быть не только способом заработать на хлеб, но и путем христианского доброделания. И для того, чтобы стать истинным христианином, как правило, не надо бросать одну профессию и избирать другую.

Я знаю одного композитора, который, обратившись в православную веру, пришел к священнику и спросил, что ему делать. «Бросай музыку и становись церковным сторожем», — ответил священник. К счастью, композитор его не послушался. Впоследствии, будучи в Англии, он встретился со старцем Софронием, учеником преподобного Силуана, и задал ему тот же вопрос. «Продолжайте писать музыку, и Вас узнает весь мир», — сказал ему старец. Вскоре имя этого композитора стало известно всему миру. Сейчас он пишет произведения только религиозной тематики (он,

Епископ Иларион (Алфеев)

например, положил на музыку некоторые слова преподобного Силуана), и многие через его музыку приходят к православной вере. Будучи человеком глубоко верующим и церковным, он своей музыкой помогает людям сойти в те глубины духовной жизни, где происходит встреча между человеком и Богом.

Епископ Иларион (Алфеев), (28)

Самое время заменить идеал успеха идеалом служения.

Альберт Эйнштейн (1879–1955),
немецкий физик, создатель теории относительности

***

Когда человек доходит до такого положения, когда ему закрыты все пути в горизонтальной плоскости, ему открывается дорога вверх! И вода, стиснутая со всех сторон, подымается вверх, и душа, сжатая, сдавленная, стесненная скорбью, поднимается к Небу. Благо нам, если мы сами вовремя внутренне освобождаемся от широких путей мира сего, если ни удобства жизни, ни богатство, ни удача не заполняют нашего сердца и не отвлекают от самого главного. В противном случае Господь во гневе Своем сокрушает наших идолов — комфорт, карьеру, здоровье, семью, — чтобы мы поняли наконец, что есть Единый Бог...

***

Отчего так важно чтение житий святых? — Среди бесконечного спектра путей к Богу, раскрытого в различных житиях, мы можем найти свой путь, получить помощь и указание, как из дебрей нашей человеческой запутанной греховности выйти на путь к свету.

***

Мое жизненное правило — менять место жительства только когда обстоятельства гонят, ничего в житейской области не предпринимать самому, а рыть шахту вглубь в том месте, куда привел Господь...

***

Убедить кого-либо в существовании Бога совершенно невозможно, так как все, что можно словами сказать о вере, ни в какой степени не может передать того, что вообще несказуемо и что в ней главное. Доводы веры не против разума, а помимо него. Только в свете любви разум принимает видимые абсурды веры.

*Священник
Александр Ельчанинов*

***

На обычное требование неверующих — немедленно, тут же «доказать»: вы не будете доказывать какую-нибудь истину научную, математическую, пьяному человеку. Так и здесь. Вытрезвитесь от вашего опьянения миром, суетой, заботами, тщеславием — тогда можно начать говорить, и вы получите возможность понимать. *В лукавую душу не войдет премудрость* (Прем. 1: 4).

Священник Александр Ельчанинов, (21)

«Господь близко» (Флп. 4: 5)

Господь не требует от нас невозможного. Нам не нужно лететь за горы, за моря — все в нас, вокруг нас. В обстоятельствах жизни, в отношениях с близкими мы можем увидеть Промысл Божий о нашем спасении. Надо учиться быть внимательным, сдержанным, понимать, что каждое слово имеет свою цену. Маленькие победы делают человека способным победить в большом. А незначительные, казалось бы, поражения — немного отступил, не помолился, сказал праздное слово — подтачивают наши силы, лишают нас способности бороться.

Невозможно сейчас увидеть наше духовное положение. Мы можем только, смиряясь, просить Божией помощи на каждый день. Ни одна душа, приходящая к Богу, не останется без поддержки. Только надо просить Бога искренне, не лукавя́. Очень важно, чтобы человек понимал, что служить и Богу и миру греха — значит разрывать себя на две части. Поэтому мы с вами должны выбрать, кому и чему мы служим. И выбор этот делается постоянно.

Протоиерей Андрей Лемешонок, (107)

Пути Господни неисповедимы

Вера Тимофеевна Верховцева (1862–1940) собиралась исповедоваться и причаститься после долгого перерыва. Молясь Богу, чтобы Он послал ей достойного священника, во сне увидела духовника покойной матери, о котором никогда не вспоминала. В старом молитвеннике матери она нашла забытое имя и постаралась узнать об отце Сергии у хороших знакомых в городе ее детства. Он был жив, служил и был законоучителем в гимназии. Вера Тимофеевна отправилась к нему. Прямо с вокзала — в гимназию. Священник, уже седой старик, услышав, что она дочь Надежды Федоровны и хочет у него исповедоваться, пригласил к себе домой в пять часов. В назначенное время она позвонила. Дверь открыл батюшка и, введя ее в свой кабинет, показал на карточку матери, сказав: «Бог, ваша мать и я — мы вас слушаем!» Взволнованная, она выплакала и высказала всю душу свою.

«То была исповедь всей жизни моей; как на ладони представилась она мне, жалкая, одинокая, какая-то темная... Помню, с какой горячей искренностью обнажала я свою изболевшуюся, исстрадавшуюся душу пред ликом Христа, глядевшего на меня из угла... и ничего, в сущности, кроме этого взора, я не видела. Когда я окончила свою исповедь и обернулась в сторону священника, сидевшего в кресле спиной к свету, то увидела его спящим, со страшным красным лицом, и вся поза его изобличала совершенно пьяного человека... Меня он не слушал, да и ему ли я открывала свою душу? Он был свидетелем, изменившим долгу своему, клятве своей, недостойным слугой невидимого Господа, — я же исповедовалась Богу, и слушал меня Бог! Если бы тогда я имела свой теперешний опыт и знание, я бы не смутилась представшим моему взору зрелищем, я бы, вероятно, с колен встала здоровой, оправданной, но тогда... я зашаталась на ногах, и не понимаю, как не сошла с ума от столь неожиданного, так безгранично потрясшего меня впечатления. От резкого моего движения очнулся батюшка и заплетающимся языком велел приехать исповедаться в пять часов утра в церковь к ранней обедне. Не знаю, как одолела мой внутренний хаос благодать Божия, но к пяти утра я уже была в церкви. Войдя в церковь, я увидела своего духовника едва державшимся на ногах. Сторожа его поддерживали. Он, видимо, был в полном изнеможении. Обедню служил другой священник, у которого я и причащалась».

Вера Тимофеевна вернулась в Москву с новой мукой в сердце. «Мысль, что я сама-то недостойна лучшего священника, мне тогда в голову не приходила, к себе я была снисходительна, а к нему требовательна».

После этого здоровье Веры Тимофеевны пошло на убыль. «Доктора послали за границу, оттуда отправили обратно, находя положение безнадежным», — пишет она. Исцелил Веру Тимофеевну отец Иоанн Кронштадтский, к которому она обратилась по совету близких.

«Вскоре после моего возрождения и знакомства с Батюшкой как-то неожиданно для меня самой воскресла в памяти фигура немощного священника. "Вот бы свести его с Батюшкой, — пришло мне на ум, — может, и его исцелит Господь за праведные молитвы Своего служителя. Может, только для этого и пересеклись на мгновенье наши пути". Мысли эти все чаще и неотступнее меня преследовали, и я наконец решилась написать без всяких обиняков. "Вы свет мира и соль земли, — писала я, — а как светите вы? В какой соблазн вводите вашу паству, оскорбляя Бога, пренебрегая интересами вверенного вам стада? Приезжайте непременно, доверьте вашу немощную душу батюшке отцу Иоанну, за его молитвы исцелитесь".

"Не могу обращаться к другим в деле, где сам себе помочь должен", — ответил он.

*Святой праведный
Иоанн Кронштадтский*

Но я не унималась. Внутренний голос убеждал меня настаивать, и я снова написала и назначила даже день приезда, обещая, что служить он будет вместе с Батюшкой, которого я усердно просила молиться о погибающей душе.

Наконец, на третий день вечером, раздался звонок. Мое сердце затрепетало, и я, опередив прислугу, бросилась к входной двери. У двери стоял весь сияющий, лучезарный отец Сергий. Истово помолившись на образ, благословив меня, он пристально посмотрел в мои глаза: "Если бы я не был священник и протоиерей, поклонился бы я тебе в ноги и целовал бы их за то, что ты для меня сделала".

И рассказал мне, как ехал с Батюшкой в купе, как тот вспомнил, что уже о нем молился. Картина отбытия поезда, толпа бегущих людей, бросание записок с мольбой помолиться — все это уже с самого начала поразило его своей необычайностью; он сразу оценил и понял, какую силу имеет истинный священник Господа Бога и каким он должен быть.

Отец Иоанн молчал: молился и дремал. На пароходе он неожиданно взял отца Сергия за руку и повел его к носу парохода. Публика спустилась в каюты, так как бушевал необычайной силы ветер. Палуба была пуста. Отец Сергий, ухватившись за канат и нахлобучив шапку, едва пробирался за Батюшкой, который свободно шел впереди, без шапки, с развевающимися волосами, в распахнутой шубе.

"Ну вот, отец протоиерей, — сказал он, останавливаясь, — Бог, очистительная стихия и я — слушаем тебя".

Вскоре после этого события отец Сергий заболел гнойным плевритом. И случилось, что в это самое время отец Иоанн проезжал город Т., направляясь ко мне в имение. Я усердно просила его навестить болящего.

"Болезнь твоя очистительная, — сказал Батюшка, — ею Господь и всю немощь твою очистит". Встал отец Сергий после болезни духовно здоровым, прожил после того еще десять лет, возрастая и укрепляясь духом».

(72)

ПРИТЧА

Однажды атеист прогуливался вдоль обрыва, поскользнулся и упал вниз. Падая, он успел схватиться за ветку маленького дерева, росшего из расщелины в скале. Вися на ветке, раскачиваясь на холодном ветру, он понял всю безнадежность своего положения, поскольку внизу были замшелые валуны, а возможности подняться наверх не было. Его руки, плотно сжимавшие ветку, ослабели.

«Ну, — подумал он, — только один Бог сейчас может спасти меня. Я никогда не верил в Бога, но я, должно быть, ошибался. Что я теряю?» Поэтому он позвал: «Боже! Если Ты существуешь, спаси меня, и я буду верить в Тебя!» Ответа не было.

Он позвал снова: «Пожалуйста, Боже! Я никогда не верил в Тебя, но если Ты спасешь меня сейчас, я с этого момента буду верить в Тебя». Вдруг великий глас раздался с облаков: «О нет, ты не будешь! Я знаю таких, как ты!» Человек так удивился, что чуть было не выпустил ветку. «Пожалуйста, Боже! Ты ошибаешься! Я на самом деле думаю так! Я буду верить!» — «О нет, ты не будешь! Все вы так говорите!» Человек умолял и убеждал.

Наконец Бог сказал: «Ну хорошо. Я спасу тебя... Отпусти ветку». — «Отпустить ветку?! — воскликнул человек. — Не думаешь ли Ты, что я сумасшедший?»

***

Я не пойму, зачем внезапный вихрь
Вокруг меня бушует злобно так,
Но ведь Господь следит мой каждый миг —
Спокоен я.

Мне не поднять таинственный покров,
Каким для нас грядущий день одет,
Что он скрывает: темноту иль свет —
Вверяюсь я.

И в час прилива мне не разглядеть,
Еще далек ли берег мой — родной,
Но знаю я: Господь всегда со мной —
И счастлив я.

Александр Солодовников

Беседа с английским лордом

Когда мы подходили к монастырю, уже вечерело. В коридоре архондарика нас перехватил огромного роста монах в черной шерстяной кофте и такой же вязаной шапочке. Сразу сообразив, что мы — паломники, он на великолепном английском пригласил нас в приемную залу. Когда же выяснилось наше российское происхождение, он вместо кофе предложил нам горячего чаю с закуской.

— Простите, — отхлебнув глоток чаю, обратился к нему Антон, — откуда у вас такое великолепное лондонское произношение?

— Я, видите ли, англичанин, — ответил он улыбнувшись и тоже отхлебнул глоток чаю.

Мы все чуть было не поперхнулись, услышав такой ответ. Черноволосый, с широкой, уже седеющей бородой, английский лорд, отпрыск древнего рода, так органично вписался в обстановку греческого монастыря, что и сам постепенно стал похож на грека. Теперь-то стало понятно, почему он показался нам особенным!

— Но как же вы оказались на Афоне? Чем занимались прежде? — посыпались на него вопросы.

— Был художественным руководителем балетной труппы, балетмейстером. Мы успешно гастролировали по всей Европе и Америке, но тогда я ничего еще не знал ни о Боге, ни о Православии.

— С чего же началось ваше обращение?

— Представьте себе, с дьявола.

— То есть как с дьявола? — от удивления у Антона округлились глаза.

— А вот как. Однажды мы были на гастролях в Латинской Америке. Там я и услышал впервые о колдунах бруджо из индейских племен габиза и потэ, которые, как считают многие, являются потомками древних инков. Этих колдунов называют еще курандейро. Они считаются добрыми колдунами, то есть знахарями, хотя их методы мало чем отличаются от колдовства, которым пользуются злые колдуны — фитэсейро. Между выступлениями нашей труппы у меня было достаточно времени, чтобы из любопытства посетить некоторых из них и даже присутствовать при совершении различных обрядов. То, что я узнал от них, и то, что увидел своими глазами, полностью ниспровергло мой материалистический взгляд на мир. Для меня стало совершенно очевидным существование другого, невидимого, духовного мира, в котором обитают разумные сущности. Одни из этих сущностей называются у индейцев духами, а другие считаются душами умерших предков. Я убедился в реальности воздействия этих духов на людей и в реальности контакта с ними. Это был полный переворот в сознании. Теперь оказалось, что мир устроен совсем не так, как меня учили. Мне стало ясно, что религия — не абстрактное умствование для успокоения слабовольных и слабонервных людей, а отражение бытия новой для меня духовной реальности. Вернувшись в Англию, я долго осмысливал увиденное, много читал и пришел к выводу о том, что духи, с которыми контактировали фитэсейро, как, впрочем, и курандейро, с точки зрения христианства, — бесы. Вот так, с помощью демонов (не смейтесь), я и начал свой путь к Богу.

— Но все же как вы оказались на Святой Горе?

— Опять же благодаря гастролям. Мы выступали в Фессалониках. Однажды между спектаклями образовался свободный промежуток времени дня в четыре. Все танцоры разъехались на отдых: кто уехал в Афины, кто — купаться и загорать на море. Мне же в руки попал буклет с видами афонских монастырей. Прежде я о них ничего не знал. «Надо же, — подумал я, — в наше время есть еще люди, которые настолько верят в Бога, что посвящают ему всю жизнь!» Четыре дня я провел на Афоне. Посетил несколько монастырей, ходил на службы — и был просто потрясен. Господь дал мне возможность ощутить такую благодать, что все эти дни я пребывал в состоянии неописуемой детской радости и благоговейного умиления. Действительно, такого душевного мира и такой радости я не испытывал с детства. Гастроли закончились, мы уехали, но в течение года у меня в ушах звучали дивные греческие песнопения. И — представьте! — меня, балетмейстера, стала раздражать музыка наших балетов! Я выписал по каталогу греческие песнопения и часто их слушал. Через год я вновь посетил Афон и понял, что хочу остаться здесь навсегда. В этом самом монастыре, по милости Божией, я встретил своего будущего духовника и получил благословение приехать. Но моему желанию суждено было сбыться только через два года. Именно столько времени понадобилось, чтобы уладить все дела в миру.

(27)

Мы недоумеваем: почему человеческие души по-разному отвечают Богу? — Потому что у человеческого сердца бывает разное содержание. Самое главное препятствие к тому, чтобы услышать голос Христа и последовать за Ним, — это духовная гордыня. Духовная гордыня страшнее, чем все человеческие страсти. Духовная гордыня — это всецелая надежда лишь на самого себя, на свои внутренние силы. Духовная гордыня — это отвержение помощи Божией. Человек как бы говорит: «Я не нуждаюсь ни в ком, я сам — источник своих собственных сил, своего спасения». Поэтому духовная гордыня заставляет человека видеть себя центром своего собственного бытия: Бог ему не нужен. И если даже гордый человек исповедует какую-нибудь религию, то она всегда остается для него только лишь внешней формой. А на самом деле у него другая религия — эгоизм; то есть он стал богом сам для себя.

Архимандрит Рафаил (Карелин)

Встреча с Богом

Я служил на флоте. Был подводником, водолазом. И вот один раз, выполняя очередное задание, мы с напарником опустились на морское дно. Сделали все, что от нас требовалось. Плывем, и вдруг увидели впереди великолепный грот — пещеру в подводной скале. Лучи наших фонарей осветили такую красоту, что дух захватило! Я многое повидал в глубинном мире, но такого завораживающего зрелища не видел. Россыпи мелких камней, усеявших пол, потолок и стены пещеры, засверкали разноцветными лучами. Казалось, перед нами — сокровищница неведомого властителя. А какие фантастические цветы украшали этот укрытый от глаз человеческих грот! Время еще оставалось, и мы не сговариваясь шагнули внутрь — и залюбовались еще более восхитительной картиной! Описать ее не под силу человеку, будь я поэт или художник — и тогда не нашел бы нужных слов и красок. Долго любовались мы этим сказочным дивом. Но — пора возвращаться, и мы повернули к выходу. Только что это? Словно невидимая стена встала перед нами, преграждая путь. Шланги тянулись от нас наружу и слегка колыхались в воде — им ничто не мешало, а мы... мы безуспешно пытались протолкнуться сквозь возникшее ниоткуда стекло. В отчаянии я поднял со дна острый камень и, размахнувшись, с силой ударил, пытаясь разбить незримую преграду, — камень вылетел из моей руки и отлетел вперед на несколько шагов, — шагов, которые ни я, ни мой напарник не могли сделать!

Мы заметались по пещере, безнадежно пытаясь отыскать хоть какую-нибудь щель, чтобы протиснуться наружу. И видели все то же чарующее великолепие равнодушного к нашей беде подводного царства. Все та же таинственная стена не давала шагнуть вперед или просунуть руку...

Я не умел молиться — всю свою жизнь до этого я был твердо уверен, что Бога выдумали... Много всякой чепухи было у меня в голове, и все разлетелось вдребезги, разбившись о невидимое стекло. Я закричал-завопил, задыхаясь от слез: «Господи, если Ты есть, прости меня! Господи, выпусти нас, прошу!» Краем глаза я видел, как мой товарищ тоже молча смотрит куда-то ввысь в последней надежде на чудо. Вдруг я почувствовал внутри себя такую теплоту, такую волну любви, какой и от мамы не ощущал. Я встал — и пошел наружу. Стена исчезла! — мы были спасены!

Я никому не рассказывал об этом, даже самым близким, потому что и сам не мог понять, что же это было с нами. И только теперь понял — это и была наша встреча с Богом.

(106)

КОГДА ЧЕЛОВЕК НЕПРЕМЕННО ВСПОМИНАЕТ О БОГЕ?

И самый худший человек хотя бы три раза в жизни вспоминает о Боге:
когда видит праведника, страдающего за чужое преступление;
когда сам страдает за чужое преступление;
когда приходит смертный час.

Трижды в жизни должен заплакать и самый закоренелый грешник:
когда его, гонимого людьми, будто дикого зверя, ласкает материнская рука;
когда его, больного и одинокого, навещает бывший враг, принося подарки и прощение;
когда ему перед смертью священник говорит: «Не бойся — Божия милость больше, чем твои грехи!»

Трижды человек сам себе кажется подобным Богу:
когда у него родится сын;
когда он поймет и примет Христа;
когда примирится со своими страданиями за правду.

Святитель Николай Сербский

Возвращение

Меняться не хочу ни с кем судьбой.
Дорога сына блудного домой
Чрез собственное сердце пролегает,
И втайне Бог в объятья принимает.

Игумен Авраам

Притча о блудном сыне

У некоторого человека было два сына; и сказал младший из них отцу: отче! дай следующую мне часть имения. И отец разделил им имение. По прошествии немногих дней младший сын, собрав все, пошел в дальнюю сторону и там расточил имение свое, живя распутно. Когда же он прожил все, настал великий голод в той стране, и он начал нуждаться; и пошел, пристал к одному из жителей страны той, а тот послал его на поля свои пасти свиней; и он рад был наполнить чрево свое рожками, которые ели свиньи, но никто не давал ему. Придя же в себя, сказал:

Рембрандт.
«Возвращение блудного сына»

сколько наемников у отца моего избыточествуют хлебом, а я умираю от голода; встану, пойду к отцу моему и скажу ему: отче! я согрешил против Неба и пред тобою и уже недостоин называться сыном твоим; прими меня в число наемников твоих. Встал и пошел к отцу своему. И когда он был еще далеко, увидел его отец его и сжалился; и, побежав, пал ему на шею и целовал его. Сын же сказал ему: отче! я согрешил против Неба и пред тобою и уже недостоин называться сыном твоим. А отец сказал рабам своим: принесите лучшую одежду и оденьте его, и дайте перстень на руку его и обувь на ноги; и приведите откормленного теленка и заколите; станем есть и веселиться! ибо этот сын мой был мертв и ожил, пропадал и нашелся. И начали веселиться. Старший же сын его был на поле; и, возвращаясь, когда *приблизился к дому, услышал пение и ликование; и, призвав одного из слуг, спросил: что это такое? Он сказал ему: брат твой пришел, и отец твой заколол откормленного теленка, потому что принял его здоровым. Он осердился и не хотел войти. Отец же его, выйдя, звал его. Но он сказал в ответ отцу: вот, я столько лет служу тебе и никогда не преступал приказания твоего, но ты никогда не дал мне и козленка, чтобы мне повеселиться с друзьями моими; а когда этот сын твой, расточивший имение свое с блудницами, пришел, ты заколол для него откормленного теленка. Он же сказал ему: сын мой! ты всегда со мною, и все мое твое; а о том надобно было радоваться и веселиться, что брат твой сей был мертв и ожил, пропадал и нашелся.*

(Лк. 15: 11–32)

Покаяние

Покаяние невозможно без встречи с Богом. Поэтому Бог и пошел навстречу человеку. Если покаяние было бы просто рассмотрением, раскаянием, расположением по-иному своих сил, оно было бы перестройкой, но не переменой по существу. Заболевший, как говорит святой Кирилл Александрийский, не может исцелить себя, а нужен ему Исцелитель — Бог. А в чем болезнь? В порче любви. Не может быть односторонней любви. Двое нужны для любви, а для полноты любви, собственно, нужны трое. Бог, ближний и я. Я, Бог и ближний. Ближний, Бог и я. Это — *перихорисис*, взаимопроникновение любви, круговращение любви. Оно-то и есть жизнь вечная. В покаянии человек чувствует, что он болен грехом, и ищет Бога. Поэтому покаяние имеет в себе всегда возрождающую силу. Покаяние — не просто жалость к себе, или депрессия, или комплекс неполноценности, а сознание того, что потеряно общение, и сразу поиск и даже начало

Епископ
Афанасий (Евтич)

восстановления этого общения, поэтому покаяние поднимает человека. Вот пришел блудный сын в себя и говорит: «Вот в каком я состоянии. Но у меня есть отец, встану и пойду к отцу!» Если бы он просто осознал себя заблудшим, это бы еще не было христианским покаянием. А он пошел к отцу! В Священном Писании сказано, что отец уже вышел навстречу ему, можно предположить, что отец сделал первый шаг и это отразилось на самопробуждении сына и его решении вернуться. Не надо, конечно, анализировать, что первое, что второе, — инициатива для встречи должна быть взаимная. И Бог, и человек становятся активными. Это активность любви, ибо любовь ищет общения, а покаяние и есть сожаление о потерянной любви.

(54)

«Все равно...»

Много лет назад (еще в 20-х годах XX века) был съезд Русского студенческого христианского движения. На этом съезде присутствовал один замечательный священник — отец Александр Ельчанинов. К нему пришел на исповедь офицер и сказал: «Я могу вам выложить всю неправду моей жизни, но я ее только головой сознаю. Мое сердце остается совершенно нетронутым. Мне ВСЕ РАВНО. Головой я понимаю, что это все зло, а душой никак не отзываюсь: ни болью, ни стыдом». И отец Александр сказал потрясающую вещь: «Не исповедуйтесь мне. Это будет совершенно напрасное дело. Завтра, перед тем, как я буду служить Литургию, вы выйдите к Царским вратам. И когда все соберутся, вы скажите то, что вы только что сказали мне, и исповедуйтесь перед всем собравшимся съездом».

Митрополит
Антоний Сурожский

Офицер на это согласился, потому что он чувствовал, что в нем жизни нет, что у него только память и голова, а сердце мертво и жизнь в нем погасла. И все же он вышел от священника с чувством ужаса. Офицер думал, что начни он сейчас говорить — и весь съезд от него отвернется. Все с ужасом посмотрят на него и подумают: «Мы считали его порядочным человеком, а какой он негодяй, он не только негодяй, но и мертвец перед Богом». Но он пересилил свой страх и ужас, встал и начал говорить. И случилось для него самое неожиданное. В момент, когда он сказал, зачем он встал перед Царскими вратами, весь съезд обратился к нему сострадательной любовью. Он почувствовал, что все ему открылись, что все открыли объятия своего сердца, что все с ужасом думают о том, как ему больно, как ему страшно. Он разрыдался и в слезах произнес свою исповедь, и для него началась новая жизнь.

Митрополит Антоний Сурожский, (4)

Разговор с сыном

Мой сын как-то сильно нагрубил своей маме, моей жене. Она заплакала. Вмешалась бабушка. Скандал в семье. А я сижу за столом, работаю и думаю: как мне сейчас быть? Выйти и накричать, сказать: «Извинись сейчас же!» Он бы извинился. Но я подумал, что это не решение проблемы. Проходит неделя, сын занят чем-то, я ему говорю: «Что ты сейчас делаешь?» — «Задачи решаю». — «А кому они нужны, твои задачи?» — «Не знаю, учительнице, наверное...» — «Ну раз так, пойдем со мной, у меня дело к тебе, мужской разговор». Идем в парк, был март, прохладно, сели там на скамейку, и я говорю: «Ты понимаешь, мне помощь твоя нужна... Я, было время, влюбился в девушку и обещал ей, что если она выйдет за меня, то я ее всегда буду беречь и не давать в обиду...» — «И что дальше? — говорит сын. — Правильно, надо защищать». — «И ты бы так сделал?» — «Конечно...» — «Так вот, объясни, что мне делать со своим сыном, который обижает мою любимую женщину? Я не знаю...» Он задумался, потом говорит: «Накажи меня». — «Ну и что из этого получится, что я накажу тебя? Давай иначе договоримся. Раньше был один мужчина в семье, теперь нас двое, давай помоги... У тебя мама, сестренка, бабушка... Они женщины, а мы мужчины, будь мне помощником...»

(94)

Великое понимание

Что же на самом деле имеется в виду под покаянием? Обычно говорят: сожаление о грехах, чувство вины, ощущение горечи и ужаса оттого, что мы нанесли раны другим и самим себе. И все же такое представление является неполным. Горечь и ужас действительно составляют существенный элемент покаяния, но они не исчерпывают его, даже не являются его наиболее важной частью. Мы ближе подойдем к существу вопроса, если рассмотрим буквальный смысл греческого слова, обозначающего покаяние — *метанойя*. Оно означает *изменение ума*: не просто сожаление о прошлом, но фундаментальная трансформация нашей способности смотреть на вещи, новый взгляд на самих себя, на других и на Бога — «великое понимание», по слову пастыря Ерма. Великое понимание — но не обязательно эмоциональный кризис. Это не упадок духа, но энергичное ожидание; это не значит, что ты оказался в тупике, но что ты обретаешь выход. Это не ненависть к себе, но утверждение своего истинного «я» как созданного по образу Божию. Каяться — значит смотреть не вниз на свои собственные недостатки, но вверх — на любовь Божию; не назад, упрекая себя, но вперед — с доверием и надеждой. Это значит видеть не то, чем я не смог быть, но то, чем я еще, по благодати Христовой, могу стать.

Епископ Каллист (Уэр), (36)

С чего начать?

Однажды ко мне в каливу пришел юноша, который впадал в плотской грех и не мог освободиться от этой страсти. Несчастный пришел в отчаяние. До меня он был у двух духовников, которые строго пытались объяснить ему, что он тяжело грешит. Паренек потерял всякую надежду. «Раз я знаю, что совершаю грех, — решил он, — и не могу исправиться, то лучше мне порвать все отношения с Богом». Когда я услышал о том, что с ним происходит, мне стало больно за несчастного, и я сказал: «Послушай меня, благословенная душа. Никогда не начинай свою борьбу с того, что ты не можешь сделать, но начинай с того, что ты сделать можешь. Давай посмотрим, что тебе по силам, и ты начнешь с этого. Можешь ли ты ходить в церковь каждое воскресенье?» — «Могу», — ответил он. «А можешь ли ты поститься каждую среду и пятницу?» — спросил я снова. «Могу», — ответил он. «А можешь раздавать в милостыню десятую часть от твоей зарплаты или же

Старец
Паисий Святогорец

посещать больных и помогать им?» — «Могу». — «А можешь ли ты — даже впав в грех — молиться каждый вечер и просить: "Боже мой, спаси мою душу"?» — «Геронда, — сказал мне он, — я буду все это делать». — «Ну так вот, — говорю, — начинай прямо с сегодняшнего дня делать все, что тебе по силам, а Всесильный Бог сделает то единственное, что тебе не по силам». Несчастный юноша успокоился и не переставая повторял: «Благодарю тебя, отче». Видишь: у него было любочестие, и Благий Бог помог ему.

Старец Паисий Святогорец, (63)

Что такое грех?

Греческое слово *амартиа*, обозначающее грех, имеет несколько значений. Буквально оно переводится как *промах*. Промахивается же человек оттого, что стреляет не в ту цель. Совершая грех, он нацеливается на что-то, попадает, но потом оказывается, что цель была иллюзорной и кроме вреда ничего не принесла. Потому что Бог ставил перед ним другую цель, а человек своим духовным зрением, помраченным страстями, ее не заметил. Эти промахи ранят прежде всего самого человека и в конце концов — убивают его.

Во второй половине двадцатого века, когда наука начала активно изучать деятельность мозга высших животных, физиологами был поставлен любопытный эксперимент. В мозгу крысы были найдены нервные центры, формирующие импульсы удовольствия. В эти центры были вживлены электроды, а крысу научили нажимать мордочкой на педаль, которая включала слабый ток. Ученые собирались исследовать поведение крысы после того, как она научится получать удовольствие в обход законов своей крысиной природы. Но их ожидало разочарование. Крыса жала на педаль до тех пор, пока не сдохла от жажды и голода. Удовольствие победило даже страх смерти. Наверное, так умирают люди, имевшие несчастье пристраститься к тяжелым наркотикам...

Замечательный английский христианский писатель Клайв Льюис в «Хрониках Нарнии» писал: «Каждый человек получает в жизни то, чего хочет. Но не каждый после этому рад». Бог создал человека с волей, свободной в выборе добра и зла. И никогда не отнимал у него этой свободы. Всю человеческую жизнь Бог ждет, когда человеку надоест калечить себя грехами. И если он поймет, что смертельно болен, и обратится к Богу за помощью, Господь с радостью исцелит раны, которые человек сам себе наносил всю жизнь. А если посчитает себя здоровым, то просто убьет себя собственными грехами. Даже Бог не может спасти нас вопреки нашей воле...

(15)

> Всякий грех — явный ли, тайный ли — каждого из нас отражается на судьбах всего мира.
>
> Архимандрит Софроний (Сахаров)

Совет преподобного Силуана Афонского

В 1905 году отец Силуан провел несколько месяцев в России, часто посещая монастыри. В одно из таких путешествий в поезде он занял место напротив купца, который дружеским жестом раскрыл перед ним свой серебряный портсигар и предложил ему сигарету. Отец Силуан поблагодарил за предложение, но отказался. «Не потому ли, батюшка, вы отказываетесь, что считаете это грехом? — спросил купец и добавил: — Но курение часто помогает в деятельной жизни; хорошо прервать напряжение в работе и отдохнуть несколько минут. Удобно при курении вести деловую или дружескую беседу, и вообще в ходе жизни...» И дальше, пытаясь убедить отца Силуана взять сигарету, он продолжал говорить в пользу курения. Тогда все-

*Преподобный
Силуан Афонский*

таки отец Силуан решился сказать: «Господин, прежде чем закурить сигарету, помолитесь, скажите одно "Отче наш"». Но купец ответил: «Молиться перед тем как курить как-то не идет». Преподобный Силуан заметил: «Итак, всякое дело, перед которым не идет несмущенная молитва, лучше не делать».

(80)

Что такое духовная жизнь?

***

Большое заблуждение в том, когда люди думают, будто для Неба надо предпринимать большие и громкие дела. Совсем нет. Надобно только делать все по заповедям Господним. Что же именно? Ничего особенного, как только то, что всякому представляется по обстоятельствам его жизни, чего требуют частные случаи, с каждым из нас встречающиеся... Это вот как. Участь каждого Бог устрояет, и все течение жизни каждого — тоже дело Его всеблагого промышления, следовательно, и каждый момент, и каждая встреча. Возьмем пример: к вам приходит бедный — это Бог его привел. Что вам сделать надо? Помочь. Бог, приведший к вам бедного, конечно, с желанием, чтобы вы поступили в отношении к сему бедному как

Ему угодно, смотрит на вас, как вы в самом деле поступите. Ему угодно, чтобы вы помогли. Поможете — угодное Богу сделаете и сделаете шаг к последней цели — наследию Неба. Обобщите этот случай, выйдет — во всяком случае и при всякой встрече надобно делать то, что хочет Бог, чтоб мы сделали. А чего Он хочет, это мы верно знаем из предписанных нам заповедей. Помощи кто ищет? Помоги. Обидел кто? Прости. Сами обидели кого? Спешите испросить прощения и помириться. Похвалил кто? Не гор-

Святитель
Феофан Затворник

дитесь. Побранил? Не сердитесь. Пришло время молитвы? Молитесь. Работать? Работайте... И прочее, и прочее, и прочее. Если, все это обсудивши, положите вы так во всех случаях действовать, чтобы дела ваши угодны были Богу, быв совершаемы неуклонно по заповедям, то все задачи относительно вашей жизни решаются этим полно и удовлетворительно. Цель — блаженная жизнь за гробом; средства — дела по заповедям, исполнения которых требуют все случаи жизни. Мне кажется, тут все ясно и просто, и нечего вам томить себя мудреными задачами. Надо выбросить из головы все планы о многополезной, многообразной общечеловеческой деятельности, какою бредят нынешние умники, и жизнь ваша будет созерцаться вложенною в покойные рамки и без шума ведущею к главной цели. Помните, что Господь и стакана холодной воды, поданного томимому жаждою, не забывает.

***

У вас теперь отчего все не ладится? Думаю, оттого, что вы хотите помнить Господа, забывая о делах житейских. Но житейские дела лезут в сознание и память о Господе вытесняют. А вам следует, наоборот, о житейских делах хлопотать, но как о Господнем поручении и как пред Господом. Там у вас ни того, ни другого не выходит... а здесь то и другое будет исправлено.

***

Самая большая опасность от неустанных хлопот — есть подавление религиозных чувств. Но это не от природы житейских дел, а от нашей оплошности, по которой попускаем себе погрязнуть и мыслями, и чувствами, и желаниями, и заботами в одно житейское. А ведь этого может и не быть.

***

Начинайте все с молитвою, продолжайте с упованием, кончайте благодарением. И всякое дело будет окутано Божественным одеянием... и не выбьет Бога из души... Затем, переходя от дела к делу, на переходе выгоняйте из души все житейское и будьте с Богом вниманием и чувством или повторяйте какой-либо из псалмов.

***

Полагаю, что возможно при всех хлопотах держать душу не суетящеюся. Ибо и великие святые строились и хлопотали же? Афанасий Афонский и умер на строении. Стало быть, можно совмещать с внутреннею жизнью хлопоты строительные...

Святитель Феофан Затворник, (86)

Письма старца

Дорогая Н.!

Волю Божию можно и нужно выполнять в любом деле и при любых занятиях и на любом месте. Дело не в том, чем мы занимаемся, но как относимся к делу и что для нас главное. Так что не сетуйте на творчество, это занятие ничем не хуже всякого другого.

Если ты не забываешь, во имя Кого и во имя чего ты творишь, то и отношение будет разное: одно дело — во славу Божию проповедовать творчеством и жизнью своей идеи, которые принес

Архимандрит Иоанн (Крестьянкин)

Спаситель, другое дело — во славу свою блеснуть, отличиться. Разбирайся, детка!

Твори во имя любви к людям, ведь это вторая главнейшая заповедь, и тогда любовь к миру изольется слезами по нему — страдающему, болящему, утратившему главное. Так не сетуй на внешнее, но исповедуй свою немощь, и смирится вознесенная было гордыня.

Много надо трудов понести, чтобы строился дом души. Строй, детка. Он не раз еще будет шататься и даже нарушаться, пока созреет ум и душа. Набирайся терпения, чтобы терпеть свои несовершенства.

Божие благословение тебе. Храни тебя Господь.

Архимандрит Иоанн (Крестьянкин), (30)

Великое в малом

Серафим Саровский говорит, что цель жизни христианской — стяжать Святой Дух.

Стяжание Святого Духа — это не подвиг, на который толкает мое самолюбие, гордыня, самость, когда я хочу уже сейчас сделать себя святым, чтобы меня почитали и мною любовались. Нет. Это подвиг, который начинается и совершается в обыденной жизни, когда я принимаю то, что мне дается, когда я благодарю Бога за жизнь, несмотря на то, что в ней много скорбей, много моих ошибок, но я в ней нашел Бо-

Преподобный
Серафим Саровский

га, нашел смысл. В ней я вижу свое служение Христу, не только в храме, но и у плиты, и у колыбели, на работе.

Апостол Павел в то время, когда еще существовало рабство, не призывал людей к бунту, а говорил рабам: *Работайте своим господам так, как будто вы работаете Богу* (Еф. 6: 5).

Есть удивительный святой, почитаемый в Греции, Иоанн Русский. Он ничего необычайного не совершил. Оказался в рабстве у мусульман и трудился у них.

Когда за преданность, ответственность, любовь к тому, что он делал, хозяева его хотели отпустить, святой Иоанн сказал, что, работая им, служил Христу, и поэтому его жизнь не была рабством.

Протоиерей Андрей Лемешонок, (107)

Житейское море

Житейское море играет волнами,
В нем радость и горе всегда перед нами.
Никто не поручится и не узнает,
Что может случиться, что завтра с ним станет.

Сегодня ты весел и жизнью доволен,
Раздолья круг тесен, а завтра ты — болен.
И, может быть, завтра сырая могила
Возьмет безвозвратно кипучие силы.

Хоть счастье пригрело, но ты не гордися.
Нельзя сказать смело: ешь, пей, веселися.
Богат ты сегодня, пируешь роскошно,
Но волю Господню узнать невозможно.

И, может быть, завтра, больной и с сумою,
Пойдешь ты скитаться с горючей слезою.
Так в море житейском волна за волною
Сменяются резко под нашей ладьею.

Наш Кормчий пред нами, гляди Ему в очи,
И с верой, надеждой свершай путь средь ночи.

Митрополит Иосиф Ростовский

Откровение духовника

Знаете, сколько людей приходят ко мне и просят, чтобы я помог им в каком-то их затруднении. Но при этом эти люди ни на исповедь, ни в церковь не хотят идти!

«А в церковь ты хоть ходишь?» — спрашиваю. «Нет», — отвечают они. «А ты хоть когда-нибудь исповедовался?» — спрашиваю снова. «Нет, я пришел к тебе, чтобы ты меня исцелил». — «Но как же я тебя исцелю? Тебе нужно покаяться в своих грехах, нужно исповедоваться, ходить в храм, причащаться — если ты имеешь на это благословение своего духовника, — а я буду молиться о твоем здравии. Неужели ты забываешь о том, что есть и иная жизнь и к ней нам необходимо готовиться?»

Старец
Паисий Святогорец

«Послушай-ка, отец, — возражают в ответ такие люди, — все то, о чем ты говоришь, — церковь, иная жизнь и тому подобное — нас не занимает. Все это сказки. Я был у колдунов, был у экстрасенсов, и они не смогли меня исцелить. И вот я узнал, что исцелить меня можешь ты».

Представляешь, что творится! Говоришь им об исповеди, о будущей жизни, а они отвечают, что все это сказки. Но одновременно просят: «Помоги мне, а то я сижу на таблетках». Но как я им помогу? Разве исцелятся они волшебным образом (без труда)?

И посмотри, многие люди, измученные проблемами, которые они сами себе создали своими грехами, не идут к духовнику, который может им действительно помочь, но заканчивают тем, что «исповедуются» у психолога.

Старец Паисий Святогорец, (62)

Дьявол не хочет покаяться

— Благий Бог сотворил Ангелов. Однако от гордости некоторые из них пали и стали бесами. Бог создал совершенное творение — человека — для того, чтобы он заменил отпадший ангельский чин. Поэтому дьявол очень завидует человеку — созданию Божию. Бесы горланят: «Мы совершили один проступок, и Ты нас тиранишь, а людей, у которых на счету так много провинностей, — Ты прощаешь». Да, прощает, но люди каются, а бывшие ангелы пали так низко, что стали бесами, и вместо того, чтобы покаяться, становятся все лукавее, все злобнее. С неистовством они устремились на разрушение созданий Божиих. Денница был самым светлым ангельским чином! А до чего он дошел... От гордости бесы удалились от Бога тысячи лет назад, и по гордости они продолжают удаляться от Него и остаются нераскаянными. Если бы они сказали только одно: «Господи, помилуй», то Бог что-нибудь придумал бы (для их спасения). Если бы они только сказали: «Согреших», но ведь они этого не говорят. Сказав: «Согреших», дьявол снова стал бы Ангелом. Любовь Божия беспредельна. Но дьявол обладает настырной волей, упрямством, эгоизмом. Он не хочет уступить, не хочет спастись. Это страшно. Ведь когда-то он был Ангелом!

— *Геронда, а помнит ли дьявол свое прежнее состояние?*

— Ты еще спрашиваешь! Он (весь) — огонь и неистовство, потому что не хочет, чтобы стали Ангелами другие, те, кто займут его прежнее место. И чем дальше, тем хуже он становится. Он развивается в злобе и зависти. О, если бы человек ощутил состояние, в котором находится дьявол! Он плакал бы день и ночь. Даже когда какой-нибудь добрый человек изменяется к худшему, становится преступником, его очень жаль. А что же говорить, если видишь падение ангела!

Как-то раз одному монаху *(этим монахом был сам старец Паисий)* стало очень больно за бесов. Преклонив колена, пав ниц, он молился Богу следующими словами: «Ты — Бог, и стоит Тебе захотеть, Ты можешь найти способ для спасения и этих несчастных бесов, которые сперва имели столь великую славу, а сейчас обладают всей злобой и коварством мира, и если бы не Твое заступничество, то они погубили бы всех людей». Монах молился с болью. Произнося эти слова, он увидел рядом с собой морду пса, который высовывал ему язык и его передразнивал. Видимо, Бог попустил это, желая известить монаха, что Он готов принять бесов, лишь бы они покаялись. Но они сами не желают своего спасения.

Посмотрите — падение Адама уврачевалось пришествием Бога на землю, Вочеловечением. Но падение дьявола не может быть уврачевано ничем иным, кроме его собственного смирения. Дьявол не исправляется потому, что не хочет этого сам. Знаете, как был бы рад Христос, если бы дьявол захотел исправиться! И человек не исправляется лишь в том случае, если не хочет этого сам.

— *Геронда, так что же — дьявол знает, что Бог есть Любовь, знает, что Он любит его, и, несмотря на это, продолжает свое?*

— Как не знает! Но разве его гордость позволит ему смириться? А кроме этого он еще и лукав. Сейчас он старается приобрести весь мир. «Если у меня будет больше последователей, — говорит он, — то в конце концов Бог будет вынужден пощадить все Свои создания, и я тоже буду включен в этот план!» Так он полагает. Поэтому он хочет привлечь на свою сторону как можно больше народу. Видите, куда он клонит? «На моей стороне столько людей! Бог будет вынужден оказать милость и мне!» Он хочет спастись без покаяния!

А разве не то же самое сделал Иуда? Он знал, что Христос освободит умерших из ада. «Пойду-ка я в ад прежде Христа, — сказал Иуда, — чтобы Он освободил и меня!» Видишь, какое лукавство? Вместо того чтобы попросить у Христа прощения, он сунул голову в петлю. И посмотрите, благоутробие Божие согнуло смоковницу, на которой он повесился, но Иуда (не желая остаться в живых), поджал под себя ноги, чтобы они не касались земли. И все это ради того, чтобы не сказать одно-единственное «прости». Как это страшно! Так и стоящий во главе эгоизма дьявол не говорит: «Согреших», но без конца бьется над тем, чтобы перетянуть на свою сторону как можно больше народу.

Старец Паисий Святогорец, (61)

> *Кающийся грешник не должен бояться Бога, а любить Его. Вот Адам испугался Бога, потому что не осознал себя грешником. Ведь Господь не ждет, не подстерегает нас, чтобы покарать. Он ждет, как бы нас вразумить, и еще таким тихим образом, чтобы и волю нашу не ограничить. Он почитает нас крепко. Мы виновники, преступники, а Он божественною честью нас венчает. Почему? Да потому, что мы икона Божия, образ Его. Как же Господь будет оскорблять Свой образ? Он только хочет его обмыть да очистить, чтобы опять заблистал как икона.*

Архимандрит Таврион (Батозский)

Исповедь у оптинского старца

Душа моя потянулась к Батюшке, я почувствовала, что это именно то, о чем я молилась всю жизнь, это именно такой человек, который сам откроет мою душу.

— Да, — продолжал Батюшка, — тебе двадцать шесть... Сколько тебе было четырнадцать лет тому назад?

— Двенадцать, — ответила я, секунду подумав.

— Верно. И с этого года у тебя появились грехи, которые ты стала скрывать на исповеди. Хочешь, я скажу тебе их?

— Скажите, Батюшка, — несмело ответила я.

Тогда Батюшка начал по годам и даже по месяцам говорить мне о моих грехах так, будто читал их по раскрытой книге. Были случаи, когда он не указывал прямо на грехи, а спрашивал, помню ли я то-то. Я отвечала: «Этого не могло быть, Батюшка, я точно знаю». Тогда старец кротко указывал мне на сердце, говоря: «Неужели ты думаешь, что я знаю это хуже тебя, я ведь лучше тебя вижу всю твою душу». И после таких слов я мгновенно вспоминала грех. Только один случай на восемнадцатом году не могла припомнить, и его Батюшка пока оставил.

Исповедь таким образом продолжалась около получаса. Я была совершенно уничтожена сознанием своей величайшей греховности и сознанием того, какой великий человек сейчас передо мной,

Преподобный Варсонофий Оптинский

как осторожно открывал он мои грехи, как боялся сделать больно и в то же время как властно и сурово обличал в них. Когда видел, что я жестоко страдаю, придвигал свое ухо к моему рту близко-близко, чтобы я только шепнула: «Да». Или так же тихо говорил мне на ухо что-нибудь особенно страшное.

— Всю жизнь ты должна быть благодарна Господу, приведшему тебя в Оптину. Я даже не знаю, за что так милосерден к тебе Господь? Могла бы ты теперь умереть?

— Конечно, Батюшка.

— И ты пошла бы знаешь куда? Прямо в ад.

Так все во мне и заледенело. А я ведь в своем самомнении думала, что выделяюсь среди всех своей христианской жизнью.

Боже, какое ослепление, какая слепота духовная!

— Встань, дитя мое!

Я встала, подошла к аналою.

Когда я наклонила голову и Батюшка накрыл меня епитрахилью и стал читать разрешительную молитву, я почувствовала, что сваливается такая неимоверная тяжесть, мне делается так легко, что даже непривычно. Точно я была набита какой-то гнилью, трухой — и меня вытрясли. Я не выдержала и разрыдалась...

(67)

Оскоромился!

Иногда бывает так: человек старается поститься, потом срывается и чувствует, что он осквернил весь свой пост и ничего не остается от его подвига. На самом деле все совершенно не так. Бог иными глазами на него смотрит. Это я могу пояснить одним примером из своей собственной жизни.

Когда я был доктором, то занимался с одной очень бедной русской семьей. Денег я у нее не брал, потому что никаких денег не было.

Но как-то в конце Великого поста, в течение которого я постился, если можно так сказать, зверски, то есть не нарушая никаких уставных правил, меня пригласили на обед. И оказалось, что в течение всего поста они собирали деньги для того, чтобы купить маленького цыпленка и меня угостить. Я на этого цыпленка посмотрел и увидел в нем конец своего постного подвига. Я, конечно, съел кусок цыпленка, не мог их оскорбить. Потом пошел к своему духовному отцу и рассказал ему о том, какое со мной случилось горе, о том, что в течение всего поста постился, можно сказать, совершенно, а сейчас, на Страстной седмице, я съел кусок курицы. Отец Афанасий на меня посмотрел и сказал:

— Знаешь что? Если бы Бог на тебя посмотрел и увидел бы, что у тебя нет никаких грехов и кусок курицы тебя может осквернить, Он тебя от нее защитил бы. Но Он посмотрел на тебя и увидел, что в тебе столько греховности, что никакая курица тебя еще больше осквернить не может.

Я думаю, что многие могут запомнить этот пример, чтобы не держаться устава слепо, а быть прежде всего честными людьми.

Да, я съел кусочек этой курицы, но я съел не как скверну какую-то, а как дар человеческой любви.

Я помню место в книгах отца Александра Шмемана, где он говорит, что все на свете есть не что иное, как Божия любовь. И даже пища, какую мы вкушаем, является Божественной любовью, которая стала съедобной.

Митрополит Антоний Сурожский, (5)

Дело покаяния совершается тремя добродетелями: 1) очищением помыслов; 2) непрестанной молитвой; 3) терпением постигающих нас скорбей.

Преподобный Марк Подвижник

«Имей духовное благородство»

Клирик из монастыря, находящийся в миру, рассказал следующее: «В августе 1993 года я жил как гость в одном святогорском общежитии. Игумен и отцы этого монастыря предлагали мне остаться и поступить в число братии. Я молился, чтобы Бог показал мне Свою волю. Однажды я пришел к старцу Паисию в Панагуду, не для того, чтобы его о чем-то спросить, а просто чтобы взять его благословение. Однако меня ожидало немало "сюрпризов". Старец отвел меня в сторонку и спросил: "Откуда ты, отче?" Я ответил. Отец Паисий сказал: "Отче, оставайся в своем монастыре".

Потом он мне сказал: "Имей духовное благородство. Когда ты разговариваешь с юными, не надо на них давить. Это и есть духовное благородство. Уважай другого человека, не дави на него". Потом он давал мне наставления и говорил о том, что я делал, будучи у себя в монастыре. Я удивился: откуда старец знал, что я беседовал с юношами и, убеждая их пойти на исповедь, давил на них больше чем нужно. Потом старец добавил: "Если бы Бог захотел, то за одну минуту Он мог бы заставить весь мир покаяться. Он переключил бы тумблер на отметку семь баллов Рихтера и устроил бы такое землетрясение, что ты увидел бы, как все люди в страхе осеняют себя крестным знамением. Но такое покаяние — это не искреннее покаяние. Это вынужденное покаяние, и цена ему невелика. Поэтому и ты на них не дави"».

(33)

Не надо просить у Бога ни света, ни дарования, ничего другого, но лишь одного: покаяния, покаяния, покаяния.

Старец Паисий Святогорец

«Объятия Отча»*

Там, где счастье, там и радость, и если у тебя ее нет — значит, нет в тебе простоты младенческой. Я пробовал «дотянуться» до этой простоты своими силами, прогнозами ума, как все могло бы быть, — получалась роль. «Седые дети в штанишках не по росту». А в итоге лицо приобретает еще большую хмурость. Но Господь милостив, и однажды в одной из командировок Он показал мне «короткометражный фильм». Для меня он стал знаковым.

У отца настоятеля была трехлетняя дочь. Папа держал ее в отеческой строгости и святом послушании, при котором малейшее отступление от заповеданного в сторону детской шалости встречало взрослые выговоры. Когда я стал свидетелем одного из таковых, даже мои колени чуть было не дрогнули. Веселая секунду назад, девочка сначала остановилась. Еще через секунду она обиделась, через две, громко плача, она уже бежала в сторону от своего папы. Не находя успокоения для себя, она, еще не зная, что будет дальше, поворачивает в другую сторону. Но и там не легче. И тут она решается на отчаянный поступок. Заплакав еще громче, она бежит прямо на своего родителя. «Пошла на таран» — так я подумал. Она обняла широкий стан отца настоятеля, и радости обоих, казалось, не было конца. Дочь всхлипывала, утирая носик об одежду дорогого папочки, а тот гладил ее волосы, утешаясь, что у него такая дочка. Счастливее людей, наверно, я еще не видел.

И понял я, что во всех обстояниях не нужно бежать в сторону, а, быть может, как эта девочка, прибегать в объятия к Отцу Небесному — ведь мы Его дети.

Из дневника послушника N, (107)

---

* Из песнопения Великого поста (седален в Неделю о блудном сыне).

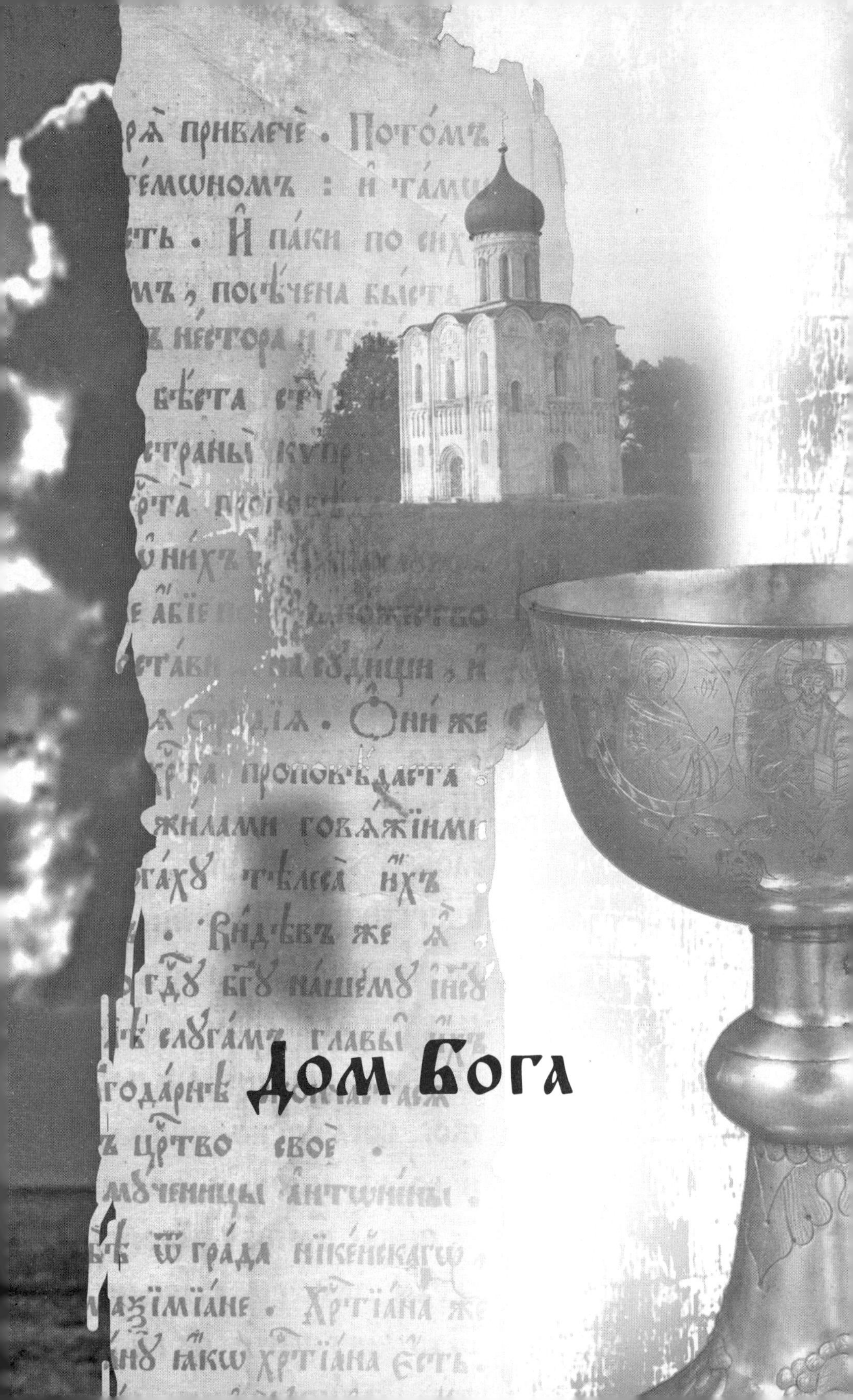

Дом Бога

Когда, гоним тоской неутолимой,
Войдешь во храм и станешь там в тиши,
Потерянный в толпе необозримой,
Как часть одной страдающей души,

Невольно в ней твое потонет горе,
И чувствуешь, что дух твой вдруг влился
Таинственно в свое родное море
И заодно с ним рвется в Небеса...

Аполлон Майков

***

Храм — удел Божий. Что это значит? Это значит, что все пространство, которое обрамлено стенами этого храма, принадлежит Богу и что в этом мире, где Ему часто нет места в городе, среди общественности, в политической или частной жизни людей, храм для Него — как бы место убежища. Так не говорят никогда, конечно, потому что мы привыкли к тому, что Бог в убежище не нуждается. На самом же деле отвергнутый Бог теперь часто не имеет никакого места, которое принадлежало бы Ему, кроме храма; и вот в этом отношении храм является Его уделом. И замечательно

то, что Бог сотворил весь этот мир, который осквернен, обезбожен, опустошен человеком; а храм создан людьми, которые остались верны Богу и создали такое место, где Он имеет право жить, где Он царствует, где Он хозяин и может совершать над нами, людьми, чудеса, которых никакая культура, никакая техника не может совершить. Это — удел Божий.

Митрополит Антоний Сурожский, (5)

***

Те, кто говорит, что им храмы и посредники не нужны, вряд ли считают авторитетным для себя слово Евангелия. Но может быть, они почувствуют человеческую достоверность в словах всеми любимого Винни-Пуха? Однажды, в ответ на предложение Пятачка сочинить песенку, Винни-Пух сказал: «Но это не так просто. Ведь поэзия — это не такая вещь, которую вы находите, это вещь, которая находит вас. И все, что вы можете сделать, это пойти туда, где вас могут найти».

Диакон Андрей Кураев, (40)

Где взять силы исправиться?

Многие думают: хорошо, вот я уверовал в Бога, я осознал свои грехи, ну а при чем тут храм с его таинственностью? Ну, я понимаю: годовщина смерти моей мамы, я пришла, подала записку, ее помянули — а все остальное-то зачем? На самом деле такой вопрос задает только тот, кто никогда не пробовал исправиться. Если каждый из нас, осознав любой свой грех, попытался бы сам исправиться, он бы увидел, что у него на это нет сил. Часто в метро приходится наблюдать такую картину: сидит молодой человек и делает вид, что спит или читает, чтобы не уступать места, — и это не потому, что он устал, а потому, что у него нет нравственной силы, чтобы совершить этот маленький подвиг.

И если нет этой любви, этой нравственности, спрашивается, где ее черпать? Главным делом Господа нашего Иисуса Христа было создание Церкви, и Он дал Божественную власть Своим ученикам, сказав им: *Что вы свяжете на земле, то будет связано на Небе; и что разрешите на земле, то будет разрешено на Небе* (Мф. 18: 18). А ученики передали эту власть другим ученикам, и так через две тысячи лет это дошло до наших дней. Кто нас может освободить от грехов? Только Сам Христос. Через кого? Через Своих учеников.

Только в Церкви мы можем получить благодатную силу для того, чтобы нам исправить собственную жизнь. Если человек не исповедуется, если он постоянно не борется с собой, если он постоянно не заставляет себя молиться, хотя это трудно, если он постоянно не причащается, не соединяется с Богом в Таинстве Святого Причащения, у него просто не будет сил к покаянию, он просто не сможет двигаться по направлению к Богу.

Протоиерей Дмитрий Смирнов, (12)

В напоминание о Своих страданиях и смерти, а также о Своей вечной любви к роду человеческому Христос пресуществляет Духом Святым простой хлеб в Тело Свое и простое вино в Кровь Свою. И в это Тело и в эту Кровь весь вселяется Духом Своим, так что в видах хлеба и вина всецело Сам Жизнодавец Христос.

Святой праведный Иоанн Кронштадтский

«Я никогда к Тебе не вернусь»

Расскажу один случай. Почти пятьдесят лет назад ко мне пришла молодая женщина с вопросом: «Я принадлежу к верующей семье. Меня каждый год заставляют на Пасху причащаться. Я не верю ни в Бога, ни в причастие, ни во Христа, ни в Церковь, ни во что, и я не могу продолжать принимать причастие при этих обстоятельствах. Что мне делать?» Я сказал: «Вопрос решен, если ты придешь причащаться, я тебе откажу в причастии при этих обстоятельствах; но я с тобой хочу поговорить об этом». И в течение всего поста каждую пятницу она ко мне приходила, и я с ней делился тем немногим знанием, которое у меня есть, и тем малым опытом, который у меня собрался за годы. И когда мы дошли до Великой Пятницы, оказалось, что я не сумел ей ничего передать, и она просто потеряла время на разговоры со мной. Я ей сказал: «Знаешь, я тебе ничего не смог дать, твоя семья ничего тебе не сумела открыть. Пойдем и будем молить Бога о том, чтобы Он это сделал Сам».

Мы пошли в храм, стали на колени перед Плащаницей, и я поставил вопрос Богу: «Господи, что мне сказать этой девушке, чтобы ей открыть путь к Тебе?»

И вдруг мне пришла мысль (тогда, в течение всей этой встречи я поступал — как бы сказать? — «на веру», то есть с уверенностью, что Бог хочет спасти этого человека, как бы мне ни казалось это непонятным, каким бы непонятным путем Он ни шел) ее спросить: «Необходимо ли для тебя найти Бога или нет?» Она ответила: «Если Бога нет, то и смысла жизни нет, и жить я не хочу. Что мне делать?» Я ответил: «Не знаю!» — и поставил Богу второй вопрос: «Что ей делать и что мне делать? Что я должен ей сказать?»

Через некоторое время ответ мне пришел, я ей сказал: «Если ты исполнишь то, что я тебе скажу, то я тебе от имени Бога обещаю, что ты найдешь веру». Она сказала: «Да! А что делать?» И я снова ответил: «Не знаю, давай дальше молиться». И продолжал молиться.

И пришла мысль, которая меня испугала, но которую я счел своим долгом повторить, потому что, спросив Бога, я счел невозможным как бы «запретить» Ему мною пользоваться для ответа. Я ей сказал: «Вот тебе ответ. Завтра, в Великую Субботу, я буду совершать Литургию. Ты подойдешь к причастию, но перед тем как причаститься, ты остановишься и вслух мне скажешь: "Господи, мои родители мне ничего не дали, Твоя Церковь меня обманула и ничего мне не дала, Твои священники мне ничего не сумели передать, и теперь я стою перед Тобой с вопросом. Если Ты не ответишь мне на этот вопрос Сам, я ухожу и никогда к Тебе не вернусь"». Она на это возразила: «Если Бог есть, это кощунство, я не могу этого сказать». Я ответил: «Нет, ты это скажешь, потому что я буду отвечать за твои слова».

И она пришла и сказала эти страшные слова и причастилась Святых Таин. Я в тот же день уехал во Францию и получил от нее записку: «Я еще не знаю, есть ли Бог, но с уверенностью могу сказать: то, что я получила в причастии, было не хлеб и не вино, а что-то совершенно иное».

И тут начался ее духовный путь.

Митрополит Антоний Сурожский, (4)

«Я есмь хлеб» (Ин. 6: 41)

Христианство — не просто религия, приводящая людей к Богу. И это не только путь, который ведет человека на те духовные вершины, где он встречается с Богом. Это еще и путь, по которому прошел Сам Бог навстречу человеку — это путь Божественного истощания.

Причащаясь, мы принимаем в себя Тело и Кровь Бога, ставшего Человеком. Иными словами, происходит наше сущностное, онтологическое соединение с Божеством. Мы не просто общаемся с Богом, но Бог входит внутрь нашего естества, причем это вхождение Бога в нас происходит не каким-то символическим или духовным способом, но абсолютно реально — Тело Христово становится нашим телом и Кровь Христова начинает течь в наших жилах. Это то, что ни одна другая религия не может дать человеку. Именно в том и состоит уникальность христианства, что Христос становится для человека не только учителем, не только нравственным идеалом, Он становится для него пищей, и человек вкушает Бога, соединяясь с Ним духовно и телесно.

Епископ Иларион (Алфеев), (28)

Ланчанское чудо

Эта история произошла в VIII веке со священником, который усомнился в том, что на Литургии хлеб и вино пресуществляются (превращаются) в Тело (Плоть) и Кровь Христовы.

Хроники не сохранили имени этого священника, служившего в церкви Сан-Легонций старинного итальянского городка Ланчано. Но зародившееся в его душе сомнение стало причиной евхаристического чуда, почитаемого до наших дней. Священник гнал от себя сомнения, но они назойливо лезли в голову: «Почему я должен верить, что хлеб перестает быть хлебом, а вино становится Кровию? Кто это докажет? Внешне никаких признаков изменения нет и никогда не было... Наверно, это лишь символы, просто воспоминания о Тайной Вечере, когда в ночь Иудина предательства Господь собрал Своих учеников на пасхальный ужин, взял хлеб, благословил, преломил и подал апостолам, говоря: *Приимите, ядите: сие есть Тело Мое. И взяв чашу и благодарив, подал им и сказал: пейте из нее все; ибо сие есть Кровь Моя Нового Завета, за многих изливаемая во оставление грехов* (Мф. 26: 26—28)».

Священник уже читал Евхаристический канон, но сомнения продолжали мучить его: «Не ушло ли подлинное Таинство Причастия вместе с Господом на Небеса? Не стало ли оно лишь обрядом? Неужели мы истинно вкушаем Тело и Кровь Христовы и душа соединяется с Богом?»

Он стал раздроблять святой Агнец и вдруг увидел, что хлеб превратился во что-то другое... Священник не сразу понял, что произошло, но когда сообразил, закричал на всю маленькую церковь. Изумленные монахи окружили священника и увидели на дискосе кусочки человеческой плоти. Да и в Чаше было уже не вино, но алая густая жидкость, похожая на кровь.

Священник исповедал перед монахами свои сомнения. После Литургии он пал на колени и долго молился...

Вот уже двенадцать веков хранятся в Ланчано (в 20 км от Рима) чудесные Плоть и Кровь, пресуществившиеся во время Литургии в церкви Сан-Легонций (ныне Сан-Франциско). Весть о чуде быстро облетела тогда окрестности, и в город потянулись паломники. Ученые издавна старались узнать, что же произошло. Опыты над Святыми Дарами начались с 1574 года. В 1970-х годах эти опыты стали проводиться на экспериментальном уровне: данные, полученные одними, не удовлетворяли других.

Профессор медицинского факультета Сиенского университета Одоардо Линоли, крупный специалист в области анатомии, патологической гистологии, химии и клинической микроскопии, проводил со своими коллегами исследования в 1970—1971 годах и пришел к следующим выводам. Святые Дары, хранящиеся в Ланчано с VIII века, представляют собой подлинные Плоть и Кровь. Плоть является фрагментом мышечной ткани сердца, содержит в сечении миокард, эндокард и блуждающий нерв. И Плоть и Кровь относятся к одной группе крови АБ. К этой же группе относится и кровь, обнаруженная на Туринской Плащанице (в которую, как полагают, было завернуто тело Христа после снятия с Креста, когда положили Его во гробе).

Кровь содержит протеины и минералы в нормальных для человеческой крови процентных соотношениях. Было особо подчеркнуто: более всего удивительно, что Плоть и Кровь двенадцать веков сохраняются под воздействием физических, атмосферных и биологических влияний без искусственной защиты и специальных консервантов. По свидетельству современников, пресуществившаяся Кровь позже свернулась в пять шариков разной формы, затем затвердевших. Однако Кровь, будучи переведена в жидкое состояние, остается пригодной для переливания, обладая всеми свойствами свежей крови.

Параллельно с Одоардо Линоли проводил исследования и Руджеро Бертелли, профессор нормальной анатомии человека Сиенского университета, и получил те же результаты. В ходе повторных экспериментов в 1981 году с применением более совершенной аппаратуры и с учетом новых достижений науки в области анатомии и патологии результаты вновь были подтверждены.

Ученые только никак не могут объяснить тот факт, что каждый из пяти шариков свернувшейся Крови, взятый в отдельности, весит столько же, сколько и все пять вместе. Это противоречит всем законам физики, но подтверждает закон духовный, что в каждой частице Тела Христова — вся полнота Его Существа.

Ныне Кровь хранится в античной чаше из горного хрусталя. Любой из паломников, посетивший Ланчано, может увидеть ее собственными глазами.

(16)

Зачем приходил Христос?

Религиозное чувство есть у каждого человека (собственно, им человек и отличается от других творений), и его можно удовлетворять и в буддийском храме, и в мечети, и в синагоге, и в баптистском собрании. Везде, где люди собираются молиться какому-нибудь богу, они всегда удовлетворяют свою религиозную потребность. Религиозность — неотделимое свойство человека, как видеть семь цветов радуги или как пить, есть, спать и так далее. Сейчас, конечно, создался новый тип людей, абсолютно безрелигиозных, но это аномалия. Например, дальтоник видит только два цвета, или человек безнравственный не различает добро и зло. Вот так же и человек полностью нерелигиозный не чувствует, что есть над ним какая-то высшая сила.

Однако смысл существования человека не в его религиозности, и в ней нет какой-то заслуги. Человек получит награду на Небесах только в том случае, если он пойдет путем заповедей Христовых. Мы должны принять их всем сердцем, умом; вникнуть, что же Христос от нас хочет, для чего Он пришел на землю. Ведь не просто так Он сошел с Небес, будучи Богом, стал человеком, столько всего претерпел, вплоть до самой смерти!

Господь пришел, чтобы основать Церковь. Он утвердил ее на Своей Крови.

А чем Церковь отличается от любого собрания людей? Вот мы все собрались в храме и молимся, и в это же время в какой-то мечети люди тоже молятся. При первом взгляде можно сказать, что мы молимся одинаково, только там мужчины отдельно, женщины отдельно, или у нас мужчины без головных уборов, а там голову шапками покрывают. Но неужели в этом все дело? Нет, не только в этом, есть большая, принципиальная разница. Христос основал Церковь и дал ей службу, Божественную литургию. Мы ее совершаем каждый день и на ней приобщаемся Христу тремя разными образами.

Во-первых, мы молимся Ему, мы обращаемся к Нему — не только к Нему, а ко всем трем Лицам Пресвятой Троицы. Мы общаемся с Богом, говорим Ему некие слова: хор поет от нашего имени, а мы, сочетаясь с теми словами, которые поются, делаем их нашими

молитвами, возносим Богу хвалу. И эта молитва никогда не бывает безответна, Господь нам отвечает.

Во-вторых, Господь к нам Сам обращается через Свое Слово: вот мы читаем Евангелие, и Слово Божие входит в нас, или не входит, или не все входит. И то, что мы сейчас прочли в Евангелии, ничем не отличается от того, что Господь произнес тогда; только сейчас мы по-славянски читаем, а Он по-арамейски говорил, вот и вся разница. То есть мы слышим слова Господни, и они имеют такую же живительную силу. И мы можем их либо принять, либо мимо пропустить.

И третье, самое главное. Каждый, кто слышал тогда в Палестине слова Христовы, мог подойти ко Христу, дотронуться до Его плеча, сесть у Его ног, мог Его видеть, Его осязать. И мы также можем покаяться в грехах, которые совершили, очиститься на исповеди от той грязи, которая налипла на нашей душе с прошлого воскресенья до сегодняшнего дня, попросить у Бога перед Крестом и Евангелием прощение — перед Крестом, на котором Он пролил за нас Свою кровь, и перед Евангелием, в котором изложены заповеди, по которым мы должны жить и по которым мы не живем. Сравнивая свою жизнь с заповедями, которые нам Господь дал, и видя, что она не такова, мы можем сказать: «Господи, Ты нас прости, Ты нам помоги, чтобы следующую неделю мы прожили лучше, чем эту; пусть мы сделаем маленький, но шаг навстречу к Тебе». И, принеся покаяние, мы можем тоже прикоснуться к Телу Божественному, к Телу Христа, и с нами тоже может произойти чудо.

Мы собираемся на Божественную службу причащаться Святых Христовых Таин. Эта служба называется *Евхаристия* — *благодарение,* и в ней, собственно, заключен весь смысл христианской жизни. Мы не можем Богу ничего дать, ничем Ему заплатить. Мы можем Его только благодарить — за то, что Он нас создал; за то, что мы все-таки родились, потому что и зачатых нас могли убить, но вот мы выжили; за то, что Он дал нам вырасти, мы не погибли; за то, что Он нам даровал Святое Крещение и мы получили возможность жизни вечной; за то, что Он нам дал веру.

Протоиерей Дмитрий Смирнов, (75)

Какая вера истинная?

Владимир пришел к христианству не сразу. Половину своей жизни он прожил хитрым, воинственным язычником и многоженцем. Несмотря на то что воспитывался он, видимо, как и его братья, своей бабкой, православной княгиней Ольгой, но христианскому учению и образу жизни он не приобщился. Опираясь на варягов, с помощью злодеяний он захватил государственную власть, убив своего брата Ярополка. Летопись повествует, что Владимир имел четырех жен законных и много наложниц. Многоженство у славянских, в то время языческих, племен, не считалось беззаконием.

Захватив власть, Владимир проявил отменное усердие в языческой вере: желая отблагодарить высшие силы и укрепить с помощью язычества свою власть, на священном холме близ теремного двора он обновил пантеон богов, особенно постарался для Перуна, сделав нового идола с серебряной головой и золотыми усами. Его дядя Добрыня, посланный управлять Новгородом, на берегу реки Волхов тоже поставил нового истукана Перуна. Возможно, Владимира мучила совесть за братоубийство, ибо и языческая вера не позволяла таких злодеяний. Желая примириться с богами, он стал усердно поклоняться идолам, приносить им жертвы и требовал того же от народа.

В 983 году после очередных воинских успехов князь Владимир со своею дружиной пожелал принести своим божествам человеческие жертвы. Был брошен жребий: кому из киевских отроков и девиц надлежит стать жертвой идолам. Жребий пал на прекрасного лицом и душою юного варяга Иоанна, сына христианина Феодора. Отец не только не согласился выдать сына, но стал говорить о заблуждениях язычников, о безумии поклоняться деревянным истуканам вместо живого Бога. Поскольку христианство было уже довольно распространено, народ его терпел, но открытое хуление христианином языческой веры вызвало мятеж в городе. Феодор и Иоанн были убиты. После Крещения русский народ стал почитать их как первых христиан-мучеников на Руси, Православной Церковью был установлен день памяти их — 25 июля (12 июля по старому стилю). Но это произойдет только после 988 года, а в 983 году,

*Святой равноапостольный
князь Владимир и святая
равноапостольная княгиня Ольга*

сразу после убиения Иоанна и Феодора, были устроены гонения на христиан, многим из них пришлось бежать или скрывать свою веру, храмы были разорены.

Однако Владимир долго размышлял над происшедшим и над услышанным. Заставляли задуматься над проблемой выбора новой религии и политические причины. Летопись рассказывает, что к князю Владимиру приходили разные проповедники, расхваливая каждый свою веру.

Первыми прибыли послы от волжских, или камских, болгар, принявших, как говорили на Руси, магометанство (так называли ислам). Описание мусульманского рая с многочисленными женщинами пленило воображение сластолюбивого князя, но обрезание показалось ему отвратительным обрядом, а запрещение пить вино — безрассудным.

Немецких католиков Владимир выслушал и сказал: «Идите обратно: отцы наши не приняли веры от папы».

Иудеев он спросил, где их отечество. На что они ответили, что родина их Иерусалим, но Бог, разгневавшись на них, рассеял их по чужим землям. «И вы, наказываемые Богом, дерзаете учить других? Мы не хотим, подобно вам, лишиться своего отечества», — сказал Владимир.

Наконец безымянный греческий философ рассказал князю о содержании Ветхого и Нового Заветов и развернул полотно, на котором изображалась картина Страшного Суда. Князь Владимир ужаснулся, осознав участь нераскаявшихся грешников, и, вздохнув, произнес: «Благо добродетельным и горе злым!» Отпустил князь философа с дарами и великими почестями. В 987 году князь

Владимир собрал бояр и градских старцев и объявил им обо всех предложениях послов, прося совета. Бояре и старцы отвечали: «Знай, князь, что своего никто не бранит, но хвалит. Если хочешь в самом деле разузнать, то ведь имеешь у себя мужей: послав их, разузнай, какая у них служба и кто как служит Богу». И отправил князь десять благоразумных мужей в разные страны.

Послы, вернувшись, поведали, что скудные храмы, унылое моление и печальные лица магометан (мусульман) произвели на них впечатление плохое, обряды немецких католиков показались лишенными всякого величия и красоты. А по поводу греческой веры говорили так: «И пришли мы в греческую землю, и ввели нас туда, где они служат Богу своему, и не знали — на Небе или на земле мы: ибо нет на земле такого зрелища и красоты такой, и не знаем, как и рассказать об этом, — знаем мы только, что пребывает там Бог с людьми. Греческая служба лучше, чем в других странах. Не можем мы забыть красоты той, ибо каждый человек, если вкусит сладкого, не возьмет потом горького; так и мы не можем более пребывать в язычестве». Так преподобный Нестор-летописец передает в «Повести временных лет» рассказ мужей благоразумных, которые смогли столь глубоко прочувствовать воздействие красоты православного богослужения. Бояре же говорили: «Если бы плох был закон греческий, то не приняла бы его бабка твоя Ольга, а была она наимудрейшей из всех людей».

Познакомившись таким образом с разными религиями, испросив неоднократно совета бояр и старцев, Владимир решил принять веру греческую — православную. Но обращаться к Византии в качестве просителя гордый князь Владимир не хотел.

В 988 году, завоевав греческий город Херсонес, князь Владимир объявил через послов византийским императорам Василию и Константину, что желает жениться на их сестре, юной царевне Анне, а в случае отказа возьмет Константинополь. Императорам пришлось согласиться. Но христианка не могла стать женой язычника, даже если он — князь сильного и процветающего государства. Владимир должен был принять Таинство Крещения и отпустить своих прежних жен, что он и обещал сделать.

Царевну Анну в сопровождении духовных лиц и гражданских чиновников отправили на корабле в Херсонес. В летописи говорится,

что Владимир к тому времени разболелся глазами и ничего не видел. Царевна Анна убедила его в необходимости немедленно креститься. Как только священник возложил на него руку, князь прозрел, а бояре, пораженные чудом, вместе с князем крестились в этой же церкви.

(8)

Ванга

Широко известная «прорицательница и провидица» Ванга проживала на территории Неврокопской епархии, предстоятелем которой является владыка Нафанаил. До сих пор многие считают Вангу православной и уверяют, что она действовала с благословения и согласия священноначалия. Именно для таких людей и предназначен этот рассказ. Однажды, незадолго до смерти Ванги, к митрополиту Нафанаилу прибыли посланцы от нее и передали ее просьбу приехать к ней. Ванга сообщала Владыке, что очень нуждается в его совете и нижайше просит его снизойти к ее старости и болезни и приехать к ней. Владыка, надеясь, что, может быть, она желает покаяться, обещал приехать. Это вполне естественный поступок для доброго пастыря, пекущегося о каждой овце своего стада, тем паче о заблудшей.

Когда Владыка через несколько дней приехал и вошел в комнату Ванги, он держал в руках крест-мощевик с частицей Честного Креста Господня. В комнате было много людей, Ванга сидела в глубине, что-то вещала и не могла слышать, что еще один человек тихо вошел в дверь. Уж во всяком случае она не могла знать, кто это. Вдруг она прервалась и изменившимся — низким, хриплым — голосом с усилием проговорила: «Сюда кто-то зашел. Пусть он немедленно бросит на пол ЭТО!» — «Что "это"?» — спросили у Ванги ошеломленные окружающие. И тут она сорвалась: «ЭТО! Он держит ЭТО в руках! ЭТО мешает мне говорить! Из-за ЭТОГО я ничего не вижу! Я не хочу, чтобы ЭТО было в моем доме!» — кричала она, стуча ногами и раскачиваясь. Владыка развернулся, вышел, сел в машину и уехал.

(17)

Монашеский остров

Афон уединен и мало занят внешним. Это — остров молитвы. Место непрерывного истока благоволения.

Афонцы мало знают о пестрых делах «мира» и судят о них не всегда удачно. Но они не устают молиться о мире, как молятся и о себе. Они не много занимаются наукой, философией, богословием. Зато непрерывно служат Богу — в церкви, в келлии.

«Мир» афонцы считают грешным, но я не замечал у них гордыни или высокомерия в отношении к нему. Напротив, сочувствие, желание оказать помощь. Простота и доброта, а не сумрачное отчуждение — вот стиль афонский, и недаром тысячи паломников пребывали в этих приветливых местах.

Кроме монахов, нет на полуострове ни сел, ни ферм — и так уже более тысячи лет! С седьмого века стали селиться здесь иноки (по окончании Великого переселения народов). Византийские императоры им покровительствовали, давали «хризовулы» с привилегиями, угодьями, имениями («метохи»). Вторую тысячу лет не знает эта земля никого, кроме монахов. Около тысячи лет, постановлением монашеского Протата, не ступала на нее нога женщины. Не только женщинам запрещен доступ на Афон, но и животным женского пола.

Ветры, горы, леса, виноградники и оливки, уединенные монастыри с монахами, размеренный звон колоколов, кукушки в лесах, орлы над вершинами, ласточки, стаями отдыхающие по пути на север, серны и кабаны, молчание, тишина, море вокруг... и над всем Господь — вот это и есть Афон.

(25)

Благодатный огонь над Гробом Господним

С основания иерусалимского храма Воскресения Господня историки и паломники стали свидетельствовать о невероятном чуде над Гробом Господним, которое повторяется с тех пор ежегодно в Великую Субботу по православному календарю (суббота накануне православной Пасхи).

Примерно в полдень Великой Субботы со двора Иерусалимской Патриархии выходит крестный ход во главе с Патриархом. Процессия входит в храм Воскресения, направляется в Кувуклию и, трижды обойдя ее, останавливается перед ее вратами. К этому времени сюда собираются десятки тысяч людей разных национальностей со всего мира. Они в напряженном молчании и молитве ждут чуда, которое является Божиим благословением мира на текущий год.

Колонна, из которой вышел Благодатный огонь

У входа в Кувуклию Патриарх разоблачается, полицейские тщательно осматривают его и весь Гроб Господень, чтобы не оказалось чего-нибудь, что может произвести огонь. В одном длинном хитоне Патриарх входит внутрь и на коленях перед Гробом молит Бога о ниспослании святого огня. Каждый раз эта молитва длится по-разному: иногда несколько минут, иногда часами. И вдруг на мраморной плите Гроба появляется как бы роса в виде голубоватых шариков. Патриарх прикасается к ним ваткой, она воспламеняется особым прохладным огнем, которым он зажигает лампаду и свечи, затем выносит их в храм и передает армянскому священнику, а затем огонь быстро распространяется, и его получают остальные присутствующие.

В это же мгновение десятки и сотни голубоватых огней вспыхивают под куполом храма.

Восторг и ликование охватывают многотысячную толпу. Люди кричат, поют, передают Благодатный огонь, через минуту — весь храм в огне.

В первые минуты святой огонь имеет особые свойства: он не обжигает, и пучками из 33 свечей, горящих Благодатным огнем, люди водят по волосам, одежде, «купаются» в огне, но пожаров не бывает.

Через некоторое время огонь приобретает естественные свойства земного огня, и полицейские заставляют тушить свечи, но сделать это очень трудно, потому что ликованию народа нет предела.

Благодатный огонь сходит только по молитвам православного Патриарха.

В свое время жившая в Иерусалиме армянская община претендовала на первенство получения святого огня. Она, подкупив турецких чиновников, пришла в храм раньше других и закрыла двери. Долго и безуспешно молились армянские первосвященники, а православный Иерусалимский Патриарх со своей паствой плакал на улице. Вдруг молния ударила в колонну около Патриарха, рассекла ее, из нее вышел Благодатный огонь и перекинулся на свечи православных.

С тех пор никто из представителей других конфессий не решается оспаривать у православных право молиться в Гробе Господнем и получать первыми благословение в виде Благодатного огня. А колонна, рассеченная святым огнем, до сих пор стоит и напоминает о тех событиях.

В мае 1992 года впервые после 79-летнего перерыва Благодатный огонь был доставлен на русскую землю. Группа паломников из священнослужителей и мирян по благословению Святейшего Патриарха пронесла огонь от Гроба Господня через Константинополь и все славянские страны до Москвы.

С тех пор этот неугасимый огонь горит на Славянской площади Москвы, у подножия памятника святым равноапостольным учителям славянским Кириллу и Мефодию.

(104)

Об иконе

Слово *икона* (греческое εικων — *образ*) — имеет много значений. Образом Бога Отца является Христос, Бог Воплотившийся, Который в Своем человеческом естестве явил то, каким должен быть настоящий человек, кем, по сути, должен быть каждый из нас — живой иконой, живым видимым образом невидимого Бога.

Глядя на иконы в православных храмах, мы замечаем, что они пишутся по канонам — по правилам, которые отличаются от тех, по которым создаются обычные картины. На иконах люди не изображаются реалистически. Мы видим здесь некий идеальный образ святого, видим не процесс, а результат, итог всей его жизни, видим, чего достиг этот святой в духовном плане. Иконографический образ совсем не обязательно должен соответствовать реальной исторической действительности, но в иконе всегда есть то, что служит нам уроком. Каждая икона являет нам образ святого, который при жизни сделался образом Божиим, который достиг того, к чему призваны и мы, — *обо́жения*.

Почему на иконах святые никогда не изображаются в профиль, но всегда лицом к нам? Потому что каждый человек, достигший богоподобия, то есть созданный по образу Божию и сумевший реализовать в своей жизни образ Божий, обращен лицом и к Богу, и к людям. Святой — это человек, который раскрыл свой потенциал во всей полноте и который этой полнотой, этим богатством может делиться со многими людьми. Это человек, в лице которого мы узнаем лик Христа, а в лике Христа — лик Божий.

...Нет ни одной иконы, на которой не было бы надписи с именем святого. В Древней Церкви иконы не освящали: всякая икона считалась освященной с того момента, когда на ней появлялась надпись. Эта надпись очень важна, потому что имя человека символизирует его индивидуальность, его личность. Каждого из нас Бог знает по имени. А это значит, что Он знает, к чему мы предназначены, и следит за тем, как мы идем по тому пути, который нам предначертан. И мы не должны забывать о том, что если Бог привел нас в эту жизнь, если Он дал нам человеческий облик по образу Своему и дал нам имя, то это потому, что Он хочет привести нас в Царствие Божие и увидеть и в нас, как видит в святых, образ

Бога невидимого. Некоторые иконописные каноны противоположны законам обычной живописи. В иконописи используется, например, обратная перспектива, когда из двух одинаковых величин большей изображается та, что находится дальше от зрителя, тогда как в обычной жизни то, что расположено ближе, кажется нам бо́льшим, чем то, что находится дальше. В обратной перспективе содержится указание на то, что многие явления, которые по законам мира сего кажутся благими, для христианина вредны, и наоборот — многое, что человеку мира сего кажется странным, непонятным, ненормальным, по законам евангельским является нормой и идеалом.

Заповеди блаженства, например, представляют именно ту «обратную перспективу», в которой должен жить каждый христианин. То, что людям представляется несчастьем и слабостью: смирение, кротость, нищета духа и т.д. — те качества, которые перечислены в Заповедях блаженства, — именно они, согласно Евангелию, являются тем путем, который должен привести нас в Царствие Небесное [См.: Мф. 5: 3–12].

Епископ Иларион (Алфеев), (100)

Нетление святых мощей

Бесценное сокровище, которое Господь даровал Церкви Своей, — это святые мощи. Но для чего же Творцу вселенной благоугодно было даровать телам некоторых праведников нетление? Для чего Творец совершает это вопреки всеобщим законам природы, установленным Им же Самим? Бог всегда действует по премудрым планам. Когда Его действующая сила особенно где-либо открывается, и притом в явлениях необыкновенно разительных и чудесных, то это значит, что там сосредоточиваются особенно благотворные для рода человеческого Его намерения. Следуя слабой и ограниченной человеческой мыслью за бесконечной мыслью Божией до тех пределов, куда только позволено ей достигнуть, мы можем видеть причины, побуждающие Всеблагого и Всемогущего Бога сохранять от тления тела многих праведников. Итак, для чего Господь дарует им нетление? Господь сохраняет тела праведников от тления не столько для них самих, достигших уже Небесного Отечества, сколько для нас, странствующих здесь на земле. Истинная награда праведников — на Небе; и прославление от людей, которого избегали они в продолжение своей жизни, не много, без сомнения, прибавляет к той славе, которой прославлены они от Бога; но для нас, земных странников, нетление тел святых угодников Божиих, особенно в соединении с чудотворениями через них, утешительно и поучительно во многих отношениях.

Нетление тел святых угодников Божиих не может быть объяснено ни одной из естественных причин. Нетленные тела находили в почве всякого рода и в разных местах, благоприятствующих тлению; их находили даже в реках и море. Укажем на некоторые примеры.

Преподобный Евстратий Печерский взят был в плен половцами и потом продан еврею, который мучил его и на праздник Пасхи распял на кресте, а потом бросил в море (1096). Верующие отыскали тело страдальца и привезли его в Киев, где мощи его и поныне почивают в Антониевых пещерах.

Рака с мощами преподобного Сергия Радонежского

В воде найден гроб преподобного Сергия Радонежского († 1391). Несмотря на тридцатилетнее пребывание во влаге, святое тело преподобного сохранилось цело и светло, даже одежда на нем нисколько не повредилась. Мощи были перенесены в Боровицкий Духов монастырь, а в 1657 году Патриарх Никон перенес их в город Валдай, в Иверский монастырь.

Святые мощи Митрофана, первого епископа Воронежского († 1703), находились в грунте влажного чернозема 128 лет и при торжественном открытии их в 1832 году найдены совершенно нетленными. В 1842 году по случаю сооружения в Задонском монастыре нового храма в честь Владимирской иконы Богоматери появилась надобность разобрать ветхий каменный храм и алтарь,

Рака с мощами преподобного Серафима Саровского

под которым в склепе был погребен святитель Тихон, епископ Воронежский († 1783), и перенести гроб его в другое место. При этом оказалось, что склеп, под которым почивал святитель, от давности времени и от сырости обвалился, гробовая крышка раздавлена кирпичами и сам гроб был близок к разрушению; между тем тело святителя, несмотря на шестидесятилетнее пребывание его в сыром месте, обретено было совершенно нетленным; даже архиерейское облачение, в котором он был погребен, найдено целым.

Мощи святителя Спиридона Тримифунтского († около 348) до сих пор, как многоценное сокровище, хранятся на острове Корфу неповрежденными. Ученые разных стран и вероисповеданий, исследовавшие нетленные мощи святителя, единогласно решили, что никакими законами и силами природы нельзя объяснить нетление этих мощей, более полуторы тысячи лет пребывающих в неповрежденном виде. Здесь явно действует всемогущая сила Божия. «Тело святителя Спиридона, — говорит один греческий ученый, — составляет для физиологов предмет справедливого удивления: оно мягко и растяжимо и как бы живо, но вместе и плотно, не разложилось и не подверглось порче; выдающиеся части лица его расширяются и опять принимают свое прежнее положение, когда вынимают и полагают тело в ковчег, где оно стоит прямо для торжественного несения по городу. Его мощи, уже четыре века пребывающие в таком жарком месте, как Корфу, подверженные теплым и сырым испарениям, не претерпели ни малейшей перемены».

Нетление святых мощей убеждает нас в святости и божественности православной веры. Нетление святых мощей есть чудо, являемое только в христианском мире. В мире, Христа не познавшем, его нет...

(101)

Как шут стал мучеником за Христа

Во времена императора Юлиана Отступника жил некий актер, по имени Генесий. Он занимался тем, что высмеивал христианство, Церковь и ее Таинства. Юлиан Отступник ненавидел христианство. Он боролся с ним не только огнем и мечом, но также клеветой и язвительными насмешками. И вот однажды, когда Генесий перед толпой народа, в присутствии императора, глумился над христианской верой, по ходу своей комедии он прыгнул в чан с водой со словами: «Крещается раб Божий во имя Отца, и Сына, и Святаго Духа!» В толпе раздался хохот. Актер вышел из воды и закричал: «Я — христианин!» Хохот продолжался, но комедиант сделал знак, чтобы народ замолчал, и, обратившись в ту сторону, где сидел император, громко сказал: «Император, я — христианин, это истинные слова, это единственные правдивые слова, которые я сказал за многие годы своей жизни. Родители мои были христианами и хотели воспитать меня в своей вере. Но с детства я ненавидел Христа, ненавидел Его как своего врага. Я издевался над своими родителями, я передразнивал их, когда они молились, я доносил на них, когда они ходили в церковь. Я стал вести жизнь развратную и беспутную, а этим раньше времени свел отца и мать в могилу. Не по нужде, а единственно по ненависти к христианству я стал уличным шутом и актером, для того чтобы глумиться над христианами, над их верой, над их Таинствами перед толпами народа. Это мне доставляло сатанинскую радость. Мне казалось, будто я плюю на Христа и бью Его по лицу, когда я вызывал в толпе хохот. Однажды я увидел своих родителей во сне. Они плакали обо мне, а я даже и во сне смеялся над их слезами. Но теперь совершилось чудо. Когда я сказал: "Крещается раб Божий", то вдруг увидел грехи свои, написанные на огромной хартии, на свитке бумаги, и огненная рука с неба разорвала этот список. Увидел я черных духов, демонов, окружавших меня. Когда я крестился, то Свет Небесный сошел на меня, и демоны исчезли. Император, я — христианин, покайся и ты, и Бог простит тебя, так же как Он простил меня!» Толпа оцепенела в изумлении, а император пришел в такой гнев, что велел сжечь живьем бывшего шута, а теперь мученика за Христа.

(69)

Хранители

Тунис — небольшое государство на самом севере Африки. Узким клинышком врезается оно между Ливией и Алжиром. Летом — сорок пять градусов в тени, зимой — не ниже пяти. Мечети, дома с окнами самой причудливой формы, пальмы. В центре города Туниса на авеню Мухаммеда стоит православный храм Воскресения Христова. А в портовом городе Бизерта еще один — во имя святого благоверного князя Александра Невского. Кто построил эти две скромные церкви? Когда?

...Корабли были до отказа набиты людьми — военными, их женами, детьми, гражданскими беженцами. На «Владимир», рассчитанный на три тысячи человек, втиснулось двенадцать тысяч.

Ночью началась буря. Суда то кидало в разные стороны, то сталкивало между собой. Мощный «Кронштадт», тащивший на тросах миноносец «Жаркий» (у которого были повреждены машины), два истребителя и парусную яхту, столкнулся с болгарским судном. Шторм оторвал сперва яхту, потом истребители. Оборвались тросы «Жаркого». Со сломанными машинами, без света, набитый беженцами беспомощный миноносец бросало на волнах. На «Кронштадте» чудом заметили потерю, вернулись. А дальше была страшная пересадка с «Жаркого» на «Кронштадт».

Первый пункт стоянки — Константинополь. Он же Стамбул. Судьбу беженцев решали бывшие союзники России в Первой мировой войне.

В результате сложных переговоров Сербия, Болгария, Румыния и Греция согласились принять гражданское население. Оставался флот — более тридцати кораблей. Местом его стоянки был выбран порт Бизерта в Тунисе.

Так началась история русских в Тунисе. Первые четыре года в Бизерте семьи военных жили на старом броненосце «Георгий Победоносец». Эти люди потеряли все: положение в обществе, средства к существованию, близких. Они не знали, что ожидает их в будущем, чем прокормить семьи, брались за любую работу. И из своих скудных заработков жертвовали на церковь. Зачем?

Опору они искали в своей православной вере. И первая их забота была — поддержать Православие. Они понимали, что этим они

служат будущему. С эскадрой в Тунис прибыли тринадцать священников. На «Георгии Победоносце» одна из палуб была оборудована под церковь, и службы шли постоянно. В субботу вечером всегда была всенощная, в воскресенье утром — Литургия.

Со временем многие эмигранты перебрались в город Тунис, в столицу. И там тоже устроили церковь. Дом под нее сняли у одного тунисца.

Когда пришли с ним договариваться, он спросил, для чего русским нужен такой большой дом. Ему сказали: они хотят устроить там церковь, чтобы молиться.

И он ответил: «Как добрый мусульманин хочу сказать: две вещи мне запрещены. Первое — мешать людям молиться, а второе — брать за это деньги. Пускай русские спокойно молятся».

Тунисцы приняли русских очень хорошо. Уже сам приход такого количества кораблей был большим событием для Бизерты. Город был маленький, его европейской части едва исполнилось 25 лет. Русских уважали за порядочность, добросовестность, скромность и неприхотливость. Пациенты в больницах просили русскую сиделку, наших женщин с удовольствием брали в гувернантки.

В 1936 году было получено разрешение на строительство храма в Бизерте. А в 1939-м он был уже построен и освящен в честь святого Александра Невского.

Второй храм, в столице, был заложен уже после Второй мировой войны, в 1953 году. В его основание помещена частица мощей священномученика Киприана Карфагенского, проповедовавшего христианство на тунисской земле в III веке и очень почитаемого в этих местах.

(34)

Муха и пчела

Когда некоторые говорили мне, что соблазняются, видя в Церкви много неподобающего, я отвечал им так: «Если спросить муху, есть ли здесь в окрестностях цветы, то она ответит: "Насчет цветов не знаю. А вот консервных банок, навоза, нечистот во-он в той канаве полным-полно". И муха начнет по порядку перечислять тебе все помойки, на которых она побывала. А если спросить пчелу: "Не видела ли ты здесь в окрестностях какие-нибудь нечистоты?", то она ответит: "Нечистоты? Нет, не видела нигде. Здесь так много благоуханных цветов!" И пчелка начнет перечислять тебе множество разных цветов — садовых и полевых. Видишь как: муха знает только о помойках, а пчелка — о том, что неподалеку растет лилия, а чуть подальше распустился гиацинт».

Как я понял, одни люди похожи на пчелу, а другие на муху. Те, кто похож на муху, в каждой ситуации выискивают что-то плохое и занимаются только этим. Ни в чем они не видят ни капли доброго. Те, кто похож на пчелу, находят доброе во всем.

Старец Паисий Святогорец, (89)

Кто дышит, тот непременно вдыхает в себя воздух; кто стоит в храме Божием, тот непременно получает благодать Божию. Храм Божий преисполнен благодати Божией, здесь все дышит благодатию, здесь и от воды льется благодать, здесь и свет светит благодатию, здесь и елей подает благодать, здесь и фимиам благоухает благодатию, сам воздух дышит здесь благодатию. О, здесь рай благодатный, здесь Небо, сошедшее на землю.

Протоиерей Родион Путятин (1807—1869),
проповедник, педагог, духовный писатель

Слово Бога

Живое Слово —
Души рожденье,
Ты лечишь раны,
Ты рвешь оковы.

И в сени смертной
Ты откровенье,
Ты зов ко Свету,
Живое Слово.

Ты заставляешь
Отверзти очи
И мир увидеть... вновь,
По-иному.

Душой воспрянуть,
Душой воскреснуть
Даешь возможность,
Живое Слово.

Инокиня Фотиния

Возвращение веры

Ректор Санкт-Петербургской Академии, Е. Ф., рассказывал про своего товарища по академической скамье Н.

Н. потерял веру. Страдая неверием, он пришел с горем к Е. Ф., о вере которого ему было хорошо известно. Просил совета, что делать, чтобы вернуть веру. Е. Ф. дал ему, по-видимому, очень простой ответ: «Читай Евангелие». Н. недоверчиво стал возражать, что он и без того знает его почти на память и что из этого ничего не выйдет. Но товарищ все же продолжал советовать, хоть для опыта, сделать пробу; только велел читать «совсем просто». Наконец тот согласился. Было лето. Сомневавшийся занимал довольно высокое место чиновника; и на вакации уезжал в Финляндию. Так было и в этот раз... Пришла осень. Чиновник снова посетил друга, Е. Ф. И с радостью заявил, что вера вернулась: на вакациях он читал Евангелие...

(51)

Книга всех книг

Гибель Москвы в 1812 году потрясла императора Александра I до глубины души; он ни в чем не находил утешения и признавался товарищу своей молодости, князю А.Н. Голицыну, что ничто не может рассеять его мрачных мыслей.

Голицын, самый легкомысленный и блестящий из царедворцев, незадолго пред тем остепенился и стал читать Библию с ревностью человека, обратившегося на путь истины. Робко предложил он Александру почерпнуть утешение из того же источника. Государь ничего не ответил, но через некоторое время, придя к императрице, спросил, не может ли она дать ему почитать Библию. Императрица очень удивилась этой неожиданной просьбе и отдала ему свою Библию, которой до тех пор он никогда еще не читал.

Государь ушел к себе, принялся читать и почувствовал себя перенесенным в новый для него круг понятий. Он стал подчеркивать карандашом все те места, которые мог применить к своему собственному положению, и, когда вновь перечитывал их, ему казалось, что какой-то дружеский голос придавал ему бодрости и рассеивал его заблуждения. «Пожар Москвы осветил мою душу, — признавался впоследствии император Александр прусскому епископу Эйлерту, — и наполнил мое сердце теплотою веры, какой я не ощущал до тех пор. Тогда я познал Бога». Пламенная и искренняя вера проникла в сердце императора. «Я читал Библию, — рассказывал он, — находя, что слова ее вливают новый, прежде никогда не испытанный мир в мое сердце и утоляют жажду души. Господь, по благости Своей, даровал мне Духом Своим разуметь то, что я читал; этому-то внутреннему назиданию и озарению я обязан всеми духовными благами, приобретенными мною при чтении Божественного Слова».

О Евангелии

Многим Евангелие почти что кощунственно представляется как книга грозного Божиего суда, требований Господних; но как далек этот образ от живого чувства, которое Евангелие вызывает в том, кто читает его впервые!

Когда из глубины растерянности, греха или горя приступаешь к Евангелию, оно раскрывается как книга радости и надежды: радости о том, что среди нас Господь, не далекий, не грозный, а родной, свой, облеченный в человеческую плоть, знающий из личного Своего опыта, что значит быть человеком; а надежда в том, что на каждой странице Господь требует от нас, чтобы мы были достойны величия своей человечности, требует, чтобы мы не смели быть ниже своего достоинства и уровня, не дает нам стать меньше, чем человек, — хотя мы и грешим так часто, и недостойны бываем и себя, и Его.

Какая надежда звучит в том, что Христос пришел грешных спасти и призвать к покаянию, что Он для грешных жил и умер, что к ним обращена Его проповедь; и какое откровение о Боге в этом образе Христа, воплотившегося Сына Божия!

Бог Ветхого Завета, Бог древних религий был Богом непостижимым, Богом страшным и, в Его святости, Богом недоступным. И вот в Евангелии раскрывается Бог доступный и простой — но какой ценой! Он стал Человеком и через это отдал Себя во власть всей злобы и неправды земной. Он дал Себя на растерзание и на погибель; по любви к нам Он захотел быть таким же уязвимым, как мы, таким же беспомощным и беззащитным, как мы, таким же презренным, как мы бываем в глазах тех, кто верит только в силу и успех.

Вот каким раскрылся перед нами Бог.

И Он нам открыл, что нет такой глубины падения, растерянности, и страха, и ужаса, в которую Он до нас не сошел, с тем чтобы, если и мы в нее падем, мы не оказались бы одни. В Гефсиманском саду Он, в борении и ужасе, встречал не Свою, а нашу смерть. И в течение всей Своей жизни Он был именно с теми людьми, которые нуждались, чтобы к ним пришел Бог, потому что они потеряли к Нему дорогу. Вот Бог, в Которого мы верим, вот Бог, Который крестной любовью и ликующей, торжественной любовью Воскресения нас возлюбил, искупил и открыл нам величие человека и нашего призвания.

Поэтому станем жить достойно того звания, к которому мы призваны, радуясь о том, что с нами Бог! Аминь.

Митрополит Антоний Сурожский, (3)

«Евангелие — правда»

Я себе дал зарок, что, если в течение года не найду смысла жизни, я покончу жизнь самоубийством, потому что я не согласен жить для бессмысленного, бесцельного счастья.

И случилось так, что Великим постом какого-то года, кажется, тридцатого, нас, мальчиков, стали водить наши руководители на волейбольное поле. Раз мы собрались, и оказалось, что пригласили священника провести духовную беседу с нами, дикарями. Ну конечно, все от этого отлынивали как могли, кто успел сбежать, сбежал, у кого хватило мужества воспротивиться вконец, воспротивился, но меня руководитель уломал. Он меня не уговаривал, что надо пойти, потому что это будет полезно для моей души или что-нибудь такое, потому что, сошлись он на душу или на Бога, я не поверил бы ему. Но он сказал: «Послушай, мы пригласили отца Сергия Булгакова, ты можешь себе представить, что он разнесет по городу о нас, если никто не придет на беседу?» Я подумал: да, лояльность к моей группе требует этого. А еще он прибавил замечательную фразу: «Я же тебя не прошу слушать! Ты сиди и думай свою думу, только будь там». Я подумал, что, пожалуй, и можно, и отправился. И все было действительно хорошо, только, к сожалению, отец Сергий Булгаков говорил слишком громко и мне мешал думать свои думы, и я начал прислушиваться, и то, что он говорил, привело меня в такое состояние ярости, что я уже не мог оторваться от его слов. Помню, он говорил о Христе, о Евангелии, о христианстве. Он был замечательный богослов, и он был замечательный человек для взрослых, но у него не было никакого опыта с детьми, и он говорил, как говорят с маленькими зверятами, доводя до нашего сознания все сладкое, что можно найти в Евангелии, от чего как раз мы шарахнулись бы, и я шарахнулся: кротость, смирение, тихость — все «рабские» свойства, в которых нас упрекают, начиная с Ницше и дальше. Он меня привел в такое состояние, что я решил не возвращаться на волейбольное поле, несмотря на то, что это была страсть моей жизни, а ехать домой, попробовать обнаружить, есть ли у нас дома где-нибудь Евангелие, проверить и покончить с этим; мне даже на ум не приходило, что я не покончу с этим, потому что было совершенно очевидно, что

он знает свое дело и, значит, это так. Я у мамы попросил Евангелие, которое у нее оказалось. Заперся в своем углу, посмотрел на книжку и обнаружил, что Евангелий четыре, а раз четыре, то одно из них, конечно, должно быть короче других. И так как я ничего хорошего не ожидал ни от одного из четырех, я решил прочесть самое короткое. И тут я попался. Я много раз после этого обнаруживал, до чего Бог хитер бывает, когда Он располагает Свои сети, чтобы поймать рыбу, потому что прочти я другое Евангелие, у меня были бы трудности. За каждым Евангелием есть какая-то культурная база, Марк же писал именно для таких молодых дикарей, как я, — для римского молодняка. Этого я не знал — но Бог знал. И Марк знал, может быть, когда написал короче других.

Я сел читать, и тут вы, может быть, поверите мне на слово, потому что этого не докажешь: со мной случилось то, что бывает иногда на улице, знаете, когда идешь — и вдруг повернешься, потому что чувствуешь, что кто-то на тебя смотрит сзади. Я сидел, читал и между началом первой и началом третьей глав Евангелия от Марка, которое я читал медленно, потому что язык был непривычный, вдруг почувствовал, что по ту сторону стола, тут, стоит Христос. И это было настолько разительное чувство, что мне пришлось остановиться, перестать читать и посмотреть. Я долго смотрел, я ничего не видел, не слышал, чувствами ничего не ощущал. Но даже когда я смотрел прямо перед собой на то место, где никого не было, у меня было то же самое яркое сознание, что тут стоит Христос, несомненно. Помню, что я тогда откинулся и подумал: если Христос стоит тут — значит, это воскресший Христос. Значит, я знаю достоверно и лично, в пределах моего личного, собственного опыта, что Христос воскрес, и значит, все, что о Нем говорят, — правда. Это того же рода логика, как у ранних христиан, которые обнаруживали Христа и приобретали веру не через рассказ о том, что было от начала, а через встречу с Христом живым, из чего следовало, что распятый Христос был тем, что говорится о Нем, и что весь предшествующий рассказ тоже имеет смысл.

Ну, дальше я читал, но это уже было нечто совсем другое. Первые мои открытия в этой области я сейчас очень ярко помню; я, вероятно, выразил бы это иначе, когда был мальчиком лет пятнадцати, но первое было: если это правда, значит, все Евангелие — правда, значит, в жизни есть смысл, значит, можно жить не для чего иного, как для того, чтобы поделиться с другими тем чудом, которое я обнаружил. Есть, наверное, тысячи людей, которые об этом не знают, и надо им скорее сказать. Второе: если это правда, то все, что я думал о людях, была неправда; Бог сотворил всех, Он возлюбил всех до смерти включительно, и поэтому даже если они думают, что они мне враги, то я знаю, что они мне не враги. Помню, на следующее утро я вышел и шел как в преображенном мире, на всякого человека, который мне попадался, я смотрел и думал: тебя Бог создал по любви! Он тебя любит! Ты мне брат, ты мне сестра, ты меня можешь уничтожить, потому что ты этого не понимаешь, но я это знаю, и этого довольно. Это было первое, самое разительное открытие.

Дальше, когда продолжал читать, меня поразило уважение и бережное отношение Бога к человеку; если люди иногда готовы друг друга затоптать в грязь, то Бог этого никогда не делает. В рассказе, например, о блудном сыне: блудный сын признает, что он согрешил перед Небом, перед отцом, что он недостоин быть его сыном, он даже готов сказать: *Прими меня хоть наемником.* Но, если вы заметили, в Евангелии отец не дает ему сказать этой последней фразы, он ему дает договорить до *я недостоин называться твоим сыном* и тут его перебивает, возвращая обратно в семью: *Принесите обувь, принесите кольцо, принесите одежду...* [Ср.: Лк. 15: 19—22] Потому что недостойным сыном ты можешь быть, достойным слугой или рабом — никак, сыновство не снимается.

А последнее, что меня тогда поразило, что я выразил бы тогда совершенно иначе, вероятно, это то, что Бог — и такова природа

любви — так нас умеет любить, что готов с нами разделить все без остатка: не только тварность через Воплощение, не только ограничение всей жизни через последствия греха, не только физические страдания и смерть, но и самое ужасное — условие смертности, условие ада: боголишенность, потерю Бога, от которой человек умирает. Этот крик Христов на Кресте: *Боже Мой, Боже Мой! для чего Ты Меня оставил?* (Мк. 15: 34) — это приобщенность не только богооставленности, а боголишенности, которая убивает человека, это готовность Бога разделить нашу обезбоженность, как бы с нами пойти во ад, потому что сошествие Христово во ад — это именно сошествие в древний ветхозаветный шеол, то есть то место, где Бога нет. Меня так поразило, что, значит, нет границы Божией готовности разделить человеческую судьбу, чтобы взыскать человека.

Митрополит Антоний Сурожский, (5)

Листок из Книги Жизни

Со мной в семинарии учился один парень, звали его Николай. Когда он пришел поступать в семинарию, у него стали спрашивать то, что обычно требуется на вступительном экзамене: прочитать наизусть утренние и вечерние молитвы, знать Символ Веры, Священное Писание. Но он сказал: «Я ничего этого не знаю». — «А что ты знаешь?» И он наизусть прочел отрывок из Евангелия от Иоанна. «Откуда ты знаешь?» — «Я стоял на автобусной остановке, к моим ногам прилетел листок, и я его поднял. Это был отрывок из Евангелия от Иоанна. Я его прочел с одной стороны и с другой, и меня эти слова так поразили, что я стал их читать постоянно и выучил наизусть. В нашем городе нет церкви. Я услышал, что здесь учат вере, и приехал». И его приняли.

Протоиерей Дмитрий Смирнов, (12)

Бог каждое утро сеет новые слова в наших сердцах.

Джон Мильтон (1608–1674), английский поэт, драматург

Смертный приговор

Вся японская полиция разыскивала этого таинственного и дерзкого преступника. Он же скрывался под разными именами, объявляясь то тут, то там, и неоднократно подвергался задержанию за те или иные мелкие правонарушения. В конце концов его перевели в главный следственный изолятор в Токио.

Это было в декабре 1915 года. В этом изоляторе Токисо оказался в одной камере с подозреваемым по имени Комори. Из разговора с ним Токисо узнал, что Комори арестован и заключен в изолятор по подозрению, что в апреле этого года он убил гейшу Охару, которую на самом деле убил он, Токисо. Дело невиновного Комори возмутило в Токисо остатки совести, и он принялся сам с собой беседовать, постоянно задавая себе один и тот же вопрос: «Могу ли я допустить, чтобы этот безвинный человек был приговорен к смертной казни за преступление, совершенное мною?» Наступил Новый год, самый большой в Японии праздник. В этот день заключенные получают подарки и гостинцы от тех или иных благотворителей. Токисо досталось домашнее печенье и небольшая книга. Книгу, как ему было сказано, прислали две американки. Печенье он съел, а книгу поставил на полку — и забыл про нее.

Прошло много времени, пока в один прекрасный день просто от скуки Токисо протянул руку и взял ту книгу с полки. Прочитал заглавие: «Новый Завет Господа нашего Иисуса Христа». Полистал ее немного и навскидку прочитал несколько фраз, которые не произвели на него особого впечатления. Вернул книгу на полку. Так минуло еще несколько дней. Он снова взял книгу в руки и открыл ее там, где говорилось о Христовых страданиях. Читая, он негодовал на Пилата и злился на иудеев за то, что они судят и приговаривают к смерти праведного человека. Вспомнил он и о своем убийстве гейши и о безвинном Комори, которому, как и Иисусу, без всякой причины грозит смертная казнь. Все внимательнее вчитываясь в текст, Токисо буквально впивался в канву событий, желая узнать, что все-таки в конечном счете будет с Иисусом. Но, дойдя до слов: *Иисус же говорил: Отче! прости им, ибо не знают, что делают,* — закрыл книгу. Он почувствовал, будто кто-то иглой поразил его в самое сердце. Может ли такое быть? Ведь такое не видано и не слыхано, чтобы некто, так истязаемый и мучимый, как Иисус, перед последним издыханием все простил своим врагам! Об этом Токисо не мог даже грезить! Вот как он сам излагает свои мысли: «Я считаю, что главный враг того или иного человека — тот, кто покушается на его жизнь. Да и в самом деле нет большего неприятеля, чем этот. И вот как раз в ту минуту, когда у Иисуса забирают жизнь, он молится за Своих палачей Небесному Богу: *Отче! прости им, ибо не знают, что делают* (Лк. 23: 34). Что другое могу я предположить, нежели что Иисус был Сыном Божиим? Подумал я о том, что всякий обычный человек пылает гневом и прочими мерзкими страстями даже за малое чинимое ему зло. Однако Иисус молился за врагов именно в тот момент, когда они отнимали у Него жизнь — и причем такую драгоценную, жизнь, которую ничто в мире не может заменить. Такой поступок абсолютно невозможен для заурядного человека. И потому мы должны признать и сказать: "ОН БЫЛ БОГОМ"».

Благоразумный разбойник

Сделавшись христианином, Токисо ясно осознал, что должен спасти невиновного Комори, обвиненного в убийстве гейши Охару, то есть в том самом злодеянии, которое совершил он, Токисо. «Не ты убил гейшу Охару, а я, брат Комори!» — заявил он однажды перед свидетелями.

...17 августа 1918 года, в 9 часов утра, Токисо Иси* был выведен в тюремный двор и повешен.

Тюремный священник так описывает это событие: «Многие умирающие на виселице смотрят в глаза смерти с хладнокровием и самоуверенностью, чтобы по исходе их жизни оставить потомкам

---

* Фамилия *Иси* в переводе с японского означает *камень*. Так краеугольный камень Христос в самый ответственный момент утвердил Своей силой новый «камень», предварительно растопив его холодное, как камень, сердце.

доброе имя и не подвергнуться насмешкам мира сего. Но мужество Иси имело совсем иной характер. В нем нисколько не проявлялось ни желания стяжать себе доброе имя, ни душевного напряжения к претерпеванию неизбежного. Весь погруженный в смирение и предельно серьезный, он словно ничего не замечал, кроме славы мира Небесного, в который возвращался, свергнув с себя тяжкое бремя грехов, — именно так, как некто, снедаемый непомерной тоской, направляет стопы к своему родному очагу. Встав под виселицей, в тот самый момент, когда его жизнь должна была испариться, как капля росы, Иси пропел следующие последние слова:

> *Имя мое скверно,*
> *Тело мое умирает в темнице,*
> *Но душа моя очищена*
> *И в день сей возвращается в Град Божий».*

(50)

Лекарство против страстей

Я с молодых лет служил в армии, а не в гарнизоне; знал службу и был любим начальством, как исправный прапорщик. Но лета были молодые, приятели тоже; я, по несчастию, и приучился пить, да под конец так, что открылась и запойная болезнь; когда не пью, то исправный офицер, а как закурю, то недель шесть в лежку. Долго меня терпели, наконец, за грубости шефу, сделанные в пьяном виде, разжаловали меня в солдаты на три года, с перемещением в гарнизон; а если не исправлюсь и не брошу пить, то угрожали строжайшим наказанием. В сем несчастном состоянии я сколько ни старался воздержаться и сколько от сего ни лечился, никак не мог покинуть моей страсти, а потому и хотели переместить меня в арестантские уже роты. Услышав сие, не знал я, что с собою делать.

В одно время я в раздумье сидел в казарме. Вдруг вошел к нам какой-то монах, с кружкой для сбора на церковь. Кто что мог — подали. Он, подошедши ко мне, спросил: «Что ты такой печальный?» Я, разговорившись с ним, пересказал мое горе; монах, сочувствуя

моему положению, начал: «Точно то же было с моим родным братом, и вот что ему помогло: его духовный отец дал ему Евангелие, да и накрепко приказал, чтобы он, когда захочет вина, нимало не медля прочел бы главу из Евангелия; если и опять захочет, то и опять читал бы следующую главу. Брат мой стал так поступать, и в непродолжительном времени страсть к питию в нем исчезла, и теперь вот уже пятнадцать лет капли хмельного в рот не берет. Поступай-ка и ты так, увидишь пользу. У меня есть Евангелие, пожалуй, я принесу тебе».

Выслушав это, я сказал ему: «Где же помочь твоему Евангелию, когда никакие старания мои, ни лекарственные пособия не могли удержать меня?» Я сказал сие так потому, что никогда не читывал Евангелия. «Не говори этого, — возразил монах, — уверяю тебя, что будет польза». На другой день действительно монах принес мне вот это Евангелие. Я раскрыл его, посмотрел, почитал, да и говорю: «Не возьму я его; тут ничего не поймешь; да и печать церковную читать я не привык». Монах продолжал убеждать меня, что в самых словах Евангелия есть благодатная сила; ибо писано в нем то, что Сам Бог говорил. «Нужды нет, что не понимаешь, токмо читай прилежно. Один святой сказал: "Если ты Слова Божия не понимаешь, так бесы понимают, что ты читаешь, и трепещут"; а ведь страсть пьянственная непременно по возбуждению бесов. Да вот тебе еще скажу: Иоанн Златоуст пишет, что даже та самая храмина, в которой хранится Евангелие, устрашает духов тьмы и бывает неудобноприступна для их козней». Я не помню, что-то дал оному монаху, взял у него сие Евангелие, да и положил его в сундучок с прочими моими вещами, и забыл про него. Спустя несколько времени пришло время мне запить, смерть захотелось вина, и я поскорее отпер сундучок, чтобы достать деньги и бежать в корчму. Первое попалось мне в глаза Евангелие, и я вспомнил живо все то, что говорил мне монах, развернул и начал читать сначала первую главу от Матфея. Прочитавши ее до конца, именно ничего не понял; да и вспомнил, что монах говорил: «Нужды нет, что не понимаешь, только читай прилежно». Дай, думаю, прочту другую главу; прочел, и стало понятнее. Дай же и третью; как только ее начал, вдруг звонок в казарме: к местам на койки. Следовательно, уже идти за ворота было нельзя; так я и остался.

Вставши поутру и расположившись идти за вином, подумал: «Прочту главу из Евангелия — что будет?» Прочел и не пошел. Опять захотелось вина; я еще стал читать, и сделалось легче. Это меня ободрило; и при каждом побуждении к вину я стал читать по главе из Евангелия. Что дальше, то все было легче, наконец, как только окончил всех четырех евангелистов, то и страсть к питию совершенно прошла, и сделалось к ней омерзение. И вот ровно двадцать лет я совершенно не употребляю никакого хмельного напитка.

(59)

Атеист проповедует Евангелие

В конце XVIII столетия в Париже образовалось общество, к которому принадлежали известнейшие атеисты того времени, собиравшиеся еженедельно с целью, как они выражались, «открывать нелепости Библии», чтобы делать их затем предметом своих издевательств.

Однажды вечером, когда эти люди, приступив к своему занятию, ради дьявольской цели прочли вслух несколько отрывков из Евангелия, вдруг поднялся не принимавший никакого участия в беседе знаменитый энциклопедист и один из влиятельнейших писателей Дидро (1713–1784), сам бывший далеко не последним среди богохульников, и с несвойственною ему серьезностью начал: «Господа! Относительно этой книги я откровенно, со всею искренностью признаюсь в том, что мне неизвестно ни во Франции, ни где-либо во всем мире ни одного человека, который мог бы писать

Даниэль Дидро

и говорить с большим искусством и талантом, чем те рыбаки и мытари, которые написали Евангелие. Я осмеливаюсь утверждать, что и из нас никто не в состоянии написать хотя бы подобный евангельскому рассказ, который был бы так прост и в то же время возвышен, так свеж, так трогателен, обладал бы таким могущественным действием на душу и не слабеющим в продолжение целых веков влиянием, каким является для нас каждое взятое отдельно, даже незначительное, евангельское известие о страданиях и смерти Иисуса Христа». Когда Дидро сказал это, то вместо смеха, только что еще раздававшегося в зале, наступило глубокое молчание. Все почувствовали не только правоту сказанного Дидро, но и еще нечто большее. Собрание прекратилось и присутствовавшие молча разошлись. После описанного случая названное общество перестало существовать.

(111)

Есть Книга, в которой сказано все, все решено, после которой ни в чем нет сомнения, Книга бессмертная, святая, Книга вечной истины, вечной жизни — Евангелие. Весь прогресс человечества, все успехи в науках, философия — заключаются только в бо́льшем проникновении в таинственную глубину этой Божественной Книги. Основание Евангелия — откровение Истины посредством любви и благодати.

Виссарион Белинский (1811–1847),
литературный критик, публицист

Сеятель

Было весеннее раннее время.
В трудную пору, забывши покой,
Сеятель сеял здоровое семя,
Мерно бросая умелой рукой.

Полный работы, любви и тревоги,
Жатвы он ждал от труда своего.
Первое семя легло при дороге,
Стаи пернатых склевали его.

Семя другое на камень упало,
Быстро из семени вышли ростки.
В пору же летнюю солнышко встало
И засушило листки.

Третье семя упало средь терний,
Терния силой могучей своей
В час неожиданный, грустный, вечерний
Семя от солнечных скрыли лучей.

На землю добрую семя иное
Пало и, выросши, вызрело в плод.
Так и Господнее Слово Святое
В почве сердечной живет и растет.

С семенем зрелым чад Церкви Христовой
В Страшный День Судный Господь призовет
В вечные кровы Обители райской,
Где Невечерний день в Боге живет.

Протоиерей Николай Гурьянов

Разговор с Богом

Молитва — чудо. Таинство ее
Возносит душу к Божьему Престолу,
Где созерцает звание свое
И не желает возвращаться долу.

Иеромонах Роман

Выход из тоски

Иногда в нашем сердце (и когда я говорю о сердце, я говорю о самом глубинном нутре человека) пробуждается тоска, не обязательно тоска по Богу, но какая-то раздирающая, мучительная тоска от внутренней пустоты и оттого, что так жить нельзя.

Иногда, когда мы знаем, куда идти и чего искать должны, эта тоска находит себе какой-то относительный выход, иногда нет, и годами, может быть, эта тоска разрывает нашу душу, но ответа не получает. Это бывает по разным причинам. Или мы не готовы к встрече, потому что мы ищем Бога как восполнение нашей жизни — не для того, чтобы Его полюбить, Ему довериться, Ему послужить, а лишь для того, чтобы Он заполнил пустоту, которая в нас есть. Порой человек и хочет Бога, рвется к Нему, но что-то в нем еще не созрело для того, чтобы это общение стало возможным.

Мне вспоминается рассказ из жизни старца Силуана. Он в течение многих лет кричал перед Богом, молился о том, чтобы Бог ему открылся, чтобы как-то почувствовать Божие присутствие, чтобы Божие присутствие в нем сказалось и что-то над ним сотворило. В какой-то момент он дошел, если можно так выразиться, до творческого отчаяния, такого отчаяния, которое говорило, что он созрел для этой встречи. Он обратился к Богу и сказал: «Господи, Ты неумолим!» — и на этом остановился. И вдруг его охватило чувство Божия присутствия, и после этого, как пишет старец, он всю жизнь с радостью молился Богу, с радостью Ему служил. Потому что в этот момент что-то прорвалось в его душе: и Бог, и он соединились в той мере, которая была доступна тогда, а потом все больше и больше, глубже и глубже, до момента, когда Силуан вырос в полную свою меру.

Митрополит Антоний Сурожский, (5)

Он всегда здесь

Одна из самых больших опасностей, которые нас подкарауливают, когда мы молимся, — следить за собой: что со мной сейчас происходит? углублен ли я в себя? чувствую ли я Божие присутствие? почему я рассеялся? Нам надо научиться просто быть перед Богом, действительно молчать и знать, что Он тут есть; я могу Его не ощущать сейчас, но это не значит, что Его нет.

Есть рассказ о том, как мать играла в прятки с маленькой девочкой: мать спряталась, аукнула, девочка открыла глаза и стала ее искать, мать снова аукнула, и наконец девочка ее поймала. Но в течение какого-то времени девочка не могла увидеть матери, она только искала, поскольку где-то услышала звук. А потом у них завязался разговор о том, почему Бог не является нам, почему мы не можем Его встретить, хотя очень стремимся к этой встрече. И мать ей сказала: «Ты помнишь, как мы на днях играли в прятки? Я спряталась, и ты меня искала, но ты не боялась, что меня нет, ты знала, что я тут, несмотря на то что не видишь меня». Бог с нами так поступает, чтобы мы Его искали, чтобы не просто сидели и от Него ожидали: стань, Господи, передо мной, как лист перед травой. Нет, Он хочет, чтобы мы действительно всем желанием своим хотели встретиться с Ним, — и тогда может произойти встреча.

Митрополит Антоний Сурожский, (5)

Завтрак с Неба

Отец Паисий рассказывал: «Шел Успенский пост. После Божественной литургии старец послал меня на одну работу. Я был совершенно без сил от поста и всенощного бдения, которое мы совершали ночью. После Божественной литургии я не ел, потому что старец мне насчет еды ничего не сказал.

Иверская икона Божией Матери

Дойдя до Иверского монастыря, я стал ждать катер. Обычно он приходит в полдень, однако уже наступил вечер, а катера все не было. У меня совершенно не оставалось сил, и я подумал, что надо совершить одну четку молитв Пресвятой Богородице с просьбой, чтобы она дала мне какую-нибудь пищу. Но потом я укорил себя: "Ах ты, бессовестный, тревожишь Матерь Божию по таким пустякам!" Не успел я закончить четку, как вдруг из монастырских ворот вышел один брат. Я сидел в беседке перед воротами. Он подошел ко мне, дал мне небольшой кулечек и сказал: "Вот, брат, прими ради Госпожи Богородицы". Развернув кулек, я увидел половину хлебца, несколько смокв и немного винограда. Я едва смог удержаться, чтобы не расплакаться».

(33)

Молитва — это жизнь души

Нам часто кажется, что трудно согласовать жизнь и молитву. Это заблуждение, совершеннейшее заблуждение. Происходит оно оттого, что у нас ложное представление и о жизни, и о молитве. Мы воображаем, будто жизнь состоит в том, чтобы суетиться, а молитва — в том, чтобы куда-то уединиться и забыть все и о ближнем, и о нашем человеческом положении. И это неверно. Это клевета на жизнь и клевета на самую молитву.

Чтобы научиться молитве, прежде всего надо сделаться солидарным со всей реальностью человека, всей реальностью его судьбы и судьбы всего мира: до конца принять ее на себя.

Молитва и жизнь должны быть одно. У меня нет времени говорить об этом много, но я хотел бы просто сказать вот что: встаньте утром, поставьте себя перед Богом и скажите: «Господи, благослови меня и благослови этот начинающийся день», а потом относитесь ко всему этому дню как к дару Божию и смотрите на себя как на посланца Божия в этом неизвестном, что представляет собой начинающийся день. Это означает попросту нечто очень трудное, а именно: что бы ни случилось за этот день — ничто не чуждо воле Божией, все без исключения обстоятельства, в которые Господь вас пожелал поставить, чтобы вы были Его присутствием, Его любовью, Его состраданием, Его творческим разумом, Его мужеством. И, кроме того, всякий раз, когда вы встречаетесь с той или иной ситуацией, вы — тот, кого Бог туда поставил, чтобы нести служение христианина, быть частицей Тела Христова и действием Божиим. Если вы будете так поступать, то легко увидите, что в каждое мгновение вам придется поворачиваться к Богу и говорить: «Господи, просвети мой ум, укрепи и направь мою волю, дай мне сердце пламенное, помоги мне!»

В другие моменты вы сможете сказать: «Господи, спасибо!» И если вы разумны и умеете благодарить, вы избежите глупости, которая называется тщеславием или гордостью, состоящей в том, что мы воображаем, будто совершили что-то, чего могли бы и не делать. Это сделал Бог. Бог подарил нам замечательную возможность сделать это. И когда вечером вы снова станете перед Богом и быстро переберете в памяти прошедший день, вы сможете восхвалять Бога, славить Его, благодарить Его, плакать о других и плакать о себе. Если вы начнете таким образом соединять жизнь с вашей молитвой, между ними никогда не будет разрыва и жизнь станет горючим, питающим в каждое мгновение огонь, который будет разгораться все больше и становиться все ярче и преобразит постепенно вас самих в ту горящую купину, о которой говорит Писание (Исх. 3: 2).

Митрополит Антоний Сурожский, (5)

МОЛИТВА

Господи, Боже мой, удостой меня быть орудием мира Твоего, чтобы я вносил любовь туда — где ненависть, чтобы я прощал — где обижают, чтобы я соединял — где есть ссора, чтобы я говорил правду — где господствует заблуждение, чтобы я воздвигал веру — где давит сомнение, чтобы я возбуждал надежду — где мучает отчаяние, чтобы я вносил свет во тьму, чтобы я возбуждал радость — где горе живет. Господи, Боже мой, удостой не чтобы меня утешали, но чтобы я утешал, не чтобы меня понимали, но чтобы я других понимал, не чтобы меня любили, но чтобы я других любил, ибо кто дает — тот получает, кто забывает себя — тот обретает, кто прощает — тому простится, кто умирает — тот просыпается к вечной жизни.

Старинная легенда

Давным-давно жил один святой старец, который много молился и часто скорбел о грехах человеческих. И странным ему казалось, почему это так бывает, что люди в церковь ходят, Богу молятся, а живут все так же плохо. Греха не убывает.

«Господи, — думал он, — неужели не внемлешь Ты нашим молитвам? Вот люди постоянно молятся, чтобы жить им в мире и покаянии, и никак не могут. Неужели суетна их молитва?»

Однажды с этими мыслями он погрузился в сон. И чудилось ему, будто светозарный Ангел, обняв крылом, поднял его высоко-высоко над землей... По мере того как поднимались они выше и выше, все слабее и слабее становились звуки, доносившиеся с поверхности земли. Не слышно более человеческих голосов, затихли песни, весь шум суетливой мирской жизни. Лишь порой долетали откуда-то гармоничные, нежные звуки, как звуки далекой лютни.

— Что это? — спросил старец.

— Это святые молитвы, — отвечал Ангел, — только они слышатся здесь!

— Но отчего так слабо звучат они? Отчего так мало этих звуков? Ведь сейчас весь народ молится в храме!..

Ангел взглянул на него, и скорбно было лицо его.

— Ты хочешь знать?.. Смотри...

Далеко внизу виднелся большой храм. Чудесной силой раскрылись его своды, и старец мог видеть все, что делалось внутри.

Храм весь был полон народа. На клиросе виден был большой хор. Священник в полном облачении стоял в алтаре.

Шла служба. Какая служба — сказать было невозможно, ибо ни одного звука не было слышно. Видно было, как стоявший на левом клиросе дьячок что-то читал быстро-быстро, шлепая и перебирая губами, но слова туда, вверх, не долетали. На амвон медленно вышел громадного роста диакон, плавным жестом поправил свои пышные волосы, потом поднял орарь, широко раскрыл рот, и... ни звука!

На клиросе регент раздавал ноты: хор готовился петь.

«Уж хор-то, наверно, услышу...» — подумал старец.

Регент стукнул камертоном по колену, поднес его к уху, вытянул руки и дал знак начинать, но по-прежнему царила полная тишина. Смотреть было удивительно странно: регент махал руками, притопывал ногой, басы краснели от натуги, тенора вытягивались на носках, высоко поднимая голову, рты у всех были открыты, но пения не было.

«Что же это такое?» — подумал старец.

Он перевел глаза на молящихся. Их было очень много, разных возрастов и положений: мужчины и женщины, старики и дети, купцы и простые крестьяне. Все они крестились, кланялись, многие что-то шептали, но ничего не было слышно.

Вся церковь была немая.

— Отчего это? — спросил старец.

— Спустимся, и ты увидишь и поймешь... — сказал Ангел.

Они медленно, никем не видимые, спустились в самый храм. Нарядно одетая женщина стояла впереди всей толпы и, по-видимому, усердно молилась. Ангел приблизился к ней и тихо коснулся рукой... И вдруг старец увидал ее сердце и понял ее мысли.

«Ах, эта противная почтмейстерша! — думала она. — Опять в новой шляпе! Муж — пьяница, дети — оборванцы, а она форсит!.. Ишь выпялилась!..»

Рядом стоял купец в хорошей суконной поддевке и задумчиво смотрел на иконостас. Ангел коснулся его груди, и перед старцем сейчас же открылись его затаенные мысли: «...Экая досада! Продешевил... Товару такого теперь нипочем не купишь! Не иначе как тыщу потерял, а может, и полторы...»

Далее виднелся молодой крестьянский парень. Он почти не молился, а все время смотрел налево, где стояли женщины, краснел и переминался с ноги на ногу. Ангел прикоснулся к нему, и старец прочитал в его сердце: «Эх, и хороша Дуняша!.. Всем взяла: и лицом, и повадкой, и работой... Вот бы жену такую! Пойдет или нет?»

И многих касался Ангел, и у всех были подобные же мысли, пустые, праздные, житейские. Перед Богом стояли, но о Боге не думали. Только делали вид, что молились.

— Теперь ты понимаешь? — спросил Ангел. — Такие молитвы к нам не доходят. Оттого и кажется, что все они точно немые...

В эту минуту вдруг чей-то детский робкий голосок отчетливо проговорил:

— Господи! Ты благ и милостив... Спаси, помилуй, исцели бедную маму!..

В уголке, на коленях, прижавшись к стене, стоял маленький мальчик. В его глазах блестели слезы. Он молился за свою больную маму.

Ангел прикоснулся к его груди, и старец увидел детское сердце. Там были скорбь и любовь.

— Вот молитвы, которые слышны у нас! — сказал Ангел.

Великое благо молитва. Если кто, разговаривая с добродетельным человеком, получает от того великую пользу, то каких благ не получит удостоившийся беседовать с Богом? Молитва есть беседа с Богом.

Святитель Иоанн Златоуст

Кого мы любим, с тем и беседуем

Пришлось как-то раз беседовать с одним молодым человеком — студентом. Он верующий, ведет относительно благочестивую жизнь.

Но когда у нас зашла речь о молитве, он сказал:

— Я молюсь совсем мало. Да и нужды особой нет: зачем молиться, если все знаешь, все понимаешь? И никаких особых обстоятельств нет, которые побуждали бы на молитву. Если уж будет какая-то особая экстремальная ситуация, тогда буду молиться, а так — зачем? Нет охоты.

— Так что же, — говорю, — ты хочешь молиться «по-мужицки»: пока гром не грянет, мужик не перекрестится?

— Да нет, я, в общем-то, не хочу, чтобы меня постигали какие-то бедствия и скорби. Ну, просто как-то не хочется молиться, да и все...

Что на это сказать? Допустим, родители имеют ребенка. И вот этот ребенок скажет: «Зачем мне говорить с папой и мамой? Если у меня будет какая-то нужда, тогда я буду с ними разговаривать, а так зачем они мне? Я не хочу с ними разговаривать: неинтересно». Разве не оскорбит он таким нелюбовным отношением своих родителей? Оскорбит — и сильно.

Вы никогда не замечали, что когда мы постоим на молитве с холодным чувством к Богу, то и люди проявляют к нам холодность? А после усердной, теплой молитвы к Богу и отношения людей к нам становятся более теплыми.

Кого мы любим, с тем и беседуем, с тем и общаемся. Даже если сидим молча, все равно радуемся, чувствуя присутствие любимого. Так же и пред Богом: если нам «скучно» с Ним на молитве, следовательно, мы потеряли к Нему любовь. Мы оскорбляем нашего Небесного Отца и фактически теряем с Ним тот контакт, который нам же в первую очередь и требуется. Не Богу нужен этот контакт, а нужен нам для нашей вечной жизни. И если мы не установим его, подобно электрической лампочке с электросетью, то... что с нами будет? Если лампочка не включается в электросеть, она становится ненужной, и ее выбрасывают на мусорник. Так и мы, если не соединимся с Богом посредством усердной, живой молитвы, то, как негодная лампочка, будем выброшены на мусорник духовный, который называется *ад* и *вечная мука*.

(38)

> *Молятся столько людей и по столько часов! Мир уже давно должен бы был измениться. Но, поскольку отсутствует и праведность, и справедливость, Бог эти молитвы не слышит. Тогда как молитвы одного единственного праведника достаточно для того, чтобы приклонить Бога на милость по отношению к целому народу.*
>
> Старец Паисий Святогорец

Наш язык и наше слово

Личность каждого из нас своеобразна и, более того, неповторима. Казалось бы, все имеют душу и тело, сыщется немало схожих друг с другом людей, но все-таки... Внешность, осанка, манера одеваться всегда индивидуальны, а особенно — наш язык, речь, слово.

Скажи мне несколько слов, и я многое расскажу тебе о твоей душе. Действительно, наше слово волей-неволей обнаруживает то, что сокрыто глубоко в сердце, или, как сказано в Евангелии, *от избытка сердца говорят уста* [Мф. 12: 34]. В чем же здесь загадка?

Давайте попытаемся исследовать, где рождается в человеке слово. Принято считать таким родоначальником ум, хотя Библия свидетельствует о тесной связи ума с сердцем и не сводит первый лишь к деятельности рассудка. Порожденная умом мысль соприсутствует ему; всякому ведомо, что мысли живут в нас, рождаясь и сменяя одна другую, побуждают ум к внутренней деятельности. Но вот мысль становится словом. Мысль воплощенная, облачившаяся в звуковые или буквенные одежды, есть слово. Слово, исходя из нас и входя в сердце слушающего или читающего, продолжает жить в нас. Сказав или написав, мы ничего не теряем, в то время как воспринимающий наше слово очевидно приобретает. При этом слово исполнено некоей духовной силы, источник которой — наше сердце. Эту силу всякий внимающий слову ощущает и осознает. Говорят, что дар слова особенно уподобляет человека своему Создателю Богу. Тайна Божественной Троицы находит свое отражение в человеческой душе. Безначальный Отец (ум) от вечности порождает Сына (мысль), Который стал Человеком, воплотился и именуется в Библии Словом. Третье же Лицо Троицы — Дух Святой. Он исходит от Отца и почивает на Сыне. Наподобие этого и наш ум, конечно ограниченный и слабый, рождает мысль, которая по воплощении именуется словом. Каждому слову соответствует духовная сила, что исходит от ума, тесно связанного, по Библии, с сердцем.

*Протоиерей
Артемий Владимиров*

Кратко сказать, слово обнаруживает тайны ума и сердца. Слово раскрывает образ мыслей человека. Слово свидетельствует о том, какая сила, добрая или злая, живет в человеческой душе.

Если слово твое льстиво и обманчиво, проникнуто духом гордыни, досады или раздражительности, если слово исполнено ядом осуждения, то кольми паче сердце, от избытка которого ты говоришь, открывая лишь малое из того, что прячешь в несчастной душе твоей. И напротив, когда слышим слово правдивое и ясное, слово доброе и бодрое, утешающее и примиряющее, нам остается лишь догадаться о том сокровище духовном, каким является душа говорящего. Впрочем, Христос Спаситель велит нам распознавать человека не по словам только, но и по делам. *От плодов их узнаете их* [Мф. 7: 16].

А знаете ли вы, любезные наши читатели, что можно посредством слова вылечить и, более того, воспитать, взрастить душу чистую и прекрасную? Прежде всего должно удалить из своего языка (или, как говорят, лексикона) все слова, задевающие и ущербляющие наше нравственное чувство. *Никакое гнилое слово да не исходит из уст ваших...* [Еф. 4: 29] — дает нам завет святой апостол Христов. Покуда мы попускаем подобным словечкам осквернять наш собственный и чужой слух, не может быть и речи ни о какой нравственной, богоугодной жизни. *Говорю же вам, что за всякое праздное слово, какое скажут люди, дадут они ответ в день суда; ибо от слов своих оправдаешься и от слов своих осудишься* [Мф. 12: 36, 37], — предупреждает нас Евангелие.

Когда же мы, хорошенько потрудившись над собой и своей жизнью, введем в наше сознание, ум и сердце слова воистину святые и нетленные: *Бог, Господь, милосердие, целомудрие, невинность, вера, правда, мир, радость* и прочие — тогда изменится наш образ мысли и сердце станет доступным для воздействия иной силы, благодати Божией, которая укрепляет христианина в его стремлении исполнять заповеди Евангельские. Но как, спросите вы, ввести в сознание эти дивные слова, как очистить ими ум, дабы Дух Святой освятил и наше сердце, мысли, желания и поступки? Ответ простой: молитесь. Все молитвы Православной Церкви, начиная от молитвы Господней (*Отче наш*), и являются тем святым звеном, которое соединяет словесное разумное создание, человека, с Богом Словом.

С детства все мы с вами помним наставления взрослых о так называемых волшебных словах: *здравствуйте, пожалуйста, спасибо.* Но не все, быть может, вникали в их внутренний смысл. Произнося приветствие, раньше сердечно желали собеседнику долгих лет жизни во здравии и благополучии; употребляя слово *пожалуйста,* выражали почтительное отношение к человеку, старшему возрастом и умудренному жизненным опытом. Именно с этими словами *пожалуй, старче* в старину приглашали в свой дом путника, утомленного дорогой, или просили сесть приглашенного на более почетное место, поближе ко главе семьи. *Спаси тебя Христос, спаси тебя Господь, спаси тебя Бог* — вот что наполняет нынешнее *спасибо* — не простую словесную благодарность, не формулу вежливости, но молитву о спасении, обретении милости у Господа в день Суда. Не ясно ли становится, что, употребляя со смыслом эти слова, мы согреваем нашу речь дыханием

Божией благодати, делаем наше общение с людьми воистину теплым и сердечным, привлекаем и на собственную душу милость Божию.

Насколько велик дар слова, настолько печальны последствия злоупотребления этим даром. Язык, дарованный нам Создателем для прославления Его имени и умножения добра в общении друг с другом, может быть причиной осуждения на вечную гибель нераскаявшегося грешника! Подумать только, правда Божия, как обещано в Евангелии, взыщет с нас за каждое праздное слово! А ведь любое слово, пустое, бессодержательное, сказанное без смысла и без пользы, может быть занесено в разряд праздных. Что говорить о прочих — острых, колких, скабрезных, пошлых, лукавых?! Вот почему сложилась поговорка: «Язык мой — враг мой». По счастью, наши читатели знают, что в Таинстве Исповеди Милосердный Господь все прощает, если каешься с твердым намерением исправиться. В заключение мне хотелось бы предложить вам три малых золотых правила языка. Кто исполнит их — перестанет грешить языком, что, согласитесь, вещь немаловажная.

Правило первое. «Думай, что говоришь». Иными словами, взвесь в уме то слово, которое находится на кончике твоего языка. Подумай как следует, а потом лишь говори. И никогда об этом не пожалеешь.

Правило второе. «Не говори того, чего не думаешь». Не лукавь, не криви душой. Лучше промолчать, нежели сказать неправду.

Правило третье. «Не все, что думаешь, говори». Это правило не призывает нас, как, может быть, некоторым показалось, к лицемерию и приспособленчеству. Но оно советует правильно оценивать собеседника и его душевное расположение. А готов ли он сегодня услышать от тебя те слова, которые мирно лягут на его сердце три дня спустя? А принесет ли ему пользу то, что ты намереваешься сказать? А нужно ли ему слышать твое мнение по этому вопросу? А не подведешь ли ты кого, не выдашь ли чужую тайну своим неосторожным словом? И десятки других «А» могут оправдать это правило. Словом, не все, что думаешь, говори.

Некоторые сводили три упомянутых правила в одну золотую формулу мудрой речи: «Думай, что говоришь, кому говоришь, зачем говоришь, где говоришь и какие из этого будут последствия».

Закончим пространную главу о языке и слове простым пожеланием: друзья, больше читайте добрых, умных, хороших и, в первую очередь, *святых* книг! «С кем поведешься — от того и наберешься», — говорит не напрасно русская пословица. Пусть вашим девизом отныне будет древнее: «Ни дня без строчки». Хотя бы прочитанной строчки, которая отойдет в золотой запас вашей памяти.

Протоиерей Артемий Владимиров, (13)

Молитв готовых у нас много. Они не сочинены, а изливались из сердца святых, под действием какого-либо созерцания или события и случая в жизни. Читающий их со вниманием входит в те же чувства, какие дышат в них, и тем оживляет и созидает в себе молитвенный дух. Чтоб это удобнее совершалось, хорошо молитвы избираемые наперед обдумывать, с восприятием и чувств, сокрытых в них. Еще лучше заучивать молитвы, чтобы не иметь нужды в молитвеннике, а всегда носить его в душе готовым раскрыться, как только потреба. Но, навыкая молиться по готовым молитвам, надо начинать понемногу молиться и своим словом, по своим потребностям — душевным или внешним. Потребности духовные, как только пробудятся, тотчас устремляют к Богу. Позыв обратиться к Богу бывает иногда без определенной потребности, а по одной жажде Бога.

Святитель Феофан Затворник

О молитве архимандрита Софрония

Отверзу уста моя, и наполнятся духа...
[Ирмос воскресного канона, глас 4]

Вся жизнь старца Софрония была непрестанным стремлением ко Свету Лица Божия, к *Тому, Кто Есть* (Ср.: Исх. 3: 14). Подобно Моисею, десятилетиями он взывал к Богу со слезами: «Яви мне Лице Твое!» Неутолимая жажда проникнуть в тайны Божественного

Бытия не умалилась до глубокой старости отца Софрония. Иными словами, вся жизнь его была наполнена молитвой, болезненным исканием пути к нашему Творцу, чтобы вопросить Его: «Для чего Ты создал меня?»

Молитва для старца была всеобъемлющей. Поводом к ней служило все, что окружало подвижника. Его молитва простиралась к Богу обо всем. Каждое движение, каждое действие он начинал и заканчивал с чувством Божественного присутствия. Сознанием этого освящалось все. Вокруг подвижника создавалась напряженная атмосфера непорочной святости, выраженная в словах преподобного Серафима: «Стяжи дух мирен, и вокруг тебя спасутся тысячи». Писал ли он иконы, беседовал ли он с людьми, или просто гулял — он *совершал святыню в страхе Божием* [2 Кор. 7: 1]. Для него не было малых, ничего не значащих вещей, поскольку он воспринимал все и всех через призму молитвы, в присносущном Свете спасения Христова. При беседе со старцем часто возникало ощущение, что он и слушает тебя, и одновременно предстоит духом пред Богом, и прислушивается к сердцу, что откроет ему Святой Дух.

Старец Софроний говорил: «Великого Бога нужно просить о великом». Действительно, в его молитвах поразительным является его свободное, дерзновенное, но никогда не бывающее дерзким обращение к Спасителю. Интимное чувство Бога и стремление к общению с Ним через молитву было присуще ему от младенчества. Старец рассказывал, как, будучи маленьким ребенком, он мог подолгу молиться, стоя на коленях у своей детской кровати. В течение всей жизни, сознавая себя во мраке непонимания путей Божиих и томясь от зрелища трагедии человеческих судеб, он боролся через молитву за стяжание подлинного богопознания и ведения о конечном смысле бытия, взывая: «Душе Святый, прииди и вселися в ны: напой ны, жаждущия, таинственными струями познания Твоего и изведи из темницы греховныя души наша». Подобно древним пророкам, и он беседовал с Богом лицом к лицу, при этом до глубокой старости его никогда не переставало сокрушать сознание своего ничтожества и беспомощности. До последнего издыхания он приступал к Богу со страхом, боясь даже малейшим движением сердца оскорбить Духа Божия. Исходным началом его молитвы всегда являлось видение Христа «как Он есть», как Он открылся

нам в деле спасения, рождающее болезненное чувство своей отчужденности от такого Святого Бога и смертельное томление оттого, что «мы в тисках греховной смерти, и истинная жизнь нам не дана». Именно это благодатное отчаяние, идущее дальше всякого отчаяния и рождающее молитвенный крик из сердца, влекло старца десятилетиями внутренне *кричать к Могущему спасти*

от этой смерти, и услышан бысть за благоволение [Ср.: Евр. 5: 7].

В опыте старца молитва была живым общением с Живым Богом, и, как таковая, она принимала бесконечно разные формы, соответствующие разным состояниям молящегося. Он говорил: «Всегда начинайте молитву, рассказав Богу о своем положении».

Предстоять пред Богом — вовсе не значит стоять перед иконами, но чувствовать Его в своем глубоком сознании как наполняющего Собою все. Жить Его как воистину Первую Реальность, после которой следует мир, в порядке низшей, второй, производной, тварной реальности. Для этого может быть пригодным всякое положение тела: лежачее, ходячее, сидячее, стоячее и тому подобное. Именно поэтому старец не любил давать молитвенных правил. Он до конца доверял каждому человеку, видя в нем самые совершенные, самые высшие потенциальные возможности, и хотел через эту свободу довести каждого до осознания личной ответственности перед Богом. «Чтобы найти верный путь, лучше всего просить об этом Бога в молитве: "Господи, Ты Сам научи меня всему. Дай мне радость познания воли Твоей и путей Твоих. Научи меня воистину любить Тебя всем моим существом, как Ты заповедал нам. Устрой мою жизнь так, как Сам Ты в предвечном совете Твоем мыслил о мне... да, даже о мне, ибо Ты никого не забыл и никого не создал на погибель. Я безумно растратил(а) данные Тобою мне силы, но теперь, при конце моей жизни, Ты все Сам исправь и Сам всему научи меня, но так, чтобы действительно Твоя воля совершилась в жизни моей, разумею я о том или не разумею до времени.

Не попусти меня ходить чужими путями, ведущими во тьму, но, прежде чем усну смертным сном, дай мне, недостойному, увидеть Свет Твой, о Свете мира". И так своими словами молись все о том же. Пройдет некоторое время, и сила слов этих проникнет вовнутрь существа твоего, и тогда потечет жизнь сама собою именно так, как хочет Господь, а внешне рассуждая ничего мы не решим».

(77)

Бог ответил как Бог

Это было во Франции, в двадцатых годах, еще до моего отъезда на Афон (1925). Я долго с плачем молился Богу: «Найди средства спасать мир; всех нас — развращенных и жестоких...» Особенно горячею бывала молитва за «малых сих», за нищих и угнетенных. К концу ночи, уже на исходе сил, я на время потерял молитву из-за пришедшей мысли: «Если я так, всею силою моего сердца, сострадаю человечеству, то как понять Бога, безучастно смотрящего на злострадания многих миллионов созданных Им же Самим людей? Почему Он допускает неисчислимые насилия одних над другими?» И так я обратился к Нему с безумным вопросом: «Где Ты?» И в ответ услышал в сердце слова: «Разве ты распялся за них?» Эти кроткие слова, произнесенные Духом в сердце моем, потрясли меня: Тот, Кто распялся, ответил мне как Бог.

Архимандрит Софроний (Сахаров)

Архимандрит Софроний (Сахаров)

> *Все события на свете — ответы на молитвы, в том смысле, что Господь учитывает все наши истинные нужды. Все молитвы услышаны, хотя и не все исполнены.*
>
> *Клайв Стейплз Льюис (1898–1963),*
> *английский писатель, филолог, христианский мыслитель*

Молиться — значит любить

Решив идти в монашество, я стал готовиться к этому и делал все ошибки, какие только можно сделать в этом смысле: постился до полусмерти, молился до того, что дома сводил всех с ума, и так далее. Обыкновенно так и бывает, что все в доме становятся святыми, как только кто-нибудь захочет карабкаться на небо, потому что все должны терпеть, смиряться, все выносить от «подвижника». Помню, как-то я молился у себя в комнате в самом возвышенном духовном настроении, и бабушка отворила дверь и сказала: «Морковку чистить!» Я вскочил на ноги, сказал: «Бабушка, ты разве не видишь, что я молился?» Она ответила: «Я думала, что молиться — это значит быть в общении с Богом и учиться любить. Вот морковка и нож».

Митрополит Антоний (Сурожский), (5)

Молись!

Для богоугождения ничего более не нужно, как любить, — «люби и делай все, что хочешь», говорит блаженный Августин, — ибо кто истинно любит, тот не может и хотеть сделать что-либо неугодное своему возлюбленному... Так как молитва есть излияние и действие любви, то поистине о ней можно сказать также подобное: для спасения ничего более не нужно, как всегдашняя молитва: молись — и делай что хочешь, и ты достигнешь цели молитвы, приобретешь ею освящение!..

1. Молись — и мысли все, что хочешь, и мысль твоя очистится молитвою. Молитва подаст тебе просветление ума, успокоит и отгонит все неуместные помыслы.

2. Молись — и делай что хочешь, и дела твои будут богоугодны и для тебя полезны и спасительны.

Частая молитва, о чем бы ни была, не останется без плода (Марк Подвижник), поскольку в ней самой есть сила благодатная. *Свято имя Его и всяк, иже призовет имя Господне, спасется* [Ср.: Лк. 1: 49, Рим. 10: 13].

3. Молись — и не трудись много своею силою побеждать страсти. Молитва разрушит их в тебе.

4. Молись — и не опасайся ничего, не бойся бед, не страшись напастей: молитва защитит, отвратит их. Вспомни утопавшего апостола Петра; молившегося в темнице апостола Павла; инока, избавленного молитвою от постигшего искушения; девицу, спасенную от злонамеренного воина вследствие молитвы и т. п. случаи: это подтверждает силу, мощность и всеобъемлемость молитвы во имя Иисуса Христа.

5. Молись, хоть как-нибудь, только всегда, и не смущайся ничем; будь духовно весел и спокоен: молитва устроит все и вразумит тебя. Помни, что о силе молитвы говорят святые — Иоанн Златоуст и Марк Подвижник: первый утверждает, что «молитва, хотя бы приносилась от нас, наполненных грехами, тотчас очищает»... А второй так о сем говорит: «Молиться как-нибудь состоит в нашей силе; а молиться чисто есть дар благодати».

Итак, что в твоей силе, тем пожертвуй Богу; хотя количество (для тебя возможное) приноси вначале Ему в жертву, и Божия сила излиется в твою немощную силу; и молитва сухая и рассеянная, но частая — всегдашняя, обретши навык и обратясь в натуру, соделается молитвою чистою, светлою, пламенною и достодолжною.

(59)

МОЛИТВА

Боже! Дай мне разум и душевный покой принять то, что я не в силах изменить, дай силы изменить то, что могу, и мудрость отличить одно от другого. Да сбудется воля Твоя, а не моя. Аминь.

«Где двое или трое собраны во имя Мое...» (Мф. 18: 20)

Иеромонах Арсений более 30 лет своей жизни провел в ссылках и лагерях. В один из своих арестов, находясь в бараке с уголовниками, батюшка защитил студента Алексея, которого избивали. За это их обоих, отца Арсения и Алешу, посадили в карцер при тридцатиградусном морозе.

Привели отца Арсения и Алексея в карцер, втолкнули. Упали оба, разбились, кто обо что. Остались в темноте.

Отец Арсений молчал. Алексей пробовал прыгать на одном месте, но это не согревало. Сопротивляться холоду было бессмысленно.

— Что Вы молчите? Что Вы молчите, отец Арсений? — почти кричал Алексей, и, как будто пробиваясь сквозь дремоту, откуда-то издалека прозвучал ответ:

— Молюсь Богу, Алексей!

— О чем тут можно молиться, когда мы замерзаем? — проговорил Алексей и замолчал.

— Одни мы с тобой, Алеша! Двое суток никто не придет. Будем молиться. Первый раз допустил Господь молиться в лагере в полный голос. Будем молиться, а там воля Господня.

Холод забирал Алексея, но он отчетливо понял, что сходит с ума отец Арсений. Тот, стоя в молочной полосе лунного света, крестился и вполголоса что-то произносил.

Руки и ноги окоченели полностью, сил двигаться не было. Замерзал. Алексею все стало безразлично.

Отец Арсений замолк, и вдруг Алексей услышал отчетливо произносимые батюшкой слова и понял: это молитва. Алексей стал вслушиваться в слова молитвы. Вначале смысл их смутно доходил до него, было что-то непонятное, но чем больше холод охватывал его, тем отчетливее осознавал он значение слов и фраз. Молитва охватывала душу спокойствием, уводила от леденящего сердце страха и соединяла со стоящим с ним рядом стариком — отцом Арсением.

Карцера не было, была церковь. Но как они сюда попали и почему еще кто-то здесь, рядом с ними? Алексей с удивлением увидел, что помогали еще два человека, и эти двое были в сверкающих одеждах и горели необъяснимым белым светом. Лиц этих людей Алексей не видел, но чувствовал, что они прекрасны.

Молитва заполнила все существо Алексея, он поднялся, встал с отцом Арсением и стал молиться. Было тепло, дышалось легко, ощущение радости жило в душе. Все, что произносил отец Арсений, повторял Алексей, и не просто повторял, а молился с ним вместе.

Ощущение, что Бог есть, что Он сейчас с ними, пришло к Алексею, и он чувствовал, видел своей душой Бога, и эти двое были Его слуги, посланные Им помогать отцу Арсению. Иногда приходила мысль, что они оба уже умерли или умирают, а сейчас бредят, но голос отца Арсения и его присутствие возвращали к действительности.

...Били по дверному засову, визжал замерзший замок, раздавались голоса. Алексей открыл глаза. Отец Арсений еще молился. Двое в светлых одеждах благословили его и Алексея и медленно вышли. Ослепительный свет постепенно исчезал, и наконец карцер стал темным и по-прежнему холодным и мрачным.

— Вставайте, Алексей! Пришли, — сказал отец Арсений.

Алексей встал. Входили начальник лагеря, главный врач, начальник по режиму и начальник «особого отдела» Абросимов. Барак встретил отца Арсения и Алексея как воскресших из мертвых, и только все спрашивали: «Чем спасались?» На что оба отвечали: «Бог спас».

(58)

Подобно тому как больной должен питаться независимо от того, есть у него аппетит или нет, — потому что он знает, что еда пойдет ему на пользу, — так и мы, даже не имея расположения к молитве, поклонам, духовному чтению, все равно должны это делать, зная, что получим от этого пользу, — пусть у нас и нет расположения.

Старец Паисий Святогорец

Война с мышами

Когда-то мы — бабушка, мама и я — жили в церковном доме. Там завелись мыши, они бегали повсюду, и мы не знали, что с ними делать. Мы не хотели расставить мышеловки, потому что нам было жалко мышей, и мы не хотели бросать кусочки хлеба с ядом, потому что боялись, как бы их не подняла бабушка, которой тогда было за девяносто лет. И я вдруг вспомнил, что в Великом Требнике есть обращение, написанное уж не помню кем из святых, ко всем животным, которые нарушают человеческую жизнь, — как бы призыв уйти. Там перечислены десятки всяких зверей, начиная со львов,

Мученик Трифон

тигров и кончая букашками. Я прочел и подумал: «Не может быть! Как я могу употребить такую молитву? Я не верю, что это может случиться!» Но потом подумал еще: «Ведь святой, который составил эту молитву, верил в это». Я тогда к нему обратился и сказал: «Я не верю, будто что бы то ни было получится оттого, что я прочту эту молитву, но ты ее составил, написал, ты ее произнес из глубины веры, и, когда ты ее употреблял, что-то случилось, иначе ты ее не занес бы в книгу. Так вот что мы сделаем: я прочту твою молитву, а ты эту молитву произнеси из глубин твоей святости и принеси к Богу. Но повторяю: я не верю, будто что бы то ни было может случиться». Я сел на кровать, положил на колени Великий Требник, дождался, что из камина показалась мышь. Я ее перекрестил и сказал: «Сядь и слушай». И, к моему изумлению, мышь села на задние лапки и не стала двигаться. Я тогда ей, этой английской мыши, прочел вслух на славянском языке молитву, которая когда-то была составлена на греческом. Кончил, перекрестил ее и сказал: «А теперь иди и скажи всем другим!» Она ушла, и ни одной мыши у нас в доме не осталось. И меня это так обрадовало: я не мог похвастаться, что это произошло моей верой. Мое неверие было полное, даже не то что сомнение — я был уверен, что ничего не получится, но уверен был, что этот святой верил и всерьез эту молитву писал, и она исполнилась.

Митрополит Антоний (Сурожский), (5)

> *За дверьми остаются те молитвы, которые, возносясь к Богу, не имеют при себе любви, потому что одна любовь отверзает двери молитве.*
>
> *Преподобный Ефрем Сирин*

Велика сила молитвы!

Святитель Василий Великий, находясь на смертном одре, почти без дыхания, был посещен своим другом — врачом, неверующим евреем. Врач предсказывает ему час скорой кончины.

— А если проживу долее? — спрашивает святитель.

— Тогда я уверую во Христа твоего, — сказал врач.

Святителю хотелось, чтобы друг его не был лишен вечной жизни.

И вот, по уходе его, святой молит Господа, чтобы Он ради прославления имени Христа, ради спасения друга его продлил его жизнь. И Господь услышал молитву веры. Святитель, уже умиравший, бывший почти без дыхания, прожил дольше назначенного срока. Врач приходит и едва верит тому, что видит.

Святитель Василий Великий

Пораженный чудом всемогущества Божия, он уверовал во Христа и стал просить крещения.

— Я сам буду крестить тебя, — сказал святитель, хотя в то время едва мог переводить дыхание.

И — о чудо! — когда настал час священнодействия, является сам святитель Василий, встает перед алтарем Господним, возносит молитвы за предстоящих, еврея и весь дом его крестит, совершает Божественную литургию, всех приобщая. Все это продлилось часов пять или шесть — и только по окончании всего святитель Василий мирно предал душу свою Богу.

> *Никогда не говори, что Господь на твоей стороне; лучше молись о том, чтобы тебе самому быть на стороне Господа.*
>
> *Авраам Линкольн (1809–1865), президент США*

Чтобы не забыть позвать Бога

Насколько важно пребывание (чтобы не сказать — упражнение) в молитве — показывает и самый опыт. Считаю дозволенным провести параллель с естественной жизнью нашего мира и привести примеры из известных фактов современной нам повседневности. Спортсмены, приготовляясь к предстоящим им состязаниям, в течение долгого времени повторяют одни и те же номера, чтобы в момент самого испытания проделать все движения, хорошо уже усвоенные, быстро, уверенно и как бы механически. От количества упражнений зависит и качество исполнения. Вот еще расскажу об одном факте; это произошло в кругу лиц, знакомых мне. Я повторю здесь то, что слышал от одного из ближайших к действующим лицам человека. В одном европейском городе два брата женились почти одновременно на двух девушках. Одна из них — доктор медицины, большого ума и сильного характера. Другая — более красивая, живая, интеллигентная, но не слишком интеллектуальная. Когда приблизилось время родить для обеих,

*Преподобный
Силуан Афонский в келье*

то свой первый опыт они решили совершить, следуя незадолго перед тем появившейся теории «безболезненных родов». Первая, доктор медицины, быстро поняла весь механизм этого акта и после двух-трех уроков определенной гимнастики оставила упражнения, уверенная, что она все поняла и в нужный момент реализует свои познания. Другая имела очень примитивное представление об анатомическом строении своего тела, но не была расположена заняться теоретической стороной, а просто с усердием отдалась повторению предписанного комплекса движений тела и, достаточно освоившись, пошла на предстоящую операцию. И что же вы думаете? Первая в момент родов, с начала появления болей, позабыла все свои теории и родила с большим трудом, *в болезни* (Быт. 3: 16). Другая же без болей и почти без труда.

Так будет и с нами. Понять «механизм» умной молитвы для современного образованного человека — легко. Стоит ему помолиться две-три недели с некоторым усердием, прочитать несколько книг, и вот сам он уже может к числу написанных добавить свою. Но в час смерти, когда весь наш состав подвергается насильственному разрыву, когда мозг теряет ясность и сердце испытывает или сильные боли, или ослабление, тогда все наши теоретические знания пропадут и молитва может потеряться.

Архимандрит Софроний (Сахаров), (78)

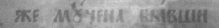

Имя Бога

Растленье душ и пустота,
Что гложет ум и в сердце ноет, —
Кто их излечит, кто прикроет?...
Ты, риза чистая Христа...

Федор Тютчев

> *Не выковано еще такое оружие, да его и невозможно выковать, которое бы разрушило трезвую веру в исторические свидетельства Воскресения Христова. Если не верить в Воскресение, тогда вообще нечему верить.*
>
> Вильбур Смит, писатель

Исторические свидетельства земной жизни и Воскресения Иисуса Христа

Многие заявляют, что Евангелие есть книга, содержащая в себе мифические сказания и легенды, а не историческую действительность, что в Евангелиях обнаружены многие противоречия, что они передают события неисторические и свидетельствуют о неизвестных истории личностях.

Прежде всего выдвигается сомнение относительно историчности центральной Личности Евангелия, Самого Иисуса Христа. Очень много написано о том, что Христа не было на земле, что ни один древний историк не говорит о Нем в своих произведениях. И многие, не проверив фактов истории, верят в эти заявления.

Однако для верующих Евангелие является документом, который дает подробные сведения о жизни и служении Христа.

Для того чтобы разобраться, кто прав, чтобы отыскать истину, давайте вместе обратимся к истории. Что говорит она об этом вопросе? Известен ли истории Иисус Христос?

До нас дошли сочинения еврейских историков, христианских и языческих писателей, живших в I—II веках нашей эры. Обратимся к их сочинениям: что говорят они об Иисусе?

Иудейский историк Иосиф Флавий, живший и писавший в первом столетии, оставил две книги: «История Иудейской войны» (71—75 годы по Р. Х.) и «Иудейские древности» (94—95 годы по Р. Х.).

Когда читаешь славянский и древне-русский переводы первоначального арамейского варианта «Истории...», то обнаруживаешь, что в них подробно описана жизнь Иисуса Христа от рождения до смерти с цитированием целых отрывков из Нового Завета. Так, в главе 20 Первой книги говорится о прибытии волхвов к Ироду и об избиении вифлеемских младенцев Иродом, с целью уничтожить Иисуса, родившегося в Вифлееме [См.: Мф. 2: 1–18]. В главе 21 вновь упоминается о розысках Христа и об избиении младенцев [См.: Мф. 2: 16–18]. В главе 33 описана смерть Ирода, *изъеденного червями за грехи его* [Ср.: Деян. 12: 23]. В главе 7

Спаситель

Второй книги говорится об Иоанне Крестителе, обучающем народ оставить свои скверные дела и прилепиться к Господу Богу своему, что соответствует Евангелию от Матфея [См.: Мф. 3: 1–12]. В главе 6 Четвертой книги говорится о Праведнике, убитом при Ироде, то есть об Иисусе Христе. Добавляется, что это было при Пилате. В главе 5 Пятой книги рассказывается о храме, о разорвавшейся завесе *внезапно сверху донизу* [Ср.: Мф. 27: 51] в момент кончины Иисуса. Упоминается о надписи на трех языках, прибитой на Кресте и указывавшей вину Иисуса, Царя не царствовавшего, распятого иудеями, проповедовавшего о разорении города и опустении церкви и т. д. [См.: Лк. 23: 38]

Книга Иосифа Флавия «Иудейские древности» также содержит данные о Христе. Вот что мы читаем: «Около этого времени жил Иисус, Человек мудрый, если Его вообще можно назвать человеком. Он совершил изумительные деяния и стал наставником тех людей, которые охотно воспринимали истину. Он привлек к Себе многих иудеев и эллинов. То был Христос. По настоянию наших влиятельных лиц Пилат приговорил Его ко кресту. Но те, которые раньше любили Его, не прекращали этого и теперь. На третий день Он вновь явился им живой, как возвестили о Нем и о многих других чудесах Его богодухновенные пророки. Поныне еще существуют так называемые христиане, именующие себя таким образом по Его имени».

Среди языческих историков, свидетельствующих об Иисусе, мы находим Тацита. В 114 году он написал книгу «Анналы» («Летописи»). В ней, в главе 15, написано следующее: «Цезарь Нерон, дабы отвратить от себя подозрение в поджоге Рима, свалил вину на христиан и их, ненавидимых народом за позорные деяния, предал изысканным наказаниям. Виновник этого имени — христиан — Христос был в правление Тиверия казнен прокуратором Понтием Пилатом, и, подавленное на время, пагубное суеверие вырвалось снова наружу и распространилось не только по Иудее, где это зло получило начало, но и по Риму, куда стекаются со всех сторон и где широко прилагаются к делу все гнусности и бесстыдства. Таким образом сначала были схвачены те, которые себя признавали [христианами], затем, по их указаниям, огромное множество других. И они были уличены не столько в преступлении, касающемся поджога, сколько в ненависти к человеческому роду. К казни их были присоединены издевательства. Поэтому, хотя христиане и были люди виновные и заслужившие крайнего наказания, к ним рождалось сожаление, так как они истреблялись не для общественной пользы, а ради жестокости одного человека».

В то время, когда Тацит заканчивал свои «Анналы», другой языческий писатель, Плиний Младший, исполнявший обязанности наместника римской провинции Вифинии, на северо-западе Малой Азии, в своих многочисленных письмах, адресованных императору Траяну, упоминает о христианах, которых приводили в большом количестве к нему. Он вел допросы, настоятельно допрашивая — христиане ли они, допрашивал по два, по три раза, угрожал смертной казнью, а иногда и отправлял на казнь за «безмерно уродливое суеверие». Христиане, по его словам, в установленный день собирались до рассвета, «воспевали, чередуясь, Христа как Бога» и приносили клятву воздерживаться от воровства и грабежа, не нарушать данного слова, не утаивать вверенное им имущество. Затем они расходились и возвращались вновь, чтобы принять пищу, «обычную и невинную».

Он сообщал, что это были люди разного возраста, разного звания, рабы и римские граждане, не только из городов, но и из деревень.

Вследствие этого языческие храмы опустели, торжественные службы прекратились. Однако суровые меры Плиния ограничили распространение «заразы»: одни отпали от христианства, принеся жертвы языческим богам, почтя изображение императора, другие были казнены.

В ответных письмах Траян одобрял деятельность наместника. Император не рекомендовал специально выискивать христиан, но если кто-нибудь будет «изобличен в принадлежности к ним», его следует наказать, а тех, кто отречется от Христа и помолится «отеческим богам», не наказывать за их прошлое.

Спустя пятьдесят лет сатирик Лукиан называет Христа «распятым мудрецом».

А Цельс, философ-платоник, примерно в 178 году написал сочинение, направленное против христиан, в котором называет Иисуса «вождем мятежа».

В начале 70-х годов XX века распространялась машинописная лекция академика АН СССР, директора Института украинской литературы А.И. Белецкого «Характеристика атеистической литературы», в которой он перечисляет имена 26 свидетелей Воскресения Христа и около десятка еврейских писателей, упоминающих о Воскресении Христа. Вот некоторые данные, приводимые в этой брошюре:

«Грек Гармизий, занимавший специальную должность биографа Иудеи, в том числе и Понтия Пилата. Его сообщения заслуживают особого внимания... Показания Гармизия ценны тем, что он также в момент Воскресения Христа находился вблизи от этого места, сопровождая одного из помощников Пилата. Кроме того, важно добавить еще одно обстоятельство: Гармизий вначале был сильно настроен против Христа и, как он сам говорит, уговаривал жену Пилата не удерживать мужа от смертного приговора Христу. До самого распятия он считал Христа обманщиком. Поэтому он, по собственной инициативе, отправился ко гробу, надеясь убедиться в том, что Христос не воскреснет и тело Его останется навсегда во гробе. Но вышло иначе: "Приблизившись ко гробу, находясь в полутораста шагах от него, — пишет Гармизий, — мы видели в слабом свете ранней зари стражу у гроба: два человека сидели, остальные лежали на земле. Было очень тихо. Мы шли

Воскресение Христово

медленно и нас обгоняла стража, шедшая ко гробу сменить ту, которая находилась там с вечера. Потом вдруг стало очень светло. Мы не могли понять, откуда этот свет, но вскоре увидели, что он исходит от движущегося сверху облака. Оно опускалось ко гробу, и над землей нам показался человек, как бы весь состоящий из света. Затем раздался как бы удар грома, но не на небе, а на земле. От этого стража, находящаяся у гроба, вскочила и потом упала в ужасе. В это время ко гробу по тропинке, справа от нас, спускалась женщина, она вдруг закричала: "Открылось, открылось!" — и в этот миг нам стало видно, что, действительно, очень большой камень, лежавший на гробе, как бы сам собой поднялся и открыл гроб.

Мы очень испугались. Потом через некоторое время свет над гробом исчез и все стало таким, как обыкновенно. Когда мы после всего этого приблизились ко гробу, оказалось, что там уже нет тела погребенного в нем человека".

Показания Гармизия интересны еще с одной стороны. Он пишет, что незадолго до казни Христа в Иудее должны были чеканить монету с большим изображением кесаря с одной стороны и маленьким — Пилата — на другой стороне.

В день суда над Христом, когда жена Пилата послала ему, как это в Евангелии сказано, людей, через которых она убеждала в невынесении смертного приговора Христу [См.: Мф. 27: 19], она в последнем письме мужу просила его: "Чем ты искупишь вину свою на земле, если окажется, что осужденный тобою действительно Сын Божий, а не человек-преступник?" Пилат ответил ей: "Если се Сын Божий и Он воскреснет, то тогда первое, что я сделаю, — запрещу чеканить мое изображение на монетах, пока я жив" (нужно объяснить, что быть изображенным на монете в Риме считалось высокой честью).

Свое обещание Пилат выполнил, когда было установлено, что Христос воскрес. Пилат действительно запретил изображать себя на монетах. Это сообщение Гармизия подтвердилось неоспоримым доказательством. Из римской нумизматики известно, что в Иерусалиме в это время были изготовлены монеты с изображением кесаря с одной стороны, но без изображения Пилата с другой стороны.

Огромный интерес также представляет свидетельство Еишу, известного врача, близкого к Пилату и лечившего его. Сириец Еишу относился к числу наиболее выдающихся людей своего времени. Виднейший медик и натуралист, пользовавшийся величайшей популярностью на Востоке, а потом в Риме, он оставил произведения, составляющие целую эпоху в науке. Недаром историки науки считают, что Еишу как врач по неоспоримому праву занимает место рядом с Гиппократом, Цельсом, Галеном, Леонардо да Винчи и Базелием. По поручению Пилата, он с вечера, накануне Воскресения, находился вблизи гроба вместе с пятью своими помощниками. В субботу он дважды осматривал гроб, а вечером, по приказанию Пилата, отправился с помощниками и должен был провести здесь ночь. Зная о пророчествах относительно Христа и Его Воскресения, Еишу и его помощники-медики интересовались этим с точки зрения естествоиспытателей, поэтому и все, связанное со Христом и Его смертью, тщательно исследовали. В ночь под Воскресение они бодрствовали по очереди... с вечера его помощники легли спать, но незадолго до Воскресения Христа уже проснулись и возобновили наблюдения за происходящим в природе.

"Мы все: врачи, стража и остальные, — пишет Еишу, — были здоровы, бодры и чувствовали себя так же, как и всегда, у нас не было никаких предчувствий. Мы совершенно не верили, что умерший может воскреснуть. Но Он действительно воскрес, и все мы видели собственными глазами". Далее следует описание Воскресения.

Все перечисленные авторы заслуживают самого серьезного внимания, потому что все их произведения признаны надежными историческими источниками.

Особенно важно то, что их показания, в том числе относительно Воскресения, подтверждаются историческими находками, археологическими памятниками.

Вот история одного еврейского автора о Миферканте: "Миферкант был одним из членов Синедриона, участвовавших в казни Христа. В Синедрионе он был казначеем, и именно из его рук Иуда получил деньги за предательство. После Воскресения Христа Миферкант был первым из членов Синедриона на месте Воскресения для расследования. Он убедился, что Воскресение действительно совершилось. В этом он мог убедиться более, чем кто-либо другой, еще и потому, что ему довелось быть у гроба почти перед самым моментом Воскресения: он прибыл для оплаты стражи, стоящей у гроба (наемная стража получала плату сдельно, после каждого караула). Выплатив деньги, он ушел (стража оставалась до прихода смены, которая должна была вскоре прибыть). Миферкант, будучи у гроба, видел, что могила Христа надежно охраняется и тело Его покоится под тяжелым камнем. Не успел Миферкант далеко отойти, как огромный камень был неведомой силой отброшен. Возвращаясь после этого ко гробу, Миферкант еще успел увидеть уже исчезавшее сияние над гробом. Все это описано им в сочинении "О правителях Палестины", которое принадлежит к числу наиболее ценных и правдивых источников по истории Палестины"».

В заключение хочется указать еще на два факта, которые помимо воли противников Христа в продолжение тысячелетий ярко свидетельствуют о Христе: это наша новая, связанная с историческим фактом рождения Иисуса Христа, хотя и неточная *эра летоисчисления*; и второе — это в русском календаре день *воскресенье*. Из года в год этот день напоминает о том, что Христос не только родился и жил на земле, но умер и воскрес. А это говорит о том, что гроб Его пуст, Христос жив и *может всегда спасать приходящих к Нему* [Ср.: Евр. 7: 25].

(97)

Если Христос не жив сегодня, тогда у мира нет вообще никакой надежды. Только факт Воскресения дает надежду на будущее.

Конрад Аденауэр (1876 – 1967), первый канцлер ФРГ

Туринская Плащаница

Одно из самых ярких чудес было даровано всему миру в момент Воскресения Иисуса Христа и сохранилось до наших дней. Это Плащаница Спасителя, то есть полотно, в которое Он был завернут после снятия с Креста и на котором остались следы совершенно невероятного явления — Воскресения из мертвых. Умершие и ранее были воскрешаемы Господом, но Воскресение Господне — основание воскресения всех людей.

Плащаница имеет размеры 430х110 см и хранится с 1578 года в итальянском городе Турине.

О Туринской Плащанице рассказывает профессор, протоиерей Глеб Каледа в книге «Плащаница Господа нашего Иисуса Христа». Приведем несколько коротких отрывков из этой книги.

«В 1898 году в Париже проходила Международная выставка религиозного искусства. На нее привезли и Плащаницу из Турина, представив ее как плохо сохранившееся творение древних христианских художников.

Плащаницу повесили высоко над аркой, а перед закрытием выставки решили сфотографировать. 28 мая археолог и фотограф-любитель Секондо Пиа сделал два снимка. Один негатив оказался испорченным, а другой, размером 50х60 см, вечером того же дня он опустил в проявитель и оцепенел: на темном фоне негатива выявлялся позитивный фотографический портрет Христа Спасителя — лик с неземным выражением красоты и благородства. Всю ночь просидел Секондо Пиа в благоговейном созерцании, не отрывая глаз от портрета, так неожиданно представшего перед ним.

"Святая Плащаница Христова, — размышлял он, — сама каким-то невообразимым образом представляет собою фотографически точный негатив, да еще с огромным духовным содержанием! Этой Святой Плащанице, этому удивительному, в человеческий рост, негативу, гораздо более тысячи лет. А ведь нашей-то новоизобретенной фотографии всего лишь 69 лет! Тут, в этих коричневых отпечатках из Гроба Господня, кроется необъяснимое чудо".

Позже Туринскую Плащаницу многократно снимали в различных лучах спектра, от рентгеновского до инфракрасного излучения. Изучением ее занимались криминалисты, судебно-медицинские

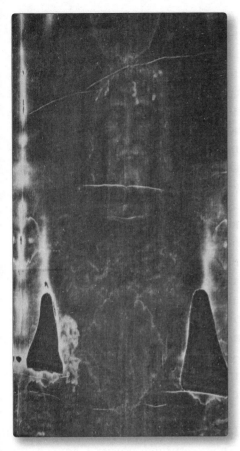

Туринская Плащаница

эксперты, врачи, искусствоведы, историки, химики, физики, ботаники, палеоботаники, нумизматы. Созывались международные синдологические конгрессы (от слова *sindone*, что значит *плащаница*).

Всеобщим для ученых разных взглядов и национальностей стало убеждение, что Туринская Плащаница нерукотворна, не является произведением художника и несет на себе признаки глубокой древности. Придирчивые криминалисты не нашли на Плащанице ничего, что опровергало бы евангельский рассказ о страданиях, крестной смерти, погребении и Воскресении Христа; исследования ее лишь дополняют и уточняют повествования четырех евангелистов. Кто-то назвал Туринскую Плащаницу "пятым Евангелием".

Туринская Плащаница подтверждает справедливость изречения английского мыслителя Френсиса Бэкона (1561–1626), что малое знание удаляет от Бога, а большое приближает к Нему. Многие ученые на основании тщательного и всестороннего изучения Плащаницы признали факт Воскресения Христа и из атеистов стали верующими. Одним из первых был атеист и вольнодумец, профессор анатомии в Париже Барбье, который понял, как врач и хирург, что Христос вышел из Плащаницы, не развернув ее, как Он проходил после Воскресения через затворенные двери.

Как установила судебно-медицинская экспертиза Плащаницы, на теле Умершего было множество прижизненных кровоточащих ран от тернового венца, от избиения бичами и палкой, а также посмертные излияния от прободения копьем, которое пронзило, по мнению врачей, плевру, легкое и повредило сердце. Кроме того, имеются следы излияния крови в момент снятия с Креста и положения Пречистого Тела на Плащаницу.

Страшные следы телесных страданий чудесным образом запечатлела на себе Святая Плащаница. Христа много били. Били палками по голове, перебили переносицу. Изучая Плащаницу, ученые сумели определить даже толщину палки, повредившей нос. Благодаря судебно-медицинской экспертизе, мы знаем о мучениях Иисуса Христа даже больше и детальнее, чем о них рассказано в Евангелии. Били Его и бичами. Как свидетельствует Плащаница, бичевали два воина: один высокого роста, другой более низкого. Каждый бич в их руках имел пять концов, в которых были зашиты грузила, чтобы плети крепче охватывали тело, а сдергиваясь с него, рвали кожные покровы. Как считают судебные эксперты, Христа за вздернутые руки привязали к столбу и били сначала по спине, а потом по груди и животу. Кончив избиение, на Иисуса Христа положили крест и приказали нести его на место предстоящего распятия — Голгофу. Таков был обычай: осужденные сами несли орудие своей мучительной казни. Плащаница запечатлела глубокий след от тяжелого бруса креста на правом плече Христа. Христос, физически измученный и обессиленный, неоднократно падал под тяжестью Своей ноши. При падении было разбито колено, а тяжелая балка креста ударяла Его по спине и ногам. Следы этих падений и ударов запечатлены на ткани Плащаницы.

Судебные эксперты-медики пришли к выводу, что менее чем через 40 часов посмертный процесс прекратился, ибо в ином случае сохранность пятен крови, лимфы и т.д. была бы существенно иной: к сороковому часу соприкосновения все отпечатки расплылись бы до неузнаваемости. Из Евангелия мы знаем, что Христос воскрес через 36 часов после Своего погребения.

Криминалисты и медики обратили внимание на то, что тело Распятого отделилось от всех кровяных сгустков, от всех затвердений сукровицы и околосердечной жидкости, не потревожив ни одного из них. А каждый врач, каждая медицинская сестра знают, как трудно отделяются бинты от присохших ран. Снятие повязок бывает очень трудным и болезненным процессом. Еще недавно перевязки считались порою страшнее операции. Христос же вышел из Плащаницы, не развернув ее. Он вышел из нее так же, как после Воскресения проходил сквозь закрытые двери. Камень от гроба был отвален не для Христа, а для того, чтобы во гроб могли войти мироносицы и ученики Господа».

Как могло произойти исчезновение тела из Плащаницы без ее разворачивания и отрыва израненного тела от ткани? Именно этот факт-вопрос заставил атеиста и вольнодумца профессора сравнительной анатомии И. Деляже и атеиста профессора хирургии П. Барбье поверить во Христа и сделаться апологетами и проповедниками Плащаницы. Познакомившись с материалами исследований, неверующий профессор Сорбонны Овелаг погрузился в глубокое размышление и вдруг с просветленным лицом прошептал: «Друг мой, Он действительно воскрес!» Начав изучать Плащаницу, неверующий англичанин Вильсон в процессе своих исследований стал католиком.

А вот заключения юристов и историков. Эдвард Кларк пишет: «Я предпринял тщательный разбор свидетельств, связанных с событиями третьего дня Пасхи. Эти свидетельства представляются мне бесспорными».

Автор трехтомного труда «История Рима» профессор Т. Арнольд, изощренный ниспровергатель исторических мифов и ошибок, утверждает: «Удовлетворительность свидетельств жизни, смерти и Воскресения нашего Господа доказывалась неоднократно. Они отвечают общепринятым правилам, по которым надежные свидетельства отличаются от ненадежных».

«И думается, что после стольких свидетельств, и древних, и Туринской Плащаницы, не признавать Воскресения Христа может только тот, кто все в мире пытается объяснить своим ограниченным и греховным разумом, тот, кто ничего не хочет знать, тот, кому Бог мешает жить по его страстям и гордости», — размышляет профессор, протоиерей Глеб Каледа.

Появилась целая наука синдология, изучающая оставленные на Плащанице следы величайшего и удивительнейшего в истории человечества события — Воскресения Христа. Плащаница стала как бы негативом под воздействием очень сильного потока света изнутри, из Самого завернутого в нее Христа. Превратить ткань в негатив не удалось никому даже в современных лабораториях. Ученые считают, что для получения такого эффекта необходима вспышка, бо́льшая, чем при ядерном взрыве в Хиросиме, но при этом не должно быть разрушительных последствий, чтобы ткань была сохранена.

(8)

Бог, ставший Человеком

Если мы посмотрим на отдельные составляющие христианства, то увидим, что многие из них имеются и в других религиях. Например, вера в Единого Бога разделяется представителями монотеистических религий: христианами, иудеями и мусульманами. Христианская нравственность тоже не является чем-то уникальным: в чем-то она близка иудейской, ветхозаветной нравственности; много общего у нее с исламским нравственным учением. На уровне аскетической и молитвенной практики у христианства тоже немало общего с другими религиями. Посмотрите, как молятся христиане в храме и мусульмане в мечети. Они произносят похожие слова в молитвах, используют похожие жесты. Одним словом, ни на одном из перечисленных уровней мы не найдем кардинальных отличий христианства от других религий.

Уникальность же христианства заключается в том, что это религия Бога воплотившегося — Бога, ставшего Человеком. Именно живая Личность Христа стоит в центре христианской религии. Я подчеркиваю: не нравственное учение Христа, не те или иные аспекты духовной жизни, молитвенной или аскетической практики, а именно живая Личность Христа есть центр и сущность христианства.

Вся жизнь Церкви, вся духовная жизнь христианина, все, что мы называем духовностью в христианском понимании, — все это ориентировано на Христа и обусловлено стремлением к личному общению с Ним.

Уникальность христианства еще и в том, что то непреодолимое расстояние, которое существует между Богом и человеком и которое человек не может преодолеть собственными силами, уже преодолено Самим Богом, — Богом, Который для того, чтобы мы могли узнать о Нем, полюбить Его, поверить в Него, для того, чтобы искупить нас от греха и зла, смерти и ада, стал Человеком, то есть одним из нас.

Епископ Иларион (Алфеев), (100)

Самый лучший Человек

Когда я был маленьким и душа моя еще не имела греховной накипи, я очень любил Христа и, держа крест в руке, исполненный радости, ходил по лесу, как монах, пел, молился и хотел стать монахом. Но родители говорили мне, что, прежде чем уйти в монахи, нужно, чтобы у меня выросла борода. Я был маленьким, и они немного подшучивали надо мною, говоря, что если я спешу, то мне нужно расческой постоянно расчесывать свои щеки, чтобы борода выросла быстрее. Я, простой тогда, верил в это и исцарапал себе все щеки!

Пребывая в таком состоянии, я встретил однажды в лесу одного молодого агронома, своего односельчанина. Я держал в руке крест, и он, завидев меня, спросил:

— Что это у тебя такое?

Я ему ответил:

— Крест нашего Христа.

Он, не имея благих помыслов, сказал мне:

— Ну и глупыш же ты, Арсений! Не верь этому. Бога нет. Вся эта религия — поповская выдумка. Мы произошли от обезьяны, а Христос был простым человеком.

Сказав мне это, он встал и ушел. Этот губительный помысел, посеянный юношей, повлиял на мою невинную тогда душу, наполнив ее тяжелыми черными облаками.

Оставшись в лесу совершенно один, я начал терзаться помыслами. «Может быть, — говорил мне один из них, — Бога нет, и я напрасно верю в Него». Одни помыслы говорили мне одно, другие — другое...

Измученный, расстроенный и пришедший в полнейшее отчаяние, я просил, чтобы Христос, если Он есть, что-нибудь мне показал, дабы я поверил. Но ответа не было.

Измученный таким состоянием, я прилег отдохнуть.

В ту же секунду в мою непорочную тогда душу вошел исполненный ревности по Богу добрый помысел и сказал мне: «А ну-ка встань! Христос, пришедший на землю, не был ли самым лучшим и самым благим из живших когда-либо? Не нашлось ни одного человека, который бы увидел в Нем какое-либо зло. Посему, Бог Он или нет, меня это не касается. Поскольку Он самый лучший из живших на земле и другого лучше Него я не знаю, постараюсь, насколько смогу, стать похожим на Него и оказывать совершенное послушание всему, что мне говорит Евангелие. А если понадобится, то, ради такой Его благости, я и жизнь свою отдам за Него!»

Тогда рассеялись все мои помыслы неверия, и душа моя наполнилась безграничной радостью, потому что сила этого ревностного помысла разрушила все сомнения.

И когда я поверил и решил, насколько смогу, полюбить Христа, по причине одного только усердия, за этим моим решением последовало и одно небесное чудо, подтвердившее то, к чему побудил меня ревностный помысел. И тогда я подумал: «Пусть теперь говорит мне кто хочет, что Бога нет!»

Старец Паисий Святогорец, (89)

Не будьте мертвыми душами, но живыми. Есть только одна дверь к жизни, и эта дверь — Иисус Христос.

Николай Гоголь (1809–1852), русский писатель

Истинный Бог

В маленьком городке Вифлееме родился маленький Мальчик, и только Его Мать и приемный отец, несколько пастухов и еще три мудреца знали о том, что это был за Младенец. Только они знали, что Этот Младенец не простой, что Он не сын Иосифа, мужа Марии, а Этот Младенец от Бога. Его Бог во чреве Марии создал заново, как Нового Адама. И Он жил в Своей семье до тридцати лет, а потом вышел на проповедь, которую начал со слов: *Покайтесь, ибо приблизилось Царство Небесное* (Мф. 4: 17). Этот Человек, Которому Мать дала имя Иисус, что в переводе на русский язык значит *Спаситель*, в своей проповеди говорил такие вещи, которые многим людям было просто невозможно слышать. Самое главное из этого заключалось в том, что Он есть Бог.

Когда какой-нибудь Виссарион говорит, что он Бог, мы отвечаем: «Нет, ты, Виссарион, клоун». Почему мы не можем сказать подобное Иисусу Христу? Английский писатель Честертон рассмотрел три возможных варианта этой ситуации: человек говорит, что он Бог; кто же он на самом деле? Первое — сумасшедший, второе — шарлатан, третье — воистину Бог.

Рассмотрим первое: был ли Христос безумцем. Мы знаем о Христе только из Евангелия. И вот, читая Евангелие, мы не видим ни одного момента, где Он безумен. Наоборот, Он мудр и Своими словами всегда ставит в тупик даже тех людей, которые хотят Его уловить; Он всегда твердо опирается на Священное Писание; в Его словах удивительная логика и удивительная правда. И это чувствует любой человек, даже воспитанный в мусульманстве. У Чингиза Айтматова спросили: «А почему вы в своих писаниях все время *возвращаетесь ко Христу?*» Да потому что ничего лучшего на земле никогда не было, и Айтматов, как человек образованный, расширил свои узкие рамки мусульманства и неизбежно пришел ко Христу.

Возьмем второй вариант: Он человек умный, образованный, толковый, но Он шарлатан. С какой целью шарлатан шарлатанствует? Всегда по трем причинам. Либо Он любит быть центром внимания — но Христос всегда, наоборот, стремился даже чудеса делать не напоказ и, если кого-то исцелял, очень часто велел ему: *Никому не говори!* [Ср.: Мк. 1: 44] Значит, это отпадает. Вторая причина: ради денег. Но у Христа не было денег, у Него не было дома, Он не скопил богатства. Значит, и это отпадает. Остается власть. Но когда Он был искушаем в пустыне и сатана предложил Ему власть над миром, Он же это отверг. И потом, какой шарлатан, вися на Кресте, под палящим солнцем, пронзенный гвоздями, будет заботиться о Матери, призывая Своего любимого ученика Иоанна Богослова и говоря ему: «Ты должен о Ней заботиться»? [См.: Ин. 19: 27] В последние минуты Своей жизни думать не о Себе, а о Своей Матери и молиться за тех, кто Его прибил ко Кресту: *Отче, прости им, ибо не знают, что делают* (Лк. 23: 34)?! Так что этот вариант тоже отпадает.

Следовательно, остается только одно — что Он действительно Бог. И Он это доказал тем, что воскрес. Христос воскрес и явился людям, Его видели около пятисот человек. Можно, конечно, предположить, что эти люди сговорились, чтобы морочить голову другим. Действительно, бывает, что единомышленники договариваются и начинают обманывать других, но как только их вызывают в полицию и строго-настрого говорят: «Если вы не прекратите, мы вас посадим в тюрьму», — то обычно эта деятельность быстро сворачивается. Здесь же мы видим, что на протяжении первых трехсот лет истории Церкви каждый, кто являлся христианином и исповедовал, что Христос есть Сын Божий, рисковал своей жизнью.

Все, кроме одного, апостолы Христовы (этим одним был Иоанн Богослов) окончили свою жизнь мученичеством за Христа. Им говорили: «Вы можете веровать как хотите, веруйте в душе в своего Христа, но вы должны поклониться статуе императора, возложить венки или покадить ладаном — и все будут видеть, что вы верноподданные императора и нормальные римские граждане». А они отвечали: «Нет, этого мы делать не можем, потому что император всего лишь человек, а мы поклоняемся одному Христу Богу». Чтобы вынудить христиан отречься от Христа, римляне изобретали страшные пытки, а так как они были люди педантичные и у них было хорошо развито судопроизводство, то до наших дней дошло очень много судебных дел, где скрупулезно описано, как пытали христиан. Среди них были дети, юноши и девушки, мужи и жены, старики и старухи. И сотни и сотни, тысячи и тысячи христиан стояли на своем: что Христос есть Бог.

Протоиерей Дмитрий Смирнов, (75)

Два пути познания Бога

В пророчествах было ясно возвещено о месте Рождества Христова, но так неожиданно было сошествие Сына Божия на землю именно в хлев, что оно осталось никем не узнанным, кроме простых, но чистых сердцем пастухов (им об этом возвестили Ангелы) и истинных мудрецов, волхвов, доверявших звезде Божественного ведения больше, чем своему рассудку. Враги же Божии, хотя и очень старались не дать Царю воцариться, все же не могли уловить Неуловимого.

Рождество Христово

...Так истинные мудрецы и истинные простецы, каждый по-своему, спасаются и приходят ко Христу; те же, кто идут ложными духовными путями или вовсе не живут духовной жизнью, гибнут, оказываются чуждыми Христу или даже Его врагами. Когда волхвы стали расспрашивать в Иерусалиме, где родившийся Царь Иудейский, Ирод встревожился и поспешил узнать у первосвященников и книжников, где должен родиться Христос, но полученное знание он употребил во зло, пытаясь убить Иисуса; да и многих израильских мудрецов их лжемудрость в конце концов привела к богоубийству. Эти люди имели знание, но остались чуждыми Христу, и также остались чуждыми Ему почти все жители Вифлеема, просто занятые своими делами; им и недосуг было думать о Христе...

(57)

> *Один старец-христианин был осужден толпой язычников. Беззащитный старец спокойно сносил не только насмешки и брань, но даже и удары. Один из язычников, особенно нападавший на христианина, спросил старца с дерзостью: «Что сделал тебе Христос, которого вы, христиане, так почитаете?» — «То, — отвечал старец, — что я не возмущаюсь и не оскорбляюсь этими и бо́льшими обидами, если бы вы их мне нанесли».*

Есенин защищает Христа

***

Я странник убогий.
С вечерней звездой
Пою я о Боге
Касаткой степной.

На шелковом блюде
Опада осин,
Послухайте, люди,
Ухлюпы трясин.

Ширком в луговины,
Целую сосну,
Поют быстровины
Про рай и весну.

Я, странник убогий,
Молюсь в синеву.
На палой дороге
Ложуся в траву.

Покоюся сладко
Меж росновых бус;
На сердце лампадка,
А в сердце Исус.

Сергей Есенин

Сергей Есенин

В апреле–мае 1925 года в десяти номерах газеты «Правда» напечатали один из самых антихристианских опусов Демьяна Бедного — поэму «Новый завет без изъяна евангелиста Демьяна». Есенин был единственным в то время поэтом, который открыто встал на защиту Православия, написав поэтическое «Послание "евангелисту" Демьяну».

Читавший это послание в списках православный подвижник конца XX века иеросхимонах Моисей (Боголюбов) говорил: «Лишь единицы, и то, как правило, выходцы из простого народа, возвышали свой голос в защиту веры. Помните, какую отповедь дал Сергей Есенин Демьяну Бедному, позволившему себе написать пародию на Евангелие? И ведь то были страшные годы большевизма! А русский поэт грудью встал на защиту Христа!»

В этом послании Сергей Есенин писал:

Когда я в «Правде» прочитал
Неправду о Христе блудливого Демьяна,
Мне стыдно стало так, как будто я попал
В блевотину, изверженную спьяна.

...Нет, ты, Демьян, Христа не оскорбил,
Ты не задел Его своим пером нимало.
Разбойник был, Иуда был —
Тебя лишь не хватало.

Ты сгустки крови у Креста
Копнул ноздрей, как толстый боров.
Ты только хрюкнул на Христа,
Ефим Лакеевич Придворов.

В мае 1925 года Есенин передал «Послание» для публикации в газету «Бакинский рабочий», редактором которой был его близкий друг П. Чагин. Однако тот не осмелился опубликовать это произведение. И тогда оно пошло по народу в списках. Им зачитывались, его переписывали от руки и передавали друг другу. Копии широко распространились по России. Есенинское «Послание» сыграло большую роль в укреплении народного духа. Этот ответ

Есенина Демьяну Бедному, как писал Б. Ширяев, «...с необычайной быстротой распространился в рукописях по всей России и получил созвучие в миллионах сердец».

Долгое время есениноведы отрицали подлинность «Послания», ссылаясь на слова Екатерины Есениной, опубликованные в 1926 году в той же «Правде»: «Это стихотворение брату моему не принадлежит». Однако в конце XX века, как утверждает В. Кузнецов в книге «Есенин. Казнь после смерти», был найден подлинник стихотворения, и специалисты-графологи подтвердили, что оно написано именно Сергеем Есениным.

В 1925 году большевикам стало окончательно ясно, что Есенина «приручить» им не удалось, хотя он и хотел бы вписаться в советскую действительность, как и вся Русская Православная Церковь, принявшая в 1925 году декларацию митрополита Сергия, в которой говорилось, что успехи и неудачи советского государства — это успехи и неудачи всей Церкви. Но не стал Есенин трубадуром революции, к чему его лично призывали большевистские вожди — Троцкий, Дзержинский, Калинин. «Я — Божья дудка» — так говорил он о себе. Мало того, он не боялся открыто высказывать свое негативное мнение о политической литературе. Так в 1921 году, на заседании пролетарских писателей в Народном комиссариате просвещения, поэт сказал: «Здесь говорили о литературе с марксистским подходом. Никакой другой литературы не допускается. Это уже три года! Три года вы пишете вашу марксистскую ерунду! Три года мы молчали! Сколько же еще вы будете затыкать нам глотку? И... кому нужен ваш марксистский подход? Может быть, завтра же ваш Маркс сдохнет...»

Большевики увидели в Есенине идеологическую и духовную опасность. За ним установили слежку, на него заводили уголовные дела, грозившие в любое время перерасти в политические, и только благодаря всемирной известности не решались отправить поэта в застенки ЧК, как заметил В.Ф. Ходасевич, «...не хотели подчеркивать и официально признавать "расхождения" между "рабоче-крестьянской" властью и поэтом, имевшем репутацию "крестьянского"».

Но Есенин предчувствовал трагическую развязку, и это предчувствие мучило его. По воспоминаниям Екатерины Есениной, опубликованным в книге В. Кузнецова «Есенин. Казнь после смерти», молясь перед распятием Иисуса Христа, он говорил: «Господи, Ты видишь, как я страдаю, как тяжело мне...»

Русский поэт Сергей Александрович Есенин трагически погиб в ночь на 28 декабря 1925 года.

(21)

«Я есмь путь» (Ин. 14: 6). Логический вывод

Митрополит Вениамин (Федченков)

Владыка Вениамин (Федченков) передает известный из дореволюционного прошлого случай со студентом, марксистом и безбожником, который попал в киевскую тюрьму и, находясь там, пришел к вере в Бога, размышляя над словами: *Я есмь путь и истина и жизнь* (Ин. 14: 6).

«Что такое?! Откуда в мире могли даже прозвучать такие немыслимые слова?!» Доселе он считал Христа человеком как и все, как и сам студент. А теперь? Мог ли он, вот этот студент, сказать о себе такие слова: «Я истина»? Даже еще больше: «Я — сама жизнь»? Абсолютно невозможно! Это было бы не только смешно, но даже безумно. А другие? И ясно стало ему, что никто, никто в мире не может сказать эти слова... А следовательно? Следовательно, Тот, Кто дерзнул изречь их и изрек с такой несомненностью о Себе, не был человеком.

(11)

Один на один

До встречи с Христом слепорожденный никогда ничего не видел. Все было темно, обо всем он должен был догадываться ощупью, воображением; реального, ясного видения у него не было.

И вот он встретил Христа, и Спаситель открыл ему очи. Что же первое увидел этот человек? Лик Христов, взор Христов; лик Бога, ставшего Человеком, взор Божественной — вдумчивой, сострадательной — любви, остановившийся на нем, на нем одном из всей толпы. Он сразу встретился лицом к лицу с Живым Богом и с тем чудом, которое так нас изумляет: что Бог может остановиться вниманием на каждом из нас, как на потерянной овце, и видит не толпу, а единственного человека. А затем слепорожденный, вероятно, окинул взором и все вокруг; и то, что он знал по рассказам, понаслышке, стало реальностью: «Я вижу!» [См.: Ин. 9: 1–38]

Митрополит Антоний Сурожский, (3)

Александр Македонский, Август Кесарь, Карл Великий и я сам основали громадные империи. А на какой основе состоялись эти создания наших гениальностей? На основе насилия. Один лишь Иисус Христос основал Свою империю любовью... И будьте уверены, что все они были настоящими людьми, но никто из них не был подобен Ему; Иисус Христос больше, чем человек... На расстоянии тысячи восьмисот лет Иисус Христос предъявляет трудное для выполнения требование, превосходящее все другие требования. Он просит человеческого сердца.

Наполеон III Бонапарт (1769–1821),
французский полководец и государственный деятель

Божии люди

Я не устану славить Бога
За чудеса прожитых дней,
Что так была моя дорога
Полна светящихся людей.

Александр Солодовников

Встреча

Для меня поворотным мгновением была одна немая встреча в Троице-Сергиевой Лавре. В тот раз — это было где-то в начале 1982 года — я оказался там еще в качестве студента кафедры атеизма и комсомольского активиста. Надо было сопровождать группу венгерских студентов, приехавших по обмену в наш МГУ. Службы я не запомнил, архитектурой и историей интересовался мало. Но, когда мы выходили из Троицкого собора, произошло «обыкновенное чудо». Впереди меня выходил какой-то юноша (не из нашей группы). И вот, когда до
порога оставалось два шага, он вдруг резко повернулся и встал ко мне лицом. Смотрел-то он не на меня. Он смотрел на иконы в глубине храма, чтобы последний раз перекреститься и взять благословение перед выходом. Но между иконами и им в этот раз оказался я. И я впервые близко увидел глаза верующего человека... Нет, в них не было ничего «таинственного» или «загадочно-экспрессивного» (такое выражение своим глазам почему-то пытаются придавать актеры, играющие в фильмах священников). Это были просто светлые, осмысленные и живущие глаза. А меня пронзила мысль: этот человек, мой сверстник, почему здесь он у себя дома, а я — в русском монастыре хожу как иностранец? Почему этот парень, которого в школе учили тому же, чему и меня, знает что-то такое, что для меня (несмотря на все мои «религиоведческие штудии») совершенно закрыто? Ведь он знает все то, чему учили меня, и при этом он — здесь! И значит, чтобы стать верующим, надо знать что-то такое, чего не знают атеисты?!

Диакон Андрей Кураев, (41)

Об игумене Афанасии

Я первый раз его встретил, когда мне было семнадцать лет. Я пришел в церковь в Париже на Трехсвятительском подворье. Это было время крайней бедности; подворье помещалось тогда в подземном гараже и нескольких кельях, которые построили в коридоре над ним. Я пришел к концу службы, собирался спуститься в храм; и ко мне навстречу стал подыматься монах, высокого роста, широкоплечий, в клобуке, с каштановыми волосами, который весь как будто ушел в себя. Он подымался, не обращая внимания на то, что шел ко мне навстречу; он еще жил отзвуками молитвы, церковных песнопений, святых и священных слов, которые сам произносил и которые доносились до его слуха и влетали в самую глубину его души. Я тогда увидел человека как его описывает старое монашеское присловье: есть такое слово, что никто не в силах отречься от себя, отвернуться от всего мира и последовать за Христом, если не увидит на лице хотя бы одного-единственного человека сияние славы Божией, сияние вечной жизни. И вот в этом подымающемся лице мне представилось сияние вечной жизни, слава Божия, тихая, как в песнопении вечерни: *Свете Тихий святыя славы Безсмертнаго Отца Небеснаго, Святаго Блаженнаго...*

Митрополит Антоний Сурожский, (3)

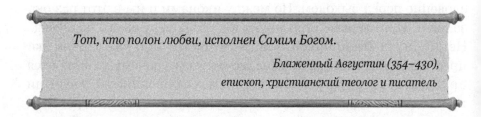

Тот, кто полон любви, исполнен Самим Богом.

Блаженный Августин (354–430),
епископ, христианский теолог и писатель

Иноки — свет человекам

Был такой случай. К дежурному по храму подошел приезжий человек, рассказав о себе, что в монастырь он попал случайно и сомневаясь в душе, а есть ли Бог. «Бог есть! — сказал он взволнованно. — Я увидел здесь, как молился один монах. Я видел лицо

Ангела, разговаривавшего с Богом. Вы знаете, что среди вас Ангелы ходят?» — «Какие Ангелы?» — опешил дежурный. А приезжий указал на инока Ферапонта, выходившего в тот момент из храма.

Нечто похожее видел один из братии. Инок Ферапонт молился у мощей в пустом храме, полагая, что его никто не видит. Брат в это время тихо вышел из алтаря и увидел такое сияющее, ангельское лицо инока, что в ошеломлении быстро ушел.

(60)

ПРИТЧА

Это произошло в горной деревушке, затерянной у подножия огромной горы, высившейся гранитной массой, на которой игрой сил природы был изображен огромный человеческий лик. Он господствовал над всей округой не только колоссальными размерами, но и своим царственным, величественным образом. У подножия горы едва заметная горстка домишек казалась не больше птичьего гнезда. Но вот какой рассказ любили передавать под кровлей этих человеческих жилищ. В деревушке рассказывалось, что однажды появится чудесно прекрасный человек, как две капли воды похожий на образ, высеченный в скале. Он принесет совершенное добро, неслыханные благодеяния. Это рассказывалось долгими вечерами в назидание детям либо в утешение старикам, словно прекрасное предание, либо когда больным требовалось укрепиться надеждой.

Однажды маленький мальчик, который, как все, услышал чудесное предсказание, так живо воспринял его в свое сердце, что не переставал размышлять о нем и не сводил глаз с неподвижного огромного лица. Он часто сидел у дома, сунув палец в рот, и смотрел на гиганта, так мало походившего на людишек, копошащихся внизу. Часто и среди игры он уносился своей юной душой к тайне прекрасного обетования: каковы будут его благодеяния? какие сокровища польются из рук этого замечательного героя?.. Он все больше любил огромную каменную фигуру; и, сам того не сознавая, все больше походил на нее.

Прошло много лет, так много, что он превратился в мужчину. Однажды он шел по деревенской площади, и его друзья и соседи, взглянув на него, были потрясены: тот, чей приход обещало старинное предание, — среди них!

Отблеск Божий

Часто видно, что даже в тех, кто говорит, что не верует в Бога, скрыто присутствует малая вера. Как-то раз один паренек сказал мне: «Я не верю в то, что есть Бог». — «Подойди-ка поближе, — сказал я ему в ответ. — Слышишь, как поет соловей? От Кого получил он это дарование?» Несчастный юноша сразу же пришел в умиление. Жестокость неверия исчезла, и его лицо изменилось. В другой раз ко мне в каливу пришли два посетителя. Им было примерно лет по сорок пять, и жизнь, которую они вели, была очень мирской. Как мы, монахи, говорим, что «раз эта жизнь суетна, то мы отказываемся от всего», так и эти двое, еще будучи молодыми, решили прямо противоположное: что «иной жизни нет». А потому они оставили учебу и ударились в жизнь мирскую. Они дошли до того, что превратились в развалины и душевно, и телесно. Отец одного из них умер от горя. Второй пустил на ветер имение матери и довел ее до сердечной болезни. После того, как мы с ними поговорили, они взглянули на вещи иначе и сокрушались: «Мы стали ни на что не годны». Одному из них я дал икону для его матери. Я хотел дать икону и другому, но он ее не брал. «Дай мне, — говорил он, — одну из тех дощечек, которые ты пилишь. В Бога я не верю, но верю в святых». Тогда я ответил ему: «Будь человек зеркалом или крышкой от консервной банки, если на него не упадут солнечные лучи, он не будет блестеть. Святые просияли от лучей благодати Божией, подобно тому как светила отражают солнечный свет».

Старец Паисий Святогорец, (62)

«Дешевый» Батюшка

Как радостно забьется сердце, когда, идя по темному сосновому лесу, увидишь в конце дорожки скитскую колокольню, а с правой стороны убогую келийку смиренного подвижника! Как легко на душе, когда сидишь в этой тесной и душной хибарке, и как светло кажется при ее таинственном полусвете! Сколько людей перебывало здесь! И приходили сюда, обливаясь горькими

*Преподобный
Амвросий Оптинский*

слезами скорби, а выходили со слезами радости; отчаянные — утешенными и ободренными; неверующие и сомневающиеся — верными чадами Церкви. Здесь жил «Батюшка» — источник стольких благодеяний и утешений. Ни звание человека, ни состояние не имели никакого значения в его глазах. Ему нужна была только душа человека, которая настолько была дорога для него, что он, забывая себя, всеми силами старался спасти ее, поставив на истинный путь. С утра до вечера удрученный недугом старец принимал посетителей, подавая каждому по потребности. Слова его принимались с верой и были законом. Благословение его или особенное внимание считалось великим счастьем, и удостоившиеся этого выходили от него крестясь и благодаря Бога за полученное утешение.

Советы же и наставления свои, которыми старец Амвросий помогал людям, приходившим к нему с верою, преподавал он — или в уединенной беседе, или вообще всем окружавшим его — часто в форме самой простой, отрывочной и нередко шутливой. Вообще нужно заметить, что шутливый тон назидательной речи старца был его характерной чертой.

«Как жить?» — слышался старцем со всех сторон общий и весьма важный вопрос. По своему обыкновению он отвечал в шутливом тоне: «Жить — не тужить, никого не осуждать, никому не досаждать — и всем мое почтение».

***

Мелочей для старца не существовало. Он знал, что все в жизни имеет свою цену и свои последствия, и потому не было вопроса, на который бы он не отвечал с участием и желанием добра. Однажды остановила старца женщина, которая была нанята помещицей ходить за индюшками, но индюшки почему-то у нее колели, и хозяйка хотела ее расчесть. «Батюшка! — обратилась она к нему со слезами. — Помоги, сил моих нет, сама над ними не доедаю — пуще глаз берегу, а колеют. Согнать меня барыня хочет. Пожалей меня, родимый». Присутствующие смеялись над бабой. А старец с участием расспросил ее, как она их кормит, и дал совет, как их содержать иначе, благословил ее и отпустил. Тем же, которые смеялись над ней, он заметил, что в этих индюшках вся ее жизнь. После сделалось известным, что индейки у бабы уже не колели.

***

К некоторым посетителям старец обращался с обличениями. Подошел как-то к нему молодой человек из мещан, с рукой на перевязи, и стал жаловаться, что никак не может ее вылечить. При старце в это время был один монах и несколько мирян. Не успел тот договорить: «Все болит, и шибко болит», как Батюшка его перебил: «И будет болеть: зачем мать обидел?» Но, вероятно, заметив смущение и смирение в обличаемом, тотчас изменил тон речи: «Ты ведешь-то себя хорошо ли, хороший ли ты сын? Не обидел ли?»

***

Одна девушка из большой помещичьей семьи, часто бывавшая у старца, долго умоляла свою любимую сестру, с очень живым и нетерпеливым характером, поехать вместе с ней в Оптину. Та наконец соглашается, чтобы доставить удовольствие сестре, но всю дорогу громко ворчит, а пришедши к старцу и сидя в приемной, чем-то возмущается: «Я не стану на колени, к чему это унижение?» Она быстро ходит по комнате из угла в угол. Отворяется дверь, так что ее совсем закрывает в ее углу. Все опускаются на колени. Старец подходит прямо к двери, откидывает ее и весело спрашивает: «Что это за великан тут стоит?» И затем шепотом говорит молодой девушке: «Это Вера пришла смотреть лицемера». Знакомство состоялось. Вера выходит замуж, вдовеет и возвращается под крылышко Батюшки в Шамордино. Он часто напоминал ей, как Вера пришла к лицемеру и еще другую ее мысль в первые дни их знакомства, именно: бывши тогда молодою девушкой, она зашла в монастырскую лавку купить портрет старца. Ей сказали, что можно купить за 20 копеек. «Боже мой, — подумала она, — как мало! Я бы и много рублей дала. Какой Батюшка дешевый!» В тот же день, на общем благословении, старец, проходя мимо нее, ласково взглянул, погладил по голове и тихонько промолвил: «Так Батюшка дешевый, дешевый!»

(2)

Афанасий

На нашей улице в подмосковном поселке жила раба Божия Анна, у которой мы брали коровье молоко для моего маленького крестника. Она рассказала нам о своем дедушке. Думаю, в прежней России среди простого народа было немало подобных людей.

Афанасий любил страдальцев, всех больных и убогих. После Литургии приводил в дом нищих и странников, не изменяя этому обычаю в самые трудные и голодные годы. Ни вшей, ни лишая на людях не боялся. И действительно, никогда ничья болячка к нему не пристала. Бог его хранил.

Мама Анны осталась вдовой с шестью детьми (муж погиб на Финской войне). Зарабатывала кусок хлеба, читая Псалтирь по усопшим. И, бывало, скажет: «Дети не едят досыта, куда ведешь людей — в доме пусто». — «Ничего, голубка, — ответит дедушка, — у Бога всего много». И действительно, голодным никто у них из-за стола не вставал. Дедушка парил гостей в баньке и заботливо стелил постели. Намаявшись с детьми за день, мама оставляла их на попечение отца. «Иди спать, душка, — жалел он ее, — я их угомоню». «И действительно, все мы у него утихали, успокаивались, — вспоминала Анна. — Ночью проснешься, глаза приоткроешь: лампадочка горит, тоненькие лучики тянутся ко мне, то красненькие, то зеленые, потом — голубые, а дедушка сидит у икон — всю ночь шепчет молитвы. И так хорошо-хорошо у нас в избе. Я когда-то ему сказала: "Деда, как ночью у нас тихо да красиво". А он: "Плохо ли у Матери Божией — детушкам, под Покровом!.." Так он до конца жизни призывал на нас милость Царицы

Небесной... и не знаю, спал ли он когда. А днем всегда добрый и веселый. Красный угол был у него в каждой комнате, везде иконы: и в хлеву, и в саду. За всякой работой — молился. Осенял крестом грядки, когда сажал и поливал, и всю скотинку».

Не было твари, какую бы он не пожалел. Зимой стелил на снег льняную холстину, сыпал птицам зерно: «Отойдите маленько, душки мои, — просил свою детвору, — не спугните моих гостей». И к нему прилетало множество разных птиц, и какие-то белые, невиданные...

Когда, после революции, разрушили церковь, он стал ходить молиться на развалины. В селе говорили: «Сдвинулся дед». Но Афанасий не обращал на это внимания и по-прежнему приветливо кланялся каждому, кто и дрался, и ругался, и его обзывал. Душе человеческой — кланялся. «Мы бегали вслед за ним к бывшей церкви. "Видели бы вы, душки мои, — говорил он нам, — какая здесь свеча — от земли до Неба! Место, где престол стоял, служили Литургию, — навеки свято".

Когда до революции жили сытно, на Пасху резал баранчика и лучшее мясо отвозил в тюрьму: "Один Бог знает, сколько там невинных сидит..."

На яблочный Спас мы бегали по всей деревне, корзинами разносили яблоки тем, у кого не было своих. Прежде это было обычно.

В одной многодетной семье скоропостижно скончался муж, так поутру у вдовы на пороге: овощи и яйца в корзинке, кусочек мяса и крынка молока — и не признавались, кто носил... А когда в соседней деревне сгорел дом, всем миром новый строили.

Дедушка Афанасий знал свою кончину, говорил без всякой печали, с улыбкой: "Скоро, душки мои, от вас далеко уйду, но с вами не расстанусь". Поутру оделся во все чистое, каждому из детей что-то свое на ушко шепнул — напутствовал, светлыми глазами в глаза глянул, перекрестил, обнял. Маме поклонился в ноги. Со всеми простился, а за полдень, помолясь, лег на лавку под образа, сложил руки как для причастия и отдал Богу душу... Мы не сразу заметили, что он — ушел...

И действительно — с нами не расстался. Слышим его молитвы, постоянную помощь с Неба...»

(47)

В гонениях

Трагические события XX века явили миру новых молитвенников, совершавших свой подвиг в условиях, порой не поддающихся ни описанию, ни воображению. Теперь, когда доступен фактический материал о жертвах гонений новейшего времени, можно с достоверностью убедиться в том, что дано было претерпеть новым мученикам за веру. Приведем здесь только один пример — несколько штрихов из жития святителя Луки Крымского, дающих общее представление о том, в каких условиях пришлось святому исповеднику проводить свою молитвенную жизнь.

*Архиепископ
Лука (Войно-Ясенецкий)*

1920-е годы. Ссылка в Плахино. Это крохотное поселение, расположенное в 230 километрах за Полярным кругом, как описывает сам владыка Лука, состояло «из трех изб и двух больших груд навоза и соломы», которые оказались «жилищами двух небольших семей». Жить пришлось на «половине избы с двумя окнами, в которых вместо вторых рам были снаружи приморожены плоские льдины. Щели в окнах не были ничем заклеены, а в наружном углу местами был виден сквозь большую щель дневной свет. На полу в углу лежала куча снега. Вторая такая же куча, никогда не таявшая, лежала внутри избы у порога входной двери... Вблизи нар стояла железная печурка... Утром, когда я вставал со своего ложа, меня охватывал мороз, стоявший в избе, от которого толстым слоем льда покрывалась вода в ведре... В Плахине часто бывают очень сильные морозы, и там не живут вороны и воробьи, потому что при таком холоде они могут замерзнуть на лету и камнем упасть на землю».

В этих условиях владыка не оставлял молитву, не оставлял пастырское попечение. «У меня был с собой Новый Завет, с которым я не расставался и в ссылках своих. И в Плахине я предложил крестьянам читать и объяснять им Евангелие». Здесь однажды к епископу пришел посетитель. Когда он переступил засыпанный снегом порог, его поразило убожество и нищета жилища. На некрашеном столе стояла кружка с водой и лежал кусок черного хлеба. Никакой другой пищи не было видно. Епископ Лука молился. Знаком руки он просил гостя обождать. Минут через десять, совершив последний поклон, обернулся к гостю и сказал: «А теперь будем знакомиться».

Духовная зрелость и мера величия этой души приоткрывается в случайно оброненном слове: «Я полюбил страдание», — писал владыка Лука в одном из своих писем. Одиннадцать лет провел этот человек в тюрьмах и ссылках. О том, как молился святитель, находясь в тюрьме, вспоминает его сокамерник: «Пережитые епископом Лукой скорби нисколько не подавили его, но напротив, утвердили и закалили его душу. Владыка дважды в день вставал на колени, обратившись к востоку, и молился, не замечая ничего вокруг себя. В камере, до отказа наполненной измученными, озлобленными людьми, неожиданно становилось тихо. Все окружавшие его люди, а среди них были и мусульмане, и неверующие, начинали говорить шепотом, и как-то сами собой разрешались только что раздиравшие людей ссоры».

Новосибирская тюрьма. «Нас перевели в большую уголовную камеру, где нас шпана встретила настолько враждебно, что я должен был спасаться бегством от них: стал стучать в дверь под предлогом необходимости выйти в клозет и, выйдя, заявил надзирателю, что ни в коем случае не вернусь в камеру...»

Красноярская тюрьма. «Нас посадили в подвал двухэтажного дома ГПУ. Подвал был очень грязен и загажен человеческими испражнениями, которые нам пришлось чистить, при этом нам не дали даже лопат. Рядом с нашим подвалом был другой, где находились казаки... Никогда не забуду оружейных залпов, доносившихся до нас при расстреле казаков...»

Ссылка в деревню Хая на реке Чуне, притоке Ангары. Деревушка в восемь дворов, кругом бескрайняя снежная пустыня. В марте тут еще глубокая зима. Дом часто до крыши заносило снегом. Приходилось ждать, пока утром олени протопчут тропу, чтобы можно было принести хвороста на растопку. В рукомойнике в сенях замерзала вода. С глубоким христианским смирением переносил владыка Лука все тяготы ссылки. «Обо мне не заботься, я ни в чем не нуждаюсь», — писал он сыну Михаилу из Енисейска, и через несколько месяцев снова: «Обо мне не беспокойтесь. Господь отлично устроил меня в Хае. Я радостен, глубоко спокоен, никаких нужд не испытываю».

Арест 1930-го года. «Пребывание в переполненной душной камере подействовало на сердце. Нарастала сердечная недостаточность». Свидетельство врачей: «Кардиосклероз, склероз аорты и декомпенсация сердца. Больному необходим абсолютной покой, длительное лечение». Резолюция: «Отказать. Оставить без последствий». Еще год страданий в тюрьме. Приговор от 15.05.1931 года: «Выслать в Северный край, сроком на три года... Направить этапом». Архангельская ссылка...

Арест 1937-го года. Владыке 60 лет. Во время допросов он претерпел карцер, побои, издевательства... «Конвейер» — непрерывные допросы, сопровождаемые пытками, доводили подследственного до умопомрачения. Владыка подвергается этому испытанию не однажды. «Страшный "конвейер" продолжался непрерывно день и ночь. Чекисты сменяли друг друга, не давали спать ни днем, ни ночью... Допрос "конвейером" продолжался тринадцать суток, и не раз меня водили под водопроводный кран, из-под которого обливали мне голову холодной водой... Протокол, датированный 23.11.1937 года, я, несмотря на тяжелое состояние от голода и лишения сна, долго отказывался подписать...» Очередной допрос прерван. Сердце сдало, с тяжелыми отеками владыка отправлен в тюремную больницу.

Июль 1938 года — допросы возобновляются...

Февраль 1939 года. «При сидении на стуле в течение трех недель я был доведен до состояния тяжелейшей психической депрессии, до потери ориентации во времени и пространстве, до галлюцинаций, до паралича задних шейных мышц и огромных отеков на ногах...»

1940 год. Епископ, ученый с мировым именем, отправлен в третью ссылку — райцентр Большая Мурта в 110 километрах от Красноярска. С началом Великой Отечественной войны владыка обратился к руководству за разрешением на работу в тыловом госпитале: с фронта уже шли эшелоны с ранеными.

Октябрь 1941 года. Епископ Лука назначен консультантом всех госпиталей Красноярского края и главным хирургом эвакогоспиталя. Он с головой погружается в многотрудную и напряженную хирургическую работу...

В 1942 году, по окончании ссылки, Владыка назначен на Красноярскую кафедру. В самый разгар войны профессор-архиерей проводит многочисленные хирургические операции, спасая раненых солдат. Помимо этого, Владыка начинает активно участвовать в работе Священного Синода. Насыщенность и обширность хирургической работы была колоссальной. 67-летний Владыка работал по 8–9 часов в сутки и делал 4–5 операций ежедневно! Все это сказывалось на подорванном в заключении здоровье...

Заканчивалась война, впереди архиепископа Луку ожидало еще более 15 лет архиерейского служения.

(43)

Человек начинает жить лишь тогда, когда ему удается превзойти самого себя.

*Альберт Эйнштейн (1879–1955),
немецкий физик, создатель теории относительности*

Проповедь любви

Однажды святой Макарий Великий, идя в Нитрийскую гору в сопровождении ученика своего, повелел этому ученику идти несколько впереди себя. Ученик, уйдя вперед, повстречался с языческим жрецом, который куда-то очень спешил, неся большой обрубок дерева. Ученик крикнул ему: «Куда бежишь, демон?» Жрец, рассердившись, побил его жестоко, оставив едва дышащим, и снова поспешно продолжал путь свой.

Пройдя немного, он встретился с Макарием, который приветствовал его так: «Здравствуй, трудолюбец, здравствуй!» Жрец,

*Преподобный
Макарий Великий*

удивившись, отвечал: «Что нашел ты во мне доброго, чтобы приветствовать меня?» Старец сказал: «Я приветствовал тебя, потому что увидел тебя трудящимся и заботливо спешащим куда-то». Жрец отвечал на это: «От приветствия твоего я пришел в умиление и понял, что ты — великий служитель Бога. Напротив, другой, окаянный монах, повстречавшись со мною, обругал меня; за то я побил его».

С этими словами он пал к ногам Макария, обнял их и воскликнул: «Не оставлю тебя, доколе не сделаешь меня монахом».

Они пошли вместе. Дойдя до того места, где лежал избитый монах, они подняли его и отнесли на руках в церковь, потому что он не мог идти.

Братия горы, увидев, что жрец языческий идет вместе с Макарием Великим, очень удивились этому. Жрец принял христианство, а потом и монашество. Наставленные примером его, многие из идолопоклонников обратились к христианству.

(18)

Отец Виталий

«Надо себя хулить, винить, пороть, наказывать, а всех любить, считать Ангелами», — прочитаем мы в одном из писем старца Виталия. Став *как сор для мира, как прах, всеми попираемый* (1 Кор. 4: 13), он восшел на высшую ступень смирения, когда любое уничижение переносится с радостью. Из своего опыта отец Виталий познал, что «смиренный — из силачей силач» (строки из его письма к чадам). Смирение делало его неуязвимым в любых ситуациях. А попадал он в положения для других почти невыносимые.

Когда отец Виталий был еще молодым иноком, в его обязанности входило попечение о келье, приготовление пищи, выпечка хлеба и другие работы. После утреннего правила он обыкновенно спрашивал: «Святые отцы, благословите, что мне делать?»

И, бывало, один посылает его прочистить тропу до источника, а другой, старший чином, отменяет это послушание и дает свое — вырубить кустарник возле кельи. Чтобы сохранить мир, брат Виталий старался удовлетворить желанию каждого.

Однажды брат, подвизавшийся на отдаленной поляне, велел брату Виталию испечь хлеб и принести ему. Хлеб Виталий испек, но, поскольку сапог ему не досталось, так как остальные братия ушли в селение, он натер ноги керосином и пошел боси-

Схиархимандрит
Виталий (Сидоренко)

ком по снегу, по воде, по камням, проделав путь в несколько километров. Когда он дошел до кельи брата, тот посмотрел на хлеб и сказал, что такой есть не будет. Тогда Виталий молча повернулся и пошел себе обратно.

Узнав об этом, один брат возмутился и сказал, чтобы он не ходил больше к тому «наглецу», на что брат Виталий отвечал так: «Нет, меня старцы так не учили. Они заповедовали: "Если придет к тебе брат и попросит помочь ему, отложи свое дело и пойди помоги брату и служи ему как Самому Христу"».

Служа братиям своим, словно «купленный раб», он терпел от них всяческие поношения.

Какую бы пищу ни приготовил Виталий — братия были недовольны. Когда он питался тем, что другие просто выбрасывали, его упрекали: «А, ты молишься и готовое ешь, а нам некогда молиться, нам трудиться надо!» Когда же он стал уставщиком во вновь построенной церкви и начинал читать во время богослужения, братия возмущались: «Что ты читаешь, откуда ты это взял?» — и даже останавливали службу.

А однажды на кухне от него спрятали спички: «Пусть, если он такой святой, сотворит чудо и получит огонь своими молитвами!» Но он все переносил безропотно и как будто даже искал поношения.

Когда брату Виталию передавали о нем чьи-либо слова, будто он пребывает в прелести, или блудник, или подобные тому измышления, он отвечал обычно: «Да, правда. Этот брат видит все мои грехи, у него херувимские очи. Спаси его, Господи!» И посылал ему подарок или оказывал какую-либо услугу. Будучи молодым иноком, он уже умел извлекать для себя духовную пользу из всего, что бы с ним ни происходило.

Имея безграничное доверие к Творцу, он с одинаковой благодарностью принимал от Него как радости, так и тяжкие скорби и испытания.

Вот что рассказывал о себе батюшка по воспоминаниям одной духовной дочери: «В одном городе донесли на меня, и я попал в милицию, а потом в тюремную камеру. В камере было несколько человек, среди них был преступник, которому присудили 25 лет за убийства и кражи. От табачного дыма в камере стоял густой туман. Заключенные стали бить меня кулаками и ногами так, что не помню, как очутился под нарами. Но Господь милостивый утешил меня благодатью. Я лежал на прохладном полу и молился. Дым от табака стал похожим на благовоние ладана. Через некоторое время меня зовут: "Попик, а ну вылазь к нам — расскажешь что-нибудь". И стал я с ними беседовать. Такая беседа пошла, со слезами и покаянием, что не заметили, как прошла целая ночь. Все это время за нами в глазок подсматривал дежурный. И наутро меня за эту беседу избили уже тюремные надзиратели».

Эти побои не прошли бесследно для здоровья отца Виталия. У него была раздроблена вверху кость бедра, и ее осколки потом выходили долгие годы, в этом месте образовалась страшная рана, которая доставляла ему мучительные боли на протяжении всей жизни, но никогда не подавал он виду и выполнял любые послушания.

(55)

ПРИТЧА

Некий святой человек построил себе лачугу и разбил около нее огород, чтобы обрабатывать его и жить плодами труда своего, проводя время в молитве и размышлении.

Однажды явился ему Ангел Божий и говорит:

— Послан я от Бога, чтобы исполнить любое твое желание, что только скажешь. Говори же, чего хочешь.

— Да вот, у меня есть все, что мне нужно, — ответил тот человек Ангелу Божию. — У меня есть кров над головой, есть огород, есть свет и воздух, есть здоровье, есть сердце, которым люблю Творца своего, и язык, которым Его славлю. Не знаю даже, чего бы мне еще пожелать...

— Но все-таки подумай, — говорит ему Ангел. — Подумай и скажи. И что пожелаешь, будет все по-твоему.

Тогда святой человек начал думать да думать. Долго он так думал, и наконец говорит:

— Я всегда старался и сейчас стараюсь творить богоугодные дела. И я знаю все добрые дела, что сам совершил. Одно я мог бы пожелать: сделай так, чтобы я мог творить добрые дела неосознанно и не зная, что их делаю.

— Доброе пожелание, — ответил ему Ангел, — пусть будет по-твоему.

И благословил Ангел Божий тень того человека — на что бы или на кого бы тень его ни упала, принесла бы тому и счастье, и здоровье, и радость, и удачу. После того Ангел Божий удалился, а тот святой человек остался на своем поле.

А была в то время великая засуха, и поля засохли от жажды, и родники иссякли, и колодцы высохли, и начались болезни людей и скота. Когда тот святой человек пошел по округе, тень его побежала следом по земле, по траве, по родникам, по колодцам, по людям и животным. И от его тени повсюду трава зазеленела, цветы расцвели, забили ключи, колодцы наполнились водой, скотина окрепла, больные поправились. Но тот человек об этом не знал, ибо тень его падала за ним или перед ним, смотря куда он шел. Однако люди все это видели и сознавали, поэтому приглашали того Божия человека пройти по их садам и нивам, ставили больных и скотину на том пути, которым он бы мог пройти, — из-за его тени. И прозвали его люди «Святая Тень»...

Святитель Николай Сербский

Епископ Дорофей

Владыка Дорофей был очень умным человеком. Как-то раз во время его епископства случилось такое происшествие: двое молодых парней из Превезы хулили Магомета. Турецкая полиция их поймала, и они были посажены в тюрьму до суда.

Христиане очень испугались за них. Какой суд будет от кади (турецкого судьи)? Как их накажут? Ведь они хулили мусульманского пророка. Их или повесят, или заставят принять мусульманскую веру.

К кому же обратиться за помощью? Конечно, к Владыке! Близкие и друзья арестованных попросили его помочь, сделать все, что только возможно. Но что может сделать епископ, если страной правят иноверцы?

Однако Преосвященный Владыка сразу начал действовать. Он сказал родителям юношей:

— Предупредите своих детей: что бы я им ни делал, пусть не выронят ни слова. И пусть быстро делают то, что я им скажу.

Владыка надел свою лучшую рясу и самый красивый клобук, а на грудь повесил награду от султана. (Епископ, будучи человеком умным, знал, что такие вещички очень много значат для турецких властей, а потому в свое время он «лез из кожи вон», одаривая султана подарками и делая ему комплименты, только чтобы заполучить такую награду.) Епископ отправился к зданию префектуры (теперь там находится суд). Он стремительно вошел в кабинет паши и с разгневанным видом, не поздоровавшись, сразу начал кричать:

— Где они, где эти негодяи? Где ты их держишь?

Паша растерялся, глядя на разгневанного Владыку. Он встал и почтительно поприветствовал его:

— Добро пожаловать, господин! Пожалуйста, садитесь!

Но епископ Дорофей, будто не слышав, закричал:

— Приведи их сюда, этих негодяев!

Паша отдал приказ немедленно исполнить желание Владыки. Через несколько минут юноши были уже в кабинете паши.

Увидев их, Владыка, вне себя от ярости, крикнул:

— Как вы можете хулить пророка!

И он дал им по звонкой пощечине, чего они никак не ожидали от православного епископа, а потом пнул ногой каждого из них, приговаривая:

— А ну, долой с глаз моих, негодники!

И он погнал их к выходу, как будто бы хотел еще побить.

Изумленный всем этим, паша побежал вслед за епископом, стараясь удержать и успокоить его. Он преградил путь Владыке, который пытался настигнуть двух молодых людей, и сказал ему:

— Оставь их, господин!

И действительно, «негодники» скрылись из виду. Так приснопамятный епископ Дорофей спас двух ромеев. Вот как трудились наши духовные отцы во время турецкой оккупации для блага своего народа.

(9)

Прозорливость

Писатель Сергей Нилус, который в 1907–1912 годах жил в Оптиной Пустыни, писал о необычных уроках и наставлениях преподобного Нектария. Как-то у писателя перед исповедью и причастием произошло искушение с отцом настоятелем, которое лишило мира его душу и омрачило душевное состояние. Когда Нилус вернулся домой, то увидел на недавно написанном масляными красками этюде надпись углем: «Туча». Нилус сразу догадался, что автором озорства был старец Нектарий. «Это так было похоже на склонность его к некоторому как бы юродству, под которым для меня часто скрывались назидательные уроки той или иной христианской добродетели», — писал Сергей Александрович. Старец же сидел в уголке террасы

Преподобный Нектарий Оптинский

и благодушно посмеивался, выжидая, что выйдет из его шутки. Потом подошел к этюду, смахнул рукавом своего подрясника надпись и с улыбкой сказал: «Ну вот видите, ничего не осталось». «Ничего не осталось и в сердце моем от утренней смуты, — вспоминал писатель. — Несомненно, у друга нашего есть второе зрение, которым он видит то, что скрыто от глаз обыкновенного человека».

***

Существует множество свидетельств прозорливости старца, чудесной помощи людям в эти годы. Приехал к преподобному молодой московский врач Сергей Александрович Никитин (будущий владыка Стефан) решить вопрос: кем ему работать после окончания института — врачом-практиком или посвятить себя науке. Увидев изможденного старца, едва передвигающего ноги, молодой врач не только не задал вопроса, но и высокомерно подумал: «Что может посоветовать мне, человеку науки, этот дряхлый старикашка?» А преподобный Нектарий вдруг оживленно заговорил о том, какого высокого уровня развития достигло человечество перед Потопом — процветали науки, искусства, ремесла, —а тут, представьте себе, какой-то дряхлый старикашка Ной строит допотопный ковчег! Посетитель старца сгорал от стыда, понимая, что преподобный Нектарий знает его потаенные мысли, и уже не удивился, услышав ответ на незаданный вопрос: «Врач-практик, врач-практик!» Владыка Стефан всю жизнь с благодарностью вспоминал старца, ибо в годы, когда он был арестован и сослан, именно профессия врача-практика была необходима ему, помогла спасти множество людей.

(66)

Трофим победил

Рассказывает рясофорная послушница Н-го монастыря. «В 12 лет я стала наркоманкой и два года скиталась с компанией хиппи по подвалам и чердакам. Это был ад. Я погибала. И когда в 14 лет я приехала в Оптину, то сидела уже "на игле". Как же я полюбила

Оптину и хотела жить чистой, иной жизнью! Но жить без наркотиков я уже не могла. Мне требовалось срочно достать "дозу", и я уже садилась в автобус, уезжая из Оптиной, как дорогу мне преградил незнакомый инок. "Тебе отсюда нельзя уезжать", — сказал он и вывел меня из автобуса. Это был инок Трофим.

Потом я два года жила в Оптиной, и каждые две недели пыталась отсюда бежать. А Трофим опять перехватывал меня у автобуса, убеждал, уговаривал, а я дерзила ему. Я уже знала: уехав из Оптиной, я не расстанусь с наркотиками, и впереди лишь скорая страшная смерть. Но вот непонятное, наверное, многим — наркоман не может жить в монастыре.

Инок Трофим (Татарников)

В него вселяется бес и гонит из монастыря на погибель. Наркоман становится игралищем демонов и уже не владеет собой.

Я пыталась держаться, но стоило появиться кому-то из "наших", как... Мой батюшка был от меня в отчаянии: "Сколько можно? Опять?" Это были такие адские муки, что я решила покончить с собой. Достала смертельную дозу наркотиков и, спрятавшись в развалинах Казанского храма, приготовила шприц, чтобы сделать укол. От смерти меня отделяли секунды, как вдруг в храм вошел инок Трофим. Я сразу спряталась, решив переждать, пока он уйдет. А он почему-то не уходил — молился, читал и искал что-то. И так продолжалось уже три часа! Когда он нашел меня, то сразу все понял, а я, сорвавшись, кричала ему: "Я устала жить! Устала терпеть! Зачем ты торчишь тут уже три часа?!" Трофим устроил меня в больницу и выхаживал как старший брат. До сих пор в ушах звучит его голос: "Терпи. Потерпи еще немножко. Ради Господа нашего еще потерпи".

Исцеление шло долго и трудно, но оно все-таки произошло. Ему предшествовал один случай. Я уже долго жила, забыв о наркотиках, и радовалась — с прошлым покончено. Вдруг поздно вечером мне передали, что в лесу у озера остановились "наши" и приглашают меня "на кайф". И тут прежнее вспыхнуло с такой силой, что я, обезумев, побежала в лес. Вот загадка, для меня непонятная, — почему-то всегда в таких случаях дорогу мне преграждал Трофим. Он перехватил меня на дороге: "Куда бежишь ночью?" — "Наши приехали, и я хочу их навестить". — "Что, опять бесочки прихлопнули? Я пойду с тобой". Чтобы отделаться от Трофима, я так грубо оскорбила его, что он, потупившись, молча ушёл.

Бегу я к озеру по знакомой дорожке, и вдруг гроза, гром, молнии, темень. И я заблудилась в лесу. Ямы, коряги, я куда-то падаю и об одном уже в страхе молю: "Господи, прости и выведи к Оптиной!" А тьма такая — и гром грохочет, что и не знаю, где монастырь.

Вернулась я в Оптину уже поздно ночью. Ворота были заперты. Но меня обжигала такая вина перед Трофимом, что я умолила меня пропустить. Смотрю, в храме свет, а там инок Трофим молится. Улыбнулся он мне усталой улыбкой: "Слава Богу, вернулась". А я лишь прошу: "Трофим, прости меня Христа ради, я больше не буду! Прости!"

Когда мне исполнилось 16 лет, вопроса о выборе пути для меня уже не было. Я хотела быть такой же, как инок Трофим, и ушла в монастырь.

В Страстную Пятницу 1993 года наша матушка игуменья поехала в Оптину и взяла меня с собой. Инок Трофим обрадовался моему приезду и подарил мне икону "Воскресение Христово" и сплетённые им шерстяные чётки. Но уезжала из Оптиной в тревоге: что с Трофимом — глаза больные и вид изможденный? Мне кажется, он что-то предчувствовал и подвизался уже на пределе сил. А позже мне рассказали, что где-то за час до убийства он подошёл к одной насельнице монастыря и попросил передать мне поклон. "А чего передавать? Она ещё сто раз сюда приедет, вот сам и передашь", — сказала она. Инок Трофим молча постоял рядом с ней и ушёл.

Когда на Пасху мы узнали об убийстве в Оптиной, весь монастырь плакал. А у меня было чувство — победа: попраны демонские полки, и Трофим победил! Слёзы пришли потом, а в начале было чувство торжества: "Ад, где твоя победа? Господи, слава Тебе!"»

***

Трофим был пахарь и косарь, а в деревне закон — в сенокос делать стол. И вот косил у нас Трофим. Сварила я курицу, колбаски купила и винца, само собой. Сели за стол, мужики разливают, а Трофим загляделся в окно:

— Ох, и репка у вас уродилась. Репу люблю. Можно репку сорвать?

— Эвон добра! Да хоть всю выдирай.

Намялся он репы на огороде — вот и весь обед.

Переживаю, что парень голодный, а смекнула уже, что он мяса не ест. В следующий раз нажарила Трофиму картошки и сливочного масла натолкла туда побольше — все ж посытней. Смотрю, он картошку мимо и лишь квашеной капустки поел.

— Детка моя, — говорю я Трофиму, — чем тебя мне кормить?

— Баба Оля, свари мне картошки в мундире. Мне жирного нельзя, а то молодость заест.

А ведь работал-то как, сердечный! Таких горячих в работе среди нынешних нет. За столом да, все горячие — одной водки в сенокос, ой, сколько уйдет! А у Трофима застолье — квас да картошка. Даже яичек в карман ему не сунешь: «Баба Оля, я тружусь во славу Христа». Что тут сказать? Одно слово: Трофим — человек Божий.

(60)

Из жизни святых отцов

Шел авва Агафон в город для продажи рукоделия и на дороге увидел лежащего прокаженного. Прокаженный спросил его: «Куда идешь?» — «Иду в город», — отвечал авва Агафон. Прокаженный сказал: «Окажи любовь, снеси и меня туда». Старец поднял его, на плечах своих отнес в город. Прокаженный сказал ему: «Положи меня там, где будешь продавать рукоделие твое». Старец сделал так. Когда он продал одну вещь из рукоделия, прокаженный спросил его: «За сколько ты продал это?» — «За столько-то», — отвечал старец. Прокаженный сказал: «Купи мне хлеб». Когда старец продал другую вещь, прокаженный спросил его: «Это за сколько продал?» — «За столько-то», — отвечал старец. «Купи мне еще хлеб», — попросил прокаженный. Старец купил. Когда авва распродал все рукоделие и хотел уйти, прокаженный сказал: «Благословен ты, Агафон, от Господа на Небеси и на земли». Авва оглянулся на прокаженного — и не увидел никого: это был Ангел Господень, пришедший испытать старца.

(26)

***

Пришли некоторые старцы к авве Пимену (Великому) и сказали ему: «Если мы увидим брата дремлющим в церкви, то велишь ли разбудить его, чтобы он не дремал?» Авва Пимен сказал им: «Что касается до меня, то я, если увижу брата моего дремлющим, — положу голову его на колени мои и успокою его».

(26)

***

Однажды, когда авва Иоанн вместе с другими братиями шел из скита, проводник их сбился с дороги, потому что была ночь. Сказали братия авве Иоанну: «Что нам делать, авва? Брат этот сбился с дороги, как бы нам не умереть, заблудившись?» И сказал им старец: «Если скажем ему, он опечалится и будет стыдиться, но вот я покажу себя занемогшим, скажу, что не могу идти и останусь здесь до утра». И сделал так. И братия сказали: «И мы не пойдем, но посидим с тобою». И просидели до утра, и не обличили брата.

(26)

Любовь к мудрости

Никогда не забуду первую нашу встречу. Отец Порфирий пригласил меня, тогда молодого философа, прогуляться по саду. Мы ходили и беседовали на близкие мне темы. Старец, имевший три класса начальной школы, демонстрировал глубочайшие познания, говорил о взглядах Сократа, Платона, Декарта, Спинозы, Хайдеггера. Указывал, где они ошибались, в чем были правы. Каким-то непостижимым образом он прошел по всему пути моих многолетних исследований. Более того — помог мне разобраться с некоторыми сложными философскими проблемами, которые я или недостаточно четко формулировал, или просто не знал, как решать!

А потом отец Порфирий сказал: «Хватит философии. Заканчивай чтение светской литературы. Читай святых отцов. Философия только ставит вопросы, но не отвечает на них. Ответ дает православная вера. Василий Великий, Григорий Богослов, другие отцы ответили на вопросы, поставленные древнегреческими философами (а современная европейская философия есть лишь несколько переиначенная древнегреческая). И в будущем, когда тебе придется разрешать чьи-либо недоумения в философской сфере, говори то, что писали святые отцы».

(98)

Ее называли Великой Матушкой

Великая Княгиня Елисавета Феодоровна сознавала, что она не была в состоянии сама преобразить Хитров рынок, и поэтому она старалась спасать главным образом несчастных детей Хитровки. Ее ноги, ходившие раньше по мягким коврам дворцов и изящно танцевавшие мазурку и полонез, теперь в грубых ботинках месили грязь переулков Хитрова рынка. Ужасные запахи нечистот с примесью винного перегара, грязные лохмотья, жаргонный язык, потерявшие человеческий облик лица не пугали и не отталкивали ее. Она видела в каждом таком несчастном образ Божий и говорила: «Подобие Божие может быть иногда затемнено, но оно никогда не может быть уничтожено».

Елисавета Феодоровна неутомимо ходила из одного притона в другой, собирая сирот и уговаривая родителей передать ей для воспитания своих детей. Жаргон жителей Хитровки она едва понимала, но знание человеческих душ и умелый подход к таким людям делали то, что ее слова доходили до их сознания и сердец,

*Великая Княгиня
Елисавета Феодоровна*

и они, нередко расчувствовавшись до слез, вверяли ей своих детей.

Мальчики устраивались в общежития, где они, имея хороший уход и воспитание, быстро укреплялись физически и духовно, а некоторые, продолжая жить с родителями, принимались под постоянное наблюдение и перевоспитание. Из одной группы таких недавних оборванцев образовалась артель исполнительных юношей-посыльных Москвы. Девочек устраивали в закрытые учебные заведения или приюты, где также следили за их здоровьем и духовным ростом.

Все население Хитрова рынка знало и уважало Великую Княгиню. Как писала Е.М. Алмединген: «Не было ни одного случая, чтобы кто-либо из жителей Хитровки оскорбил или унизил Великую Княгиню. Ее там обожали и называли или сестрой Елисаветой, или Матушкой».

Покойная игумения Гефсиманской обители матушка Варвара, лично знавшая Елисавету Феодоровну, передала о ней следующий случай, который произошел на Хитровом рынке.

Однажды Великая Княгиня в сопровождении казначея Марфо-Мариинской обители В. Гордеевой вошла в один из притонов Хитровки.

Ее глазам представилась следующая картина: несколько грязных бродяг сидели за столом с бутылкой водки и играли в карты. Среди них, подперев голову руками и устремив куда-то в пространство свой взгляд, сидел мужчина. Елисавета Феодоровна обратилась к нему со словами: «Добрый человек...» В ответ ей сразу же раздалось: «Какой он добрый? Это последний вор и негодяй...» Но Великая Княгиня, не обратив внимания на такую аттестацию, сказала ему, что ее мешок, где находятся деньги и вещи для раздачи бедным, очень тяжел и она просит помочь ей донести его до Марфо-Мариинской обители.

Бродяга сразу же поднялся и сказал, что немедленно исполнит ее просьбу. Причем, разговаривая с Великой Княгиней, он обращался к ней очень почтительно, называя ее «Ваше высочество». Со всех сторон раздались сразу же сильные протесты. Все стали говорить Великой Княгине, что он по дороге продаст содержимое мешка, а деньги пропьет. Но она была непреклонна. Она передала ему свою ношу и не спеша направилась в свою обитель. Когда она пришла туда, ей сказали, что какой-то незнакомец принес ее мешок. Елисавета Феодоровна забеспокоилась, напоили ли его сестры чаем и дали ли поесть. Узнав, что нет, она распорядилась сразу же это сделать.

Накормленный сестрами, бродяга обратился к Великой Княгине с просьбой проверить содержимое мешка, и, когда там оказалось все в порядке, он стал проситься взять его на работу в Марфо-Мариинскую обитель. Елисавета Феодоровна исполнила его просьбу и назначила его помощником садовника.

(44)

Святой человек

С приходом коммунистов к власти русские в Китае снова вынуждены были бежать, большинство — через Филиппинские острова. В 1949 году на острове Тубабао в лагере Международной организации беженцев проживало примерно пять тысяч русских из Китая. Остров находился на пути сезонных тайфунов, которые проносятся над этим сектором Тихого океана. И в течение всех двадцати семи месяцев существования лагеря ему только один раз угрожал тайфун, но и тогда он изменил курс и обошел остров стороной. Когда один русский в разговоре с филиппинцами упомянул о своем страхе перед тайфунами, те сказали: причин для беспокойства нет, поскольку «ваш святой человек благословляет ваш лагерь каждую ночь со всех четырех сторон». Они имели в виду владыку Иоанна, ибо, пока он был там, никакой тайфун острова не затрагивал. Когда же лагерь был почти эвакуирован, люди переселены в другие страны (главным образом — в США и Австралию) и на острове оставалось только около двухсот человек, страшный тайфун обрушился на него и полностью уничтожил лагерь.

(73)

***

Я была тогда новообращенная православная, беременная первым ребенком, мне было 23 года. Как и многие другие обращенные, никогда не знавшие владыку Иоанна, я, после чтения его жития — об исцелениях, совершенных им при жизни, о спасенных им сиротах, о страждущих, которым он помог, о православных общинах, которые он основал из французов, голландцев, китайцев, ирландцев, филиппинцев, японцев и т.д., — почувствовала великую любовь и преданность ему.

Архиепископ Иоанн Сан-Францисский

Поэтому, когда молилась Богу, Его Пречистой Матери и святым, чтобы они меня направили, всегда включала в свои молитвы и блаженного Иоанна.

Я верила в Православную Церковь, но не понимала значения старого календаря. Ожидая ребенка и зная, что он родится где-то около Рождества, молилась Божией Матери и святому Иоанну, чтобы мой ребенок родился в настоящее Рождество. 25 декабря пришло и ушло, а 7 января приближалось. Я стала волноваться, но никогда и не мечтала испытать то, что мне довелось.

Мне было уже тяжело взбираться по ступеням, так как шел последний месяц, но я еще пламеннее молилась Владыке.

За несколько дней до 7 января проснулась из-за необычного явления. Моя комната была озарена удивительным белым сиянием. Я думала, что бодрствую. Но все же ощущала себя, будто была в раю. Монахиня в белом склонилась на коленях перед моей кроватью, рядом с детской ванночкой, но я не видела ее лица, ибо она простерлась в поклоне. А потом я увидела и его — Владыку — в сверкающих белых ризах, стоящего у меня в дверях. Я знала, что это он, ибо думала о нем. Маленького роста, с сияющим лицом, он благословлял меня. Это видение длилось лишь мгновение. Убеждена, что монахиней в белом была святая Елисавета Феодоровна, так как я думала и о ней.

7 января 1970 года в 3.00 у меня начались схватки и, к моей радости, к 4.00 родился наш сын Адам. Я восславила Бога, Божию Матерь и, конечно, святых Иоанна и Елисавету!

(73)

Глаза остановили

«Мне было тогда только еще года двадцать два — двадцать три, — рассказывает в письме один ремесленник. — Теперь я старик, а помню хорошо, как видел в первый раз Батюшку. У меня была семья, двое детишек, старшему года три. Рано я женился. Работал и пьянствовал. Семья голодала. Жена потихоньку по миру сбирала. Жили в дрянной конурке — на конце города.

Прихожу раз не очень пьяный... Вижу, как какой-то молодой батюшка сидит и на руках сынишку держит и что-то ему говорит — ласково. И ребенок серьезно слушает. Может быть, грех, но мне все кажется, Батюшка был как Христос на картинке "Благословение детей". Я было ругаться хотел: вот, мол, шляются... да глаза Батюшки, и ласковые и серьезные в одно время, меня остановили. Стыдно стало... Опустил я глаза, а он смотрит, прямо в душу смотрит. Начал говорить. Не смею я передать все, что он говорил. Говорил про то, что у меня в каморке рай, потому что где дети, там всегда и тепло, и хорошо; и о том, что не нужно этот рай менять на чад кабацкий. Не винил он меня, нет, все оправдывал, только мне было не до оправдания.

Ушел он, я сижу и молчу... Не плачу... хотя на душе так, как перед слезами. Жена смотрит... И вот с тех пор я человеком стал».

«Житие святого праведного Иоанна Кронштадтского», (24)

Любить всем сердцем

Георгий Папазахос, профессор медицинского факультета Афинского университета, который много лет был личным врачом старца Порфирия, рассказывает следующий случай: «Однажды я находился в довольно унылом состоянии, размышляя о том, что моя жизнь большей частью проходит в суетном и бессмысленном времяпрепровождении. Тут звонок от старца: "Доктор, ты когда-нибудь слышал выражение: *Они не вкусят смерти* [Ср.: Мф. 16: 28]? Мы можем, если захотим, избежать смерти. Все что нам надо сделать — это любить Христа всем своим сердцем, господин кардиолог." И батюшка радостно рассмеялся на другом конце линии».

Однажды поздно вечером отцу Порфирию стало плохо с сердцем, и он вызвал своего врача Георгия Папазахоса. Когда врач осмотрел старца, то спросил, не было ли у него в этот день каких-либо сильных переживаний. Отец Порфирий заплакал и, прерывая свой рассказ от избытка чувств, стал рассказывать о кровавых событиях, происходивших в этот момент на улицах Румынии. Там в это время шли уличные бои, народ восстал против коммунистического режима Чаушеску. Отец Порфирий своими сердечными очами видел смерть и кровь, точь в точь так как об этом на следующий день поведали газеты мира.

(65)

Сосуд Святого Духа

Каждого подвижника отличает духовная особенность, свойственная именно ему. Как только начинаешь размышлять о батюшке Николае, говорить о нем, зреть его лик, в сердце водворяется тишина и покой...

Свет наполняет душу, ибо блаженной памяти батюшка Николай был весь божественный свет, божественная любовь и простота. *В Нем была жизнь, и жизнь была свет человеков. И свет во тьме светит, и тьма не объяла его* (Ин. 1: 4, 5). Поэтому не случайно, что Батюшка благословил, чтобы по исходе его души из тела мы сразу начали читать Святое Евангелие от Иоанна, ибо в этом заключался смысл духовного подвига старца: Господь послал его смиренную душу на землю, дабы свидетельствовать о Божественном Свете: *Он не был свет, но был послан, чтобы свидетельствовать о Свете* (Ин. 1: 8)...

«Свет всей моей жизни — Христос, — говорил старец. — Им все наполняется вокруг меня и во мне. Без Господа — все темнота и теряет всякий смысл. Сладчайший Спаситель мира Христос наполняет душу светом и радостью... Только веруйте, мои драгоценные, веруйте несомненно в Сладчайшего Господа нашего Иисуса Христа. Он на землю сошел, чтобы спасти нас, грешных. Ведь сколько бы мы ни жили на земле, здесь мы в гостях, а потом пойдем в вечность. А там — или мука бесконечная, или блаженство в Царствии Небесном со святыми угодниками Божиими».

(46)

«Все меня радует...»

Однажды рано утром катер доставил меня вместе с большой группой паломников на остров Залит. От пристани я прямо направился к сторожке, что у храма святителя Николая, где жила тогда алтарница Анастасия, ныне уже покойная. За мной плелся какой-то друг по несчастью. Мы оба вошли в домик, по-христиански приветствовали хозяйку, добрую и скромную, а потом обратились к ней с вопросом:

— Скажите, мать Анастасия, как нам лучше — здесь посидеть или дойти до домика Батюшки?

Мать Анастасия, по происхождению украинка, на украинском наречии и сказала:

— Посидите трошки тут, чай и сам прииде!

Только успела промолвить эти слова, как вдруг открывается дверь и, словно легкокрылый Ангел, входит отец Николай.

— Здравствуйте, мои драгоценности! Да хранит вас всех милосердие Божие, — сказал он, весело улыбаясь.

Отец Николай присел на лавку, стоящую недалеко от порога, и усадил нас на ней. Завелась теплая беседа, Батюшка нас спрашивал, и мы его спрашивали, вопросов было много, и различных

*Протоиерей
Николай Гурьянов*

по характеру. Он нам все отвечал, а потом показалось, что вопросы исчерпались, а если признаться по правде, все забываешь, когда увидишь Батюшку. Он, лучезарный, как появляется, тут и радость какая-то приходит, и все тучи мысленные улетучиваются, нужды исчезают, вопросы пропадают, и думаешь: ну что спросить, — а потом решаешь: да ничего не буду, какой я счастливый, что Батюшка рядом.

Здесь уместно вспомнить аналогичный случай, бывший у преподобного Антония. Приходили любители аскезы к преподобному и вопрошали его о художестве духовного спасения, а один брат приходил и, ничего не спросив, уходил, и так много раз. Однажды преподобный Антоний спросил его: «Почему же ты, приходя ко мне, ничего не спрашиваешь меня и ни с чем уходишь?» Брат отвечал: «Авва Антоний, для меня достаточно и того, что я сподобляюсь видеть вас!»

Воистину отец Николай был сосудом Святого Духа. Благодарим Господа, Который в наше нелегкое время даровал Церкви такого светильника, излучающего свет и тепло. В его душе была животворящая любовь ко всем людям без исключения, он желал всем помочь, ибо в каждом видел образ Божий и подобие Божие и хотел, чтобы каждый пришел ко Христу и обрел в Нем спасение вечное. Слово батюшки было исполнено четкости и ясности, оно затрагивало самые сокровенные струны души, врачуя, обличая и наставляя. Господь щедро наградил его Своими дарами — молитвы, исцеления, рассуждения, прозорливости, постничества, бдения, а главное, любви. Благодатный свет, как облако, исходил от отца Николая и обволакивал пришедших, как на Фаворе апостолов, и человек забывал все, что ему мешало, что надо разрешить; у него все управлено, ничего не надо — вместе с пророком Давидом он говорит:

Благоже, благоже души нашей [Пс. 34: 25], а со апостолами взывает: *Как нам с Тобой хорошо, Господи!* [Ср.: Мф. 17: 4]

Так случилось и в этот раз.

— Ну что ж, — говорю я, — пора бы нам и отпустить старца-трудолюбца. Ведь он нужен многим, подобным нам, и наверняка уже ждут его святыню, желая лицезреть его, получить благословение его и разрешение недоуменных вопросов.

Мы оба встали, чтобы уходить, но вдруг старец обращается к моему товарищу и говорит, глядя на него пристально:

— Скажи мне, разве это дело: дома писал-писал хартию с вопросами, положил в карман и, не разрешив ни одного вопроса, уезжаешь! Разве это дело: сейчас сядешь в «Ракету» и поплывешь, а вопросы в кармане? Ну-ка, доставай сейчас же, а то ведь поплывешь до Пскова, руку случайно сунешь в карман, сердечко-то так и екнет. И, чтобы оно было спокойно, нужда есть разрешить вопросы.

Упал в ноги мой товарищ по несчастью, прося прощения и терпения на разрешение написанных вопросов, слезы побежали из глаз. Они сели на лавочку, а я, чтобы не мешать и не вводить в затруднение товарища, ушел.

Письма отца Николая

Боголюбезнейшая Вера Сергиевна!

Приветствуем Вас с Великим праздником Рождества Христова и Новолетия! И одновременно благодарю за бандерольку, которой содержимое с большой благодарностью добрый человек взял за себя. Стоимость возвращу при оказии.

Не скорбите, Родная, за здоровье Супруга. Даст Господь — отступит и от Александра Ивановича немощь. А пока нужно смириться с положением. Есть люди еще с бо́льшими несчастьями. Спаси и помоги Вам, Господи! Вашими святыми молитвами я пока держусь и креплюсь на послушании. Иначе нельзя, т. к. моего дела никто не буде вершить. Правда, руки недомогают, но пока терпимо. Буду как-нибудь держаться до больших дней. По теплу наступлю на свою болячку с гневом и трепетом. И с помощью Неба к лету постараюсь быть «здоровым». Все упование мое возлагаю на Милость Божию. Было нас совсем засыпало снежком, а теперь на этих днях теплом целая половина снегу убавилась. До сих пор у нас непролазная бездорожица. Добрые людчики до материка добираются пеше. Помоги им, Господи!

Милость Божия, что по лету запас корм для крылатых друзей. Теперь радостно моему недостоинству за моих посетителей, что они отлетают от меня сытыми. Иначе — были бы огромные слезы и неутешная печаль для меня и птиц. Особо радуют меня синицы. Боже, сколько в мире красивого. Природа, Природа, ты для нас дорога в Невечерний день.

Ваш брат. 4.01.1974

***

Мои милые родные Верушка Сергиевна с семейными, здравствуйте! И я, и Вы это время не пишемся, за что великая слава Господу. Разговор серебро, а молчание золото. Оно действительно так и есть, что все как будто стоит на месте. Однако на самом деле не так — все течет и изменяется.

Вот и я сегодня не тот, каков был вчера. Это время малость недомогаю, хотя с делами укладываюсь в норме. Особенно не отстаю от жизни в кругу зеленых друзей. Ведь в этом году, как никогда, их обильно орошает дождик, через что мои зеленые красавцы выглядят прекрасно и выросли. Помогаю больным пташкам. Все, все меня радует и за все благодарю Господа. Прошу Ваших св. молитв, земно кланюсь Вам с Супругом и остаюсь с надеждой на спасение.

Ваш брат о. Н. с Липушей. 20.07.1974

(49)

Не забывай никогда, даже в самые темные дни твоей жизни, благодарить Бога за все. Он ждет этого и пошлет тебе новые блага и дары. Человек с благодарным сердцем никогда ни в чем не нуждается.

Протоиерей Николай Гурьянов

Валаамский старец
схимонах Никита (Филин)

Преподобный
Амвросий Оптинский

Афонский старец
Иосиф Исихаст

Архимандрит
Софроний (Сахаров)

Преподобномученица
Великая Княгиня Елисавета

Преподобный
Иосиф Оптинский

Архимандрит
Иоанн (Крестьянкин)

Архимандрит
Таврион (Батозский)

Святой праведный
Иоанн Кронштадтский

Лица Твоего, Господи» (Пс. 4:7)

Протоиерей
Николай Гурьянов

Преподобный
Нектарий Оптинский

Священномученик
епископ Лаврентий (Князев)

Преподобный
Сергий исповедник

Страстотерпицы Великие Княжны
Мария, Татиана, Анастасия, Ольга

Страстотерпец
Царь Николай II

Афонский старец схиархимандрит
Макарий (Болотов)

Афонский старец иеросхимонах
Иероним (Соломенцов)

Страстотерпица
Царица Александра

Иереи

Осенью 1905 года братским духовником Троице-Сергиевой Лавры стал иеромонах Ипполит (Яковлев). Вскоре стал он духовником и Духовной Академии. Вот как вспоминал о нем тогдашний студент-первокурсник Академии С.А. Волков: «Когда я, поступив на первый курс, услышал о нем (иеромонахе Ипполите) от своих студентов-монахов, то полюбопытствовал, в какой академии он обучался. Мне сказали, что у него только семинарское образование. Я очень удивился, как духовником не только студентов, но и профессоров может быть монах-простец, и сообщил свое недоумение друзьям. Они познакомили меня с монастырским "старчеством", о котором я читал в романе Достоевского "Братья Карамазовы", будучи еще наивным гимназистом, и потому не сумел не только оценить, но даже мало-мальски понять его.

"Вот погодите, — говорили мне монахи, — побываете у него на исповеди и тогда поймете".

Вскоре наступила первая неделя Великого поста. Я исповедовался отцу Ипполиту, рассказал обо всем, что меня волновало и смущало в новой обстановке, — и вышел от него успокоенный, с ясной душой. Тут я понял, что кроме обычного богословского подхода к религиозным вопросам, ко всей религиозной жизни, есть особый духовный подход, несравненно высший и благодатный. Отец Ипполит так ласково расспросил меня о всех моих треволнениях, так глубоко понял все и так просто и благостно разрешил все мои недоумения, что я был просто поражен. Чувствовалась в его словах высшая мудрость человека, руководящая не только разумом, но и сердцем».

(92)

***

В 1987 году, после бунта, лагерь, в котором я отбывал срок, стали разгонять. Нас долго возили по России и Прибалтике, в итоге окончанием моего этапа оказалась одна из зон, которые принято называть «красными». Там тяжело, морально невыносимо тому, кто оставил в себе хоть какую-то мораль. Меня начали ломать.

Подробно описываю это для того, чтобы стало понятно состояние, в котором я тогда пребывал. К тому моменту, просидев в одиночке четыре или пять месяцев, я имел в себе злость, во мне кипел гнев, было чувство страха, которое рождало агрессию. И когда в один из дней услышал звук открывающегося в неурочный час камерного замка, поежился: хорошего это не сулило. За решеткой второй двери, в окружении офицеров, стоял человек в черном. На груди у него был крест. Я запомнил, что это был немолодой человек, жизнь которого, видимо, не прошла легко. Он был светлый и чистый среди всего, что его окружало в полумраке каменного мешка. И что меня поразило — он был бос, стоял босыми ногами на холодном бетонном полу. В тех условиях это выглядело нереально, не по-земному. Я сейчас не могу найти нужных слов, но это место не то, где ходят босиком. Босым можно идти по зеленой траве, можно представить человека, идущего по теплому городскому асфальту. В сыром бетонном коридоре люди не разуваются, но это был иерей Божий. Его уговаривали обуться, а он ответил: «Нет, я не могу, здесь люди страдают». Со мной не разговаривали и ни о чем не спрашивали. А я почувствовал в тот момент, что меня любят, любят независимо от того, какой я и какое состояние во мне присутствует, — меня просто любят...

Из дневника послушника N, (107)

> *И сирому, и прокаженному, и поврежденному рассудком, грудному младенцу, и уголовному преступнику, и язычнику окажи почтение как образу Божию. Что тебе до их немощей и недостатков? Наблюдай за собою, чтобы тебе не иметь недостатка в любви.*
>
> *Святитель Игнатий Брянчанинов*

У Бога милости много

Пустынны были улицы Кронштадта, когда по их ухабам колотилось мое бедное больное тело, но чем ближе я подъезжал к Андреевскому собору, тем оживленнее становился город, а уже у самого собора меня встретила людская волна не в одну тысячу человек, молчаливо и торжественно разливавшаяся по всем смежным собору улицам и переулкам.

— С исповеди, от Батюшки все идут! — проговорил мой возница, снимая шапку и истово троекратно крестясь на открытые двери храма.

В Доме трудолюбия мне пришлось подняться на четвертый этаж, в квартиру рекомендованного мне псаломщика.

Не прошло и часа с прихода из собора псаломщика, как снизу прибежала запыхавшись одна из служащих: «Батюшка приехал!»

Мы с псаломщиком в один миг были уже в нижнем этаже.

— Отчего дверь не отперта? Отпирай скорее! — раздался властный голос... и быстрой энергичной походкой вошел Батюшка. Одним взглядом отец Иоанн окинул меня... и что это был за взгляд! Пронзительный, прозревший, пронизавший, как молния, и все мое прошедшее, и язвы моего настоящего, проникавший, казалось, даже в самое мое будущее! Таким я себе показался обнаженным, так мне стало за себя, за свою наготу стыдно...

— Вот, Батюшка, господин из Орловской губернии приехал к Вам посоветоваться, да захворал и потерял голос...

— Как же это ты голос потерял? Простудился, что ли?

Я не мог в ответ издать ни звука: горло совсем перехватило. Беспомощный, растерянный, я только взглянул на Батюшку с отчаянием. Отец Иоанн дал мне поцеловать крест, положил его на аналой, а сам двумя пальцами правой руки провел три раза за воротом рубашки по моему горлу. Меня вмиг оставила лихорадка, и мой голос вернулся ко мне сразу свежее и чище обыкновенного... Трудно словами передать, что совершилось тут в моей душе!..

Более получаса, стоя на коленях, припав к ногам желанного утешителя, я говорил ему о своих скорбях, открывая свою грешную душу, и приносил покаяние во всем, что тяжелым камнем лежало на моем сердце.

Впервые я воспринял всей своей душой сладость этого покаяния, впервые всем сердцем почувствовал, что Бог, именно Сам Бог, устами пастыря, Им облагодатствованного, ниспослал мне Свое прощение, когда мне сказал отец Иоанн:

— У Бога милости много — Бог простит.

Какая это была несказанная радость, каким священным трепетом исполнилась душа моя при этих любвеобильных, всепрощающих словах! Не умом я понял совершившееся, а принял его всем существом своим, всем своим таинственным духовным обновлением. Та вера, которая так упорно не давалась моей душе, только после этой моей сердечной исповеди у отца Иоанна занялась во мне ярким пламенем. Я сознал себя и верующим, и православным.

(53)

Обретение мощей преподобного Александра Свирского

Преподобный Александр Свирский

Летом 1998 года в Петербурге произошло настоящее чудо. 28 июля пропавшие в 1918 году святые мощи преподобного Александра Свирского были обретены. Событие это знаменательно тем, что именно с вскрытия раки с мощами преподобного Александра Свирского началась в 1918 году затеянная большевиками сатанинская кампания по ликвидации и дискредитации русских православных святынь. В ходе ее были вывезены из церквей и монастырей шестьдесят три раки со святыми мощами. Милостью Божией все они сегодня, спустя восемьдесят лет, обретены. Не означает ли это, что соборными молитвами Русской Православной Церкви благодать Господня возвращается в многострадальную Россию?

Когда в рентгенологическом кабинете судебно-медицинской экспертизы слушали молебен после завершения исследований по поводу идентификации мощей, началось мироточение, сопровождающееся сильным благоуханием. «Все присутствующие были свидетелями этого чудесного явления», — говорится в рапорте игумена Свято-Троицкого Александро-Свирского монастыря отца Лукиана.

В северо-восточной области Валаамского архипелага расположен открытый всем ладожским ветрам Святой остров. Здесь, в пещерке, вырубленной в скале, пятьсот лет назад подвизался в молитвенных подвигах преподобный Александр Свирский.

Пещерка невелика. Когда проходишь в нее, плечи задевают каменные стены. Света лампады, горящей перед образами, достаточно, чтобы осветить пространство кельи. Несколько лет провел здесь преподобный Александр. Как сказано в Житии: «От великих трудов кожа на теле его сделалась такой жесткой, что не боялась и каменного ударения». В пещерке на Святом острове молился святой, когда в ответ на его молитвы раздался голос Богородицы: *Александре! Изыди отсюду и иди на преждепоказанное тебе место, в немже возможеши спастися!* И светло стало... Преподобный Александр выбрался из пещеры и за стволами сосен, вставших на отвесной скале, увидел тихие воды Ладоги. Великий небесный свет сиял в той стороне, где текла Свирь...

В тот же день преподобный Александр покинул Валаам, поплыл к Свири. Здесь и обосновался, на том самом месте, где десять лет назад ночевал на пути в Валаамский монастырь. Спустя время, молитвенное уединение святого было прервано заблудившимся во время охоты боярином Андреем Завалишиным. Завалишин долго расспрашивал преподобного, как он жил здесь. «Вот уже семь лет обитаю тут, — ответил святой, — и до твоего прихода не видел ни одного человека. Питаюсь растущею здесь травою и хлеба не вкушал».

Сила молитвы святого Александра Свирского была необычайной. Известен такой случай. Строили мельницу на протоке между двумя озерами, раскопали перешеек, и вода из верхнего Святого озера устремилась вниз. Напор был столь сильным, что в опасности оказались монастырские постройки; казалось, их уже не спасти, но преподобный призвал имя Христа, начертал крестное знамение на быстрине вод, и — вот оно, чудо! — течение остановилось.

Столь же велика была и прозорливость преподобного. Однажды богомольцы делали пожертвования в монастырь, был среди них и Григорий, приехавший из Пидьмозера. Он протянул руку, чтобы положить свой вклад, но святой оттолкнул ее. Григорий

Рака с мощами преподобного Александра Свирского

спросил Александра Свирского, почему он не принял приношения. «Ведь ты меня не знаешь!» — сказал он. «Верно! — ответил святой. — Я тебя не знаю и лица твоего не видел, но рука твоя так осквернена, что от нее идет смрад. Зачем ты мать бьешь?» Великий страх обуял тогда Григория, тщательно скрывавшего свой грех. Он попросил наставления, как ему исправиться. Преподобный посоветовал просить прощения у матери.

Не менее дивной была и скромность преподобного. Рассказывают, что однажды, когда он был уже игуменом основанного им монастыря, слава о котором распространялась по всей Руси, пришел к нему монастырский эконом и сказал, дескать, кончаются дрова, надо бы послать в лес какого-нибудь праздного монаха. «Я празден...» — ответил преподобный, взял топор и отправился в лес.

На двадцать третьем году пребывания на Святом озере Александр Свирский во время ночной молитвы увидел трех мужей в белых одеждах, сияющих «невыразимым светом». Это Сам Господь почтил святого Своим Троическим посещением. «Александр Свирский, — пишет в "Истории Русской Церкви" архимандрит Макарий (Веретенников), — пожалуй, единственный православный святой, которому, так же как и праотцу Аврааму, явилась Святая Троица».

Неведомо, знали ли об этом факте жития преподобного Александра Свирского люди, захватившие в 1917 году власть в России, но достоверно известно, что свою сатанинскую кампанию они начали именно с Александро-Свирского монастыря. Осенью 1918 года Олонецкая ЧК направила в монастырь отряд под командованием Августа Вагнера. Братия пыталась противодействовать надругательству над святыми мощами, но чекисты не церемонились. «Элементы злого пошиба» были арестованы, монастырь ограблен, а рака со святыми мощами преподобного Александра Свирского вскрыта.

Сохранность тела преподобного, закончившего земной путь четыре столетия назад, была настолько непостижимой для Вагнера, что вопреки очевидности он назвал в своем отчете мощи святого «восковой куклой». Не решившись выставить их, как полагалось по инструкции, «для разоблачения поповского обмана», мощи тайно, с соблюдением всех мер секретности перевезли в Лодейное поле и под строжайшей охраной поместили в больничной часовне. На пятое ноября 1918 года, когда расстреливали во дворе Олонецкой тюрьмы монахов Александро-Свирского монастыря, назначена была ликвидация мощей...

И ровно восемьдесят лет православная Россия жила с мыслью, что святые мощи русского святого уничтожены сатанинской властью.

Господь, однако, не попустил этого. Скажем попутно, что поход на Александро-Свирский монастырь завершился для товарища Августа Вагнера весьма печально.

История поиска святых мощей преподобного Александра Свирского, предпринятого инокиней Леонидой по благословению отца Лукиана, игумена возрожденного в 1997 году Александро-Свирского монастыря, заслуживает отдельного повествования. Основная часть документов была уничтожена, и собирать необходимые сведения приходилось по крохам.

— Наш поиск, — рассказывает матушка Леонида, — был основан на вере в то, что мощи святого, лицезревшего Святую Троицу, не могли быть уничтожены никакими адскими силами и находятся под особым покровительством Господа...

В ходе архивных изысканий удалось выяснить, что 31 января 1919 года мощи были увезены из Лодейного поля в Петроград и помещены в закрытый анатомический музей Военно-медицинской академии. По свидетельству сотрудников, в годы революции в кафедральном музее появился экспонат, который так и остался незафиксированным в скрупулезно составленных каталогах.

На основе антропологических, иконографических и рентгенологических исследований было сделано заключение, что таинственный «экспонат» представляет собою полностью сохранившуюся мумию мужчины, которая по возрасту, этнической принадлежности, внешним особенностям соответствует описанию, сделанному при первом обретении мощей преподобного Александра Свирского в 1614 году.

Подтверждали принадлежность «экспоната» к канонизированным святым и повреждения на правой, благословляющей руке. Характер их не оставлял сомнений, что нанесены эти повреждения от изъятия частичек плоти для мощевиков. Необычное положение правой ноги — «...ноги же лежали, как у недавно скончавшегося, правая ступнею вверх, а левая обращена ступнею в сторону...» — также полностью соответствовало сделанному в 1614 году описанию.

...Чудо, великое чудо свершилось в июльские дни в Санкт-Петербурге. 465 лет спустя после кончины снова вернулся к нам, грешным, великий святой. И возвращение его подобно свету, рассеивающему злые тучи, сгустившиеся над нашей Родиной.

(39)

Любовь вечна

Многим кажется, что святые от нас далеки. Но далеки они от тех, которые сами удалились, и очень близки к тем, которые хранят заповеди Христовы и имеют благодать Святого Духа.

На небесах все живет и движется Духом Святым. Но и на земле — тот же Дух Святой. Он живет в нашей Церкви; Он живет в Таинствах; Он — в Священном Писании; Он — в душах верующих. Дух Святой всех соединяет, и потому святые нам близки; и когда мы молимся им, то в Духе Святом они слышат наши молитвы, и наши души чувствуют, что они молятся за нас.

Святые живут в ином мире, и там Духом Святым видят славу Божию и красоту лица Господня. Но в том же Духе Святом они видят нашу жизнь и наши дела. Они знают наши скорби и слышат наши горячие молитвы. Живя на земле, они научились любви Божией от Духа Святого; а кто имеет любовь на земле, тот с нею переходит в вечную жизнь в Царстве Небесном, где любовь возрастает и будет совершенною. И если здесь любовь не может забыть брата, то тем более святые не забывают нас и молятся за нас.

Преподобный Силуан Афонский, (80)

Он спас мне жизнь

Как бывшего помещика, в 1930 году Николая Христофоровича арестовали и приговорили к высшей мере наказания через расстрел. Сарра Николаевна навещала отца в заключении и однажды услышала, что встреча станет последней. Отец попросил ее после расстрела забрать на память о нем его карманные часы. Всю ночь его жена Елена Афанасьевна и Сарра на коленях со слезами молились за отца. Дочь непрестанно читала ака-

Святитель Николай

фист святителю Николаю и в ту страшную ночь выучила его наизусть. Исполняя последнюю волю Николая Христофоровича, рано утром Сарра подошла к воротам тюрьмы, чтобы потребовать часы, последнюю память о нем. Каково же было ее потрясение, когда навстречу вышел живой и невредимый отец! «Знаешь, меня отпустили», — тихо проговорил он. Дома отец рассказал, что два красноармейца уже вели его на место казни. Навстречу им легкой походкой шел красный командир. «Куда вы ведете этого человека?» — «Приказали в расход». — «Этого не может быть. Он — честнейший человек, спас мне жизнь. Отпустить немедленно!» Солдаты не посмели ослушаться и отпустили Николая Тамбиева. Командир лично довел его до ворот тюрьмы и проводил со словами: «Иди, ничего не бойся, больше они ничего тебе не сделают». Николай Христофорович прекрасно помнил, что никогда в своей жизни не видел и не знал офицера, спасшего ему жизнь. Это было явное чудо Святителя и Чудотворца Николая.

(102)

Мы вместе

Что значит ежедневное призывание святых — в каждый день различных — в продолжение всего года и всей жизни? Значит, что святые Божии, как братия наши, только совершенные, живы и недалеки от нас, слышат нас и всегда готовы помогать нам по благодати Божией. Мы живем с ними вместе, в одном дому Отца Небесного, только на разных половинах: мы на земной, они — на Небесной, но и для нас и для них есть средства проникать друг ко другу; для нас молитва веры и любви, для них — духовная их природа, всегда готовая к деятельной помощи по любви, которою проникнуты их души.

Ты недоумеваешь: «Как внимают нам с Небес святые, когда мы молимся им?» А как лучи солнечные с небес преклоняются к нам и всюду, по всей земле, светят? Святые то же в духовном мире, что лучи солнечные в мире вещественном. Бог — вечное, животворящее Солнце, а святые — лучи умного Солнца.

Святой праведный Иоанн Кронштадтский

По молитвам Царственных мучеников

30-го марта 1930 года была опубликована в сербских газетах телеграмма, что православные жители города Лесковац в Сербии обратились к Синоду Православной Сербской Церкви с просьбой поднять вопрос о причислении к лику святых покойного русского Государя Императора Николая II, бывшего не только самым гуманным и чистым сердцем правителем русского народа, но и погибшего мученическою смертью. В сербской печати еще в 1925 году появилось описание того, как одной пожилой сербке, у которой на войне двух сыновей убили, а один без вести пропал, считавшей последнего тоже убитым,

Царская семья

однажды, после горячей молитвы за всех погибших в минувшую войну, было видение. Бедная мать заснула и увидела во сне Императора Николая II, сказавшего ей, что сын ее жив и находится в России, где он вместе с двумя убитыми своими братьями боролся за славянское дело. «Ты не умрешь, — сказал русский царь, — пока не увидишь своего сына». Вскоре после этого вещего сна старушка получила известие, что сын ее жив, и через несколько месяцев после этого она, счастливая, обнимала его живым и здоровым, прибывшим из России на родину. Этот случай чудесного явления во сне покойного и горячо любимого сербами русского Императора Николая II разошелся по всей Сербии и передавался из уст в уста. В Сербский Синод начали поступать со всех сторон сведения о том, как горячо сербский народ любит покойного русского Императора и почитает его святым.

***

Прихожанка нашего храма Елена Д. рассказывала, что супружество ее было долгое время бесплодным. Она обращалась к разным врачам, и врачи ничем не могли ее обнадежить. Особенно часто она молилась Царственным мученикам, потому что помимо того, что она всегда их почитала, она помнила о чудесно дарованном им Богом Наследнике после многих лет супружества.

Однажды во сне она увидела государя в цветущем яблоневом саду, и он с сияющим лицом среди этого цветущего сада протянул ей спелое яблоко, говоря слова утешения, которые она не запомнила, но, проснувшись, совершенно ясно поняла, что у нее родится ребенок. Сейчас у нее уже двое детей.

(105)

Правда, я иудей, но лучезарный опыт Иисуса Назорея произвел на меня потрясающее впечатление. Никто так не выражался, как Он. Действительно, есть только одно место на земле, где мы не видим тени, и эта Личность — Иисус Христос. В Нем Бог открылся нам в самом ясном и понятном образе. Его я почитаю.

Альберт Эйнштейн (1879–1955),
немецкий физик, создатель теории относительности

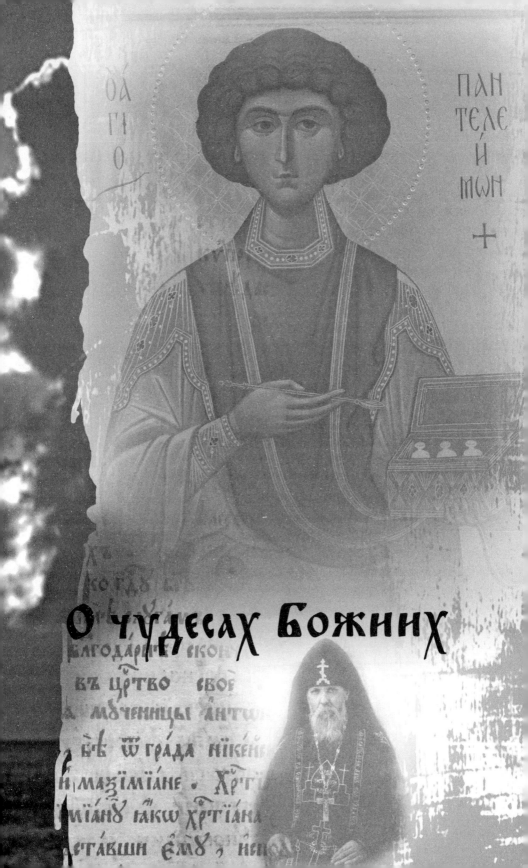

О ЧУДЕСАХ БОЖИИХ

Сбегало чудо в мир со всех концов,
Со всех страниц, из всех тысячелетий.
Мне открывалось чистое лицо
Любви. И чудо завершалось этим.

Архиепископ Иоанн (Шаховской)

Что такое чудо?

Сразу ясно, что резкой границы между чудесным и обыкновенным мы провести не в состоянии. Скажем, у каждого из нас была в жизни неожиданная встреча именно с тем человеком, который в данный момент был более всего необходим. До этого мы годами его не видели, потом он тоже куда-то исчез, а в «день икс» падал будто с неба и либо сообщал нам какие-то ключевые сведения, либо выводил на нужных людей, либо давал единственно верный совет. Что это — случайность или чудо?

Можно привести много и других примеров событий, которые одни назовут чудом, а другие совпадением, но не о них же нам судачить. Коли уж мы решили проанализовать категорию чуда со всей строгостью, нам следует вести речь только о том, что признается чудом всеми людьми, только о явных чудесах.

Что же должно произойти, чтобы все единодушно согласились: да, это несомненное чудо? Ответ прост: должно произойти то, чего не должно происходить, что противоречит нашим твердым и многократно проверенным представлениям о поведении материальных предметов.

Если я вложу в пишущую машинку два листа белой бумаги, проложенных копиркой, и напечатаю слово «природа», а на втором экземпляре отпечатается слово «пререда», это будет, конечно, стопроцентное чудо, которое приведет меня в ужас. Ведь согласно всему тому, что мы знаем о вещах, такого никак не должно быть. Это даже более великое чудо, чем тот улов святого Петра, когда его сети стали рваться от обилия рыбы. Тут все-таки можно предположить, что по каким-то реальным причинам к лодке вдруг подошел косяк, а вот если литера ударяет по копирке в одних точках, а краска отпечатывается в других, то рационального объяснения этому нет. Дело не в масштабе события, а в нашей абсолютной уверенности, что оно противоречит естественному порядку и идет против природы.

Так что о настоящем чуде надо говорить как о нарушении законов природы. Здесь необходимо добавить: эти законы должны быть нам доподлинно известны. Мало ли всяких домыслов называли «законами»? У марксистов был «закон» роста производительности труда при социализме, но тот факт, что она после победы социализма в любой стране падала раз в десять, не является, конечно, чудом. О каких же законах мы можем сказать, что они не вызывают сомнения? Думается, тут надо исключить не только социологию, но и биологию. Недавно в Польше родился котенок с крыльями — чудо это или

Чудотворная Иверская Монреальская икона Божией Матери

мутация? Английский энтомолог обнаружил на бабочках начертания всех букв латинского алфавита — чудо это или неизвестный вид мимикрии? Нет, в этой области нам так мало известно, что ее не надо трогать. По-настоящему авторитетные для нас законы — только законы физики. С учетом этого обстоятельства и нужно уточнить наше определение. Чудо — это явление, противоречащее основным физическим законам.

«Происходят ли чудеса?»

Этот вопрос эквивалентен такому: случаются ли события, несовместимые с фундаментальными законами физики? Задав его таким образом, мы сразу получаем положительный ответ: да, случаются. Один из самых фундаментальных законов физики — закон сохранения материи. Раньше его трактовали как закон сохранения массы (Лавуазье), теперь понимают как закон сохранения количества массы и энергии (Эйнштейн). В абсолютности этого закона не сомневается ни один ученый. И как раз он-то и нарушается у всех на глазах в известном с древних времен явлении мироточения икон. Оно состоит в том, что из некоторых икон, большей частью богородичных, в течение какого-то времени истекает благовонная жидкость, называемая в церкви «миро». Одна из них — Иверская Монреальская икона, явленная в 1982 году как бы специально для этого разговора. Она принадлежит частному лицу, православному испанцу, живущему в Канаде, Иосифу Муньосу-Кортесу, и выделяет ароматную жидкость почти непрерывно уже почти пятнадцать лет[*]. Общая масса выделенного ею вещества превысила 100 кг. О какой-либо подстроенности тут и заикаться нечего: икона мироточит в любом месте, ее видели десятки тысяч людей, каждый может взять ее в руки и убедиться, что в ней нет никаких трубочек, миро давали на анализ химикам, и они не идентифицировали его ни с одним известным парфюмерной промышленности соединением, истечение мира много раз заснято на фото- и кинопленку. Так что это действительно можно считать фактом, и этот факт вопиюще противоречит закону сохранения материи, попирает его самым непочтительным образом. Миро течет, а масса доски не убывает, и притока энергии, которая могла бы перейти в новую массу, тоже нет, ибо ее должен подводить к доске какой-то материальный носитель. Итак, уже одна Монреальская икона раз и навсегда отметает утверждение, что чудес не существует.

(83)

Даром ничто не проходит. Помощь Божия всегда готова и всегда близко, но она уделяется только ищущим и трудящимся, и притом тогда, когда ищущие испытают все свои средства... и полным сердцем начнут взывать: «Господи, помоги!» А пока остается хоть малое чаяние чего-либо от своих действий, Господь не вмешивается, как бы говоря: «Чаешь сам достигнуть! Ну и жди...» Но сколько ни будешь ждать, ничего не будет. Сознание своего бессилия — настоящее преддверие к получению помощи Божией.

Святитель Феофан Затворник

---

[*] 31 октября 1997 года Иосиф Муньос-Кортес был убит, а чудотворная икона похищена. — *Примеч. ред.*

Возвращение к чуду

Для людей неверующих, агностиков, а тем более для тех, кто относительно относится к религии вообще и христианству в частности, очень трудно найти определение чуда. Для них чуда просто не существует. Они полагают, что Бог просто сотворил мир, да и забыл про него, и мир функционирует как хороший часовой механизм, который лишь изредка нуждается в техосмотре. Но христианская традиция, особенно восточная, православная, считает иначе. Бог постоянно присутствует в сотворенном Им мире, поддерживает его, ежесекундно дает каждому малейшему его элементу возможность существовать.

Сандро Боттичелли.
«Святой Августин»

Бог выступает по отношению к Своему творению как художник и инженер. Именно потому Он может не то чтобы отменять Свои же законы, но совершать какие-то необычные действия. В этом — знак силы и могущества Божия.

Блаженный Августин говорил: «Когда Господь умножает хлебы — это чудо, но не меньшее чудо — произрастание хлеба».

Верующий, религиозный человек воспринимает весь этот мир как чудо, чудесное проявление силы Божией.

Есть два ракурса, два разных взгляда на мир. Христианин смотрит на него иначе, чем человек, далекий от Церкви.

Одного просто занимают экстраординарные события, он их коллекционирует.

Для другого это всего лишь очередное подтверждение власти Бога над этим миром и участия в его судьбе.

(95)

Любовь творит чудеса

Маленьким я жил вместе с бабушкой в деревне на берегу Северной Двины. Моего отца убили в конце войны, и мы остались совсем одни. Однажды, когда мне было пять лет, я отправился с бабушкой в лес собирать грибы и ягоды. Мы шли, и вдруг я увидел маленькое чудо: впереди меня по тропинке бежало яблоко! Конечно, оно катилось, но мне, маленькому, показалось, что оно бежит, как живое. Поверьте, здесь, в северной послевоенной голодной деревне, простое яблоко было почти чудом! В лесу, среди хвойных деревьев... Потом, конечно, я стал понимать (а может, уже тогда чуть-чуть догадывался), что чудо, наверное, сотворила моя бабушка: бросила яблоко вперед на дорожку. Но оно всегда здорово меня поддерживало, помогало оставаться оптимистом, что бы ни случалось потом в жизни.

Я думаю, чудо может быть многосторонним. Но основано оно всегда на одном чувстве — любви. Любовь, от Бога она или от человека, непременно рождает доброту, побеждает любое зло, она — источник оптимизма.

(103)

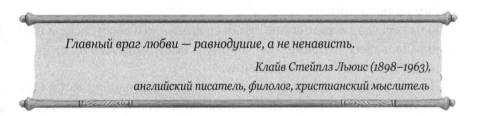

Главный враг любви — равнодушие, а не ненависть.

Клайв Стейплз Льюис (1898–1963),
английский писатель, филолог, христианский мыслитель

Чудное исцеление

В 1927 году я трехлетней девочкой была больна дифтерией в тяжелой форме. Вместе с мамой мы лежали в больнице. Врачи сказали, что я не перенесу этого заболевания, и велели маме подготовить «все на смерть». Мне пошили платье «на смерть» и принесли его в больницу. Мама моя была глубоко верующая и неустанно молилась Богу о моем спасении. Крепко уверовав в святого великомученика Пантелеимона, она имела при себе его икону и усердно молила святого о моем спасении.

В ту ночь мне стало совсем плохо. Мама в тревоге ждала моей смерти. Дыхание прекращалось, посинели ногти, произошло предсмертное очищение. Мама смочила мне губы святой водой, положила на грудь мне иконку святого Пантелеимона и продолжала ему молиться. Я притихла.

Святой великомученик и целитель Пантелеимон

Мама подумала, что я скончалась, но вдруг она услышала шепот. Я позвала ее и прошептала: «Мама, где тот доктор в красивом платьице, который мне горлышко смазал, позови его». В палате никого не было, и мама поняла, что это было великое чудо святого Пантелеимона, и горячо благодарила его за мое исцеление. У меня восстановилось дыхание, щеки порозовели, и я ожила. Каково же было изумление врача, когда он утром увидел меня сидящей в кровати и сказал: «Это невиданный случай выздоровления».

Мама всегда твердила мне, чтобы я помнила о своем исцелении и молилась святому великомученику и целителю Пантелеимону, благодаря его за чудное исцеление.

И вот теперь, через семьдесят лет, Господь сподобил меня прикоснуться к святой главе Пантелеимона и горячо поблагодарить его за мое исцеление. Слава тебе, святой великомученик Пантелеимон! Господи Иисусе Христе, Сыне Божий, Царица Небесная и все святые, помилуйте нас, на вас уповаем.

(22)

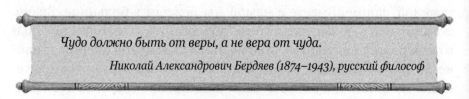

Чудо должно быть от веры, а не вера от чуда.

Николай Александрович Бердяев (1874–1943), русский философ

Молитва праведника

В 30-е годы в дом на Пильном неодно-кратно приходили чекисты, часто в ноч-ное время. Однажды они снова пришли с приказом арестовать старца и... верну-лись ни с чем. Что же произошло? Когда чекисты заполнили комнату, старец, ле-жавший в углу на своем ложе, попросил подойти к себе старшего из группы. Тот подошел. Серафим заглянул ему в глаза, прикоснулся к руке чекиста, погладил ее, а затем приложил свою руку к его голове и промолвил: «Да простятся тебе грехи твои, раб Божий...» — и назвал в точности его имя. Родные вспоминают, что стар-ший чекист сказал: «Если бы таких стар-

Преподобный Серафим Вырицкий

цев было больше, мы бы все стали верующими» — и заплакал. А батюшка, улыбаясь, сказал: «Угостите их чайком». Отец Сера-фим считал большевиков несчастными, жалел их и молился за них. Так же он относился и к оккупантам. И его любовь творила чудеса. Достаточно сказать, что в 1980 году поклониться могиле старца приехал бывший гитлеровский офицер, который был здесь в войну, — местные жители еще помнили его.

То, что происходило в Вырице в годы войны, иначе как чудом не назовешь: ни один из жителей поселка не погиб, во всем селе-нии был разрушен только один жилой дом, действовала церковь. Это был единственный действующий храм во фронтовой полосе, причем по ту сторону фронта! По молитвам старца Господь поми-ловал Вырицу. Немцы, заняв поселок, расквартировали в нем часть, состоявшую из... православных. Вырицкая команда состоя-ла из румын, уроженцев восточной части страны, где исповедует-ся Православие, да еще говорящих по-русски! И вот по воскресень-ям в церкви стали стоять солдаты в немецкой форме. Местные жители поначалу косились на них, но потом, видя, как те крестят-ся и соблюдают чин службы, привыкли...

(87)

Пример современного чуда при обретении мощей

В последнее десятилетие минувшего XX-го века были обретены мощи преподобного Корнилия Крыпецкого в Крыпецком мужском монастыре, что под Псковом, — как и предсказывал этот святой. Перед смертью он говорил, что его похоронят не так, как следует, — головою на север, а не на восток. По обретении же мощей положат как надо — и с этого времени Россия начнет возрождаться. Найденное захоронение действительно имело ориентацию изголовьем на север. Тут возникли одно за другим два затруднения: первое из них заключалось в

Преподобный Корнилий Крыпецкий

том, что мощи святого были обвиты корнями дерева, как будто земля не хотела отдавать святого угодника. Когда же мощи освободили, то испытали чувство, близкое к растерянности, — как поступить? Прежде чем уложить святого во временную раку, мощи необходимо было освободить от комьев грунта, от песка. На это нужно особое благословение высокого церковного начальства, то есть время.

Но послушаем, как откликнулся на последовавшее потом чудо один из верующих:

Никто не знал, что дальше, — разве
Любил он зло, порок и тьму,
Похожие на комья грязи,
Прилипшие теперь к нему,

Чтобы от сора и от пыли
Его теперь же не омыть?
Но кто дерзнуть посмеет? Были
В недоуменье все. Вдруг нить

Дождя сверкнула. Правый Боже!
Прости, прости твоим рабам!
Мы позабыли, что возможно
Тебе — немыслимое нам.

И для святого Своего
Открыл Ты небо, как объятья,
И чистой влагой благодати
С любовью оросил его.

И тотчас ореолы радуг
Над хвойной местностью возжег.
И поняли мы: с нами Бог!
И пели явленную радость.

Действительно, все так и было: внезапно прошел ливень, омыв мощи святого Корнилия, и в небе торжественно засияли сразу две радуги. Поистине, диво!

(101)

Письмо архимандрита Софрония (Сахарова) к Давиду Бальфуру

Я очень понимаю тебя, когда ты пишешь об А. Я ответил ему и на телеграмму из Каира о кончине (его жены) М., и на его письма также... Тебе могу сказать открыто и со всей определенностью. В последнее время я писал ему с меньшим расположением, потому что ожидал от него и от М. большего.

Ты ведь знаешь, что она была приговорена врачами к смерти. В Лондоне, в госпитале для раковых больных, уже оставили ее лечение лучами, потому что все уже казалось совершенно безнадежным. Швы не держались, внутренности — съедены раком... и многое другое.

Он просил меня молиться с ним о ее излечении. Он просил у Бога чуда. Я с радостью в духе, но великой скорбью в сердце моем стал молиться за нее и за него. В один из дней февраля месяца (два года тому назад) я поехал причащать ее. Провел я у ее постели более двух часов. Молились, говорили, обсуждали; причастил я ее... Возвратившись домой, я на другой день получил письмо от А., что врачи осмотрели М. и решили продолжать лечение лучами. Состояние ее и духовно, и физически заметно улучшилось. Тогда я писал А., что первый «поворот» произошел. Пусть он надеется, что выздоровление возможно, но пусть помнит, что и ему, и ей нужно будет в таком случае изменить радикально жизнь, ибо чудо не совершается для того, чтобы они остались какими были до чуда.

Архимандрит Софроний (Сахаров)

Через некоторое время, приблизительно две недели, я снова был в Лондоне, чтобы вторично причастить ее. Снова крепко молились и прочее. И вот та, которая была совсем уже «развалиной» несколько дней тому назад, встает с постели, на автобусе едет в аэропорт, оттуда на самолете в Швейцарию, где ты их встретил. Живут они в горах, ходят гулять, она ест все, веселая и почти жизнерадостная. Затем через некоторое время едут в Париж, там ходят повсюду, по музеям, театрам и так далее... Приезжали в Лондон, чтобы показаться врачам. Врачи не находили следов «метастаза» или возврата. Они едут в Грецию, в Египет... но ничего нет кроме искания «старого счастья», кроме желания «жить», как это было в прежние годы, до болезни.

А. не сказал ей, что у нее был рак, что она излечена чудом. Он поддерживал в ней убеждение, что прежние врачи ошиблись, что у нее ничего «страшного» не было... И в результате — чудо произошло без всякого коренного изменения в их жизни духовной. Не знаю, сохранила ли она статуэтку Будды, которую я видел у нее в госпитале и которую она с нескрываемым удовольствием показала мне как нечто «чудное». В тот час я не хотел ее ничем опечалить и сказал только, что сам я люблю только Христа, и не хотел смотреть я на Будду. Ни она, ни А. меня не поняли. Я не хочу входить в анализ жизни А. и М. Но я всегда считал А. богато одаренным для духовной жизни, и мне всегда было глубоко больно, что он не понял призвания Божия. Он предпочел некий «универсализм», который находит в наше время почву во многих умах. М. была под его влиянием, и, конечно, от него я прежде всего ждал понимания, что универсальность Христа — есть единственная и подлинная универсальность. Что искать что бы то ни было и где бы то ни было, нечто более универсальное могут только те, кому не было дано жить благодатью крещения... Естественным для меня было последовавшее снова ухудшение здоровья М. Для меня также было уже невероятно тяжело снова просить Бога, потому что моя первая надежда была обманута: они не переродились, не возродились. Ведь молитва за больных, за их выздоровление силою свыше, чудом, возможна только при обещании покаяться, то есть в корне изменить всю жизнь, чтобы слава Божия нашла свое место в них, чтобы вся последующая жизнь их проходила уже в плане именно Божией славы.

Архимандрит Софроний (Сахаров), (79)

***

Я убежден, что самое главное чудо, которое может произойти в мире, — это то, что происходит в душе человека. Не переставление гор с места на место в буквальном смысле слова, а возможность сдвинуть «горы своих грехов», пристрастий, привычек. Это для меня гораздо более значимо. Христос не говорит, что блаженны творящие чудеса. Но *блаженны чистые сердцем* [Мф. 5: 8]. В Православии главное — это изменение твоего внутреннего мира. Впрочем, не только в Православии. Даже в Индии многие мудрые люди говорили, что неумный, несовершенный человек старается изменить то, что вне его, а мудрец старается изменить то, что внутри него. И, я думаю, истинность Православия доказывается не столько какими-нибудь чудесными исцелениями и пророчествами, сколько тем, что люди, от которых вроде бы и ожидать было нельзя каких-нибудь покаянных перемен, — меняются.

Диакон Андрей Кураев, (103)

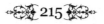

***

Давным-давно отцами Церкви сказано, что чудеса — это не моменты, когда Бог Своей властью принуждает природу: волны на море, хлебы, которые умножаются, болезнь, охватившую человеческое тело, — подчиниться, поработиться Его воле и как бы войти в новое измерение.

Отцы Церкви нам говорят о том, что чудеса — это действия Божии, которыми вещественная тварь освобождается

Воскрешение Лазаря

от рабства греху и последствий человеческого греха. Это момент освобождения.

Это момент, когда силой Божией и благодатью Его, обращенной к твари, готовой ответить на Его зов и на Его действие, эта тварь хоть на какое-то время снова делается собой — чистой, освобожденной от человеческого греха.

Митрополит Антоний Сурожский, (5)

Раздели свое горе

Жена отца Алексия страдала от болезни сердца, это было у нее в роду. Недуг не поддавался лечению, не помогали и поездки в Крым. В 1902 году матушка Анна умерла, оставив отца Алексия одного с маленькими детьми на руках, в разваливающемся, гнилом доме, в бедном приходе.

Вне себя от горя он отправился в храм, где в это время совершал службу отец Иоанн Кронштадтский.

И вот что сам отец Алексий рассказывал об этой встрече: «Стоя в соборе посреди толпы в десятки тысяч людей, я вдруг увидел взгляд отца Иоанна и услышал его голос: "Скорбящий отец Алексий, поди-ка ко мне". Затрепетало мое сердце. Толпа расступилась, и я очутился на амвоне. Он возложил на меня руки и сказал мне, безмолвствующему: "Свое горе разделяй с горем народа, и твое горе будет в полгоря, — и дальше продолжал: — Утешай, благословляй, молись за людей и помогай как и чем можешь, а сейчас будешь служить со мной Литургию". Во время Литургии не помню, где я был, точно на Небе. Я не чувствовал под собой пола, точно стоял в воздухе, обливаясь слезами. А батюшка отец Иоанн рыдал и был весь в свете...»

Святой праведный
Алексий (Мечев) Московский

Отец Алексий вернулся в свой приход в Кленниках и продолжал служить по завету отца Иоанна, стараясь разделять свое горе с горем народа.

«Восемь лет я служил Литургию каждый день в пустом храме, — сказал он однажды и прибавил с грустью: — Один протоиерей говорил мне: "Как ни пройду мимо твоего храма, все у тебя звонят. Заходил я в церковь — пусто. Ничего не выйдет у тебя: понапрасну звонишь"».

Но отец Алексий продолжал служить непоколебимо, и через несколько лет народ пошел к нему рекой.

(64)

Жизнь отдельного человека имеет смысл лишь в той степени, насколько она помогает сделать жизни других людей красивее и благороднее. Жизнь священна; это, так сказать, верховная ценность, которой подчинены все прочие ценности.

Альберт Эйнштейн (1879–1955),
немецкий физик, создатель теории относительности

«Я искала...»

Зима. Я стою под ярким уличным фонарем. Поднимаю голову вверх — тысячи беленьких снежинок кружат в волшебном танце. Красиво. На ум приходит сравнение — они точно как люди. Жаль, что к земле летят. К земле, где их, таких удивительно красивых, растопчут. «Ненавижу зиму», — подумала я.

Я искала. Первой моей ошибкой был путь творчества. Казалось, нужно написать хорошую картину или стихи, и так можно обрести себя в вечности. Очень скоро я разочаровалась. Потом психология. Затем книги, Дейл Карнеги. Но стало больно, когда душу пронзили чьи-то слова о лицеме-
рии во мне. Да, и это была ошибка. Я взрослела. Сердце ожесточилось, пришло отчаяние. Тогда родилась первая молитва: «Господи, если Ты есть, помоги мне, я сама ничего не могу!» Ответа не последовало. Все...

В тот день я бессмысленно брела по городу, не зная, куда иду и зачем. Оказалась на Немиге.

Возле храма Петра и Павла сидел ребенок в инвалидной коляске. Деньги мне были уже не нужны, и, не задумываясь, сунув их в маленькие ручонки, хотела отойти. Но вдруг малыш схватил меня за руку. Я посмотрела в его глаза и все в моей душе перевернулось. Буквально за секунду я увидела всю свою жизнь другими глазами. Вот в чем смысл. В ближнем. В Любви. В служении людям. Чудо. Так Господь детскими руками за одно доброе движение души выхватил меня из бездны отчаяния.

Из дневниковых записей послушницы N, (107)

Усҭами младенца
глаголет истина

Нас куда-то несет
В непроглядную темь,
И погибельным вехам
Не видно конца.

Ложь и смута окрест,
Обратитесь в детей,
Обратитесь в детей,
И услышите голос Отца.

Иеромонах Роман

Вечная детскость Бога

Кто не примет Царствия Божия, как дитя, тот не войдет в него (Мк. 10: 15) — эти удивительные слова мы находим в Евангелии. В Евангелии вообще много, часто говорится о детях: *...таковых есть Царство Небесное* (Мф. 19: 14) — что это значит? Тот мир, в котором мы живем, та цивилизация, которая определяет все наши

Господь Иисус Христос — Эммануил

взгляды, мысли и вкусы, пожалуй, почти не способна уже услышать эти евангельские слова, поверить им и, я прибавлю, — обрадоваться им. Ибо этот мир, эта цивилизация прежде всего предельно и угрюмо серьезны, и они гордятся этой своей серьезностью.

Но, может быть, стоит и нужно прежде всего спросить себя — что означают эти евангельские слова, этот призыв *быть как дети* [Ср.: Мф. 18: 3], принять Царство Божие как дитя, ибо вряд ли, конечно, они означают принципиальный отказ от развития, знания, роста науки и так далее. В Новом Завете мы находим столько призывов именно к возрастанию, желанию достичь *полной меры возраста Христова* [Ср.: Еф. 4: 13]; все христианство есть один сплошной призыв именно расти, развиваться, искать пути совершеннейшего [См.: 1 Кор. 12: 31]. Поэтому, повторяю, этот призыв Христа *быть как дети* нельзя никоим образом выдавать за отказ христианства от знания, за его желание сохранить человека примитивным, темным и непросвещенным. И нужно ли снова и снова доказывать, что та самая наука, во имя которой теперь развенчивают веру, религию, христианство, началась в монастырях, что первые университеты были созданы Церковью, что на заре нашей цивилизации практически все просвещение, или, как говорили тогда, книжность, вдохновлялось именно религией. Философия, физика, медицина — все вышло из этого христианского вдохновения, вдохновения на познание мира Божия, вдохновения любви, вдохновения помощи ближнему. Слова *доктор, магистр, кандидат* взяты из церковного календаря, ибо первоначально все научные степени давались Церковью.

Поэтому отбросим то легкое, несправедливое и клеветническое толкование, согласно которому *быть как дети* — это оставаться на принципиально низкой ступени образования и развития и, как результат, путем обмана и при помощи невежества эксплуатировать этих неразвитых и темных людей.

Но вот Христос говорит: *Кто не примет Царствия Божия, как дитя, тот не войдет в него.* Он говорит: *Будьте как дети, ...таковых есть Царство Небесное.* Что же составляет сущность этой детскости? В чем ее вечное, непреходящее значение?

Для правильного ответа на этот вопрос нужно, я думаю, напомнить тот общеизвестный и действительно универсальный факт, что для всех почти людей детство остается именно золотым детством — раем, потеряв который человек неустанно в воспоминании возвращается к нему с радостью и с тоской, с любовью и с печалью. Иными словами, теряя детство, человек теряет что-то, чего ему затем всю жизнь болезненно не хватает, о чем он непрестанно жалеет, к чему он все время мысленно возвращается. Что же это такое? А ответить можно одним словом — целостность.

Ребенок не знает еще этого раскола жизни на прошлое, настоящее и будущее, этого печального опыта утекающего безвозвратно времени. Он весь в настоящем, он весь в полноте того, что сейчас, будь то радость, будь то горе. Он весь в радости, и потому говорят о «детском» смехе и о «детской» улыбке; он весь в горе и отчаянии, и потому говорят о «слезах ребенка»; потому так легко, так неудержимо он и плачет и смеется.

Ребенок целостен не только в отношении ко времени, но и ко всей жизни, он отдается весь — всему; он воспринимает мир не рассудочно, не аналитически, не каким-либо одним из своих чувств, а всем своим существом без остатка — но потому и мир раскрыт ему во всех своих измерениях. Если для него звери говорят, деревья страдают или радуются, солнце улыбается, а пустая спичечная коробочка может чудесно засиять, как автомобиль, или аэроплан, или дом, или что угодно, то это не потому, что он глуп и неразвит, а потому что ему в высшей степени дано и открыто это чувство чудесной глубины и связи всего со всем.

Потому что он имеет дар полного слияния с миром и с жизнью, потому что, вырастая, мы действительно безнадежно теряем все это.

Само слово *религия* по-латыни означает *связь*. Религия не есть одна из частей опыта, не есть одна из областей знания и чувства, религия есть именно связь всего со всем и потому-то последняя правда обо всем.

Религия — это глубина вещей и их высота; религия есть свет, льющийся из всего, но потому и все освещающий; религия есть опыт присутствия во всем, за всем и надо всем той последней Реальности, без которой ничто не имеет никакого смысла. Эта целостная Божественная Реальность и постигается только целостным восприятием, и вот это-то и значит — *будьте как дети*.

Протоиерей Александр Шмеман, (96)

Зачем я живу?

Однажды, уже будучи священником, я проводил урок в воскресной школе одного из московских храмов. Моими слушателями были совсем маленькие детишки четырех, пяти и шести лет с их родителями. Да, многим мамам и папам интересно было послушать беседу батюшки с детьми, тем более, что в свое время они и помыслить не могли о подобной встрече. Передо мной с самым серьезным видом сидели малыши, сложив по-ученически руки на партах, а сзади устроились родители, совмещая приятное с полезным: детей все равно ждать, а тут предоставлялась возможность и батюшку послушать. Предмет для разговора был выбран серьезный — смысл жизни. «Конечно, об этом многие говорили и писали, — повел я речь, — среди них знаменитые ученые, философы, не ровня нам. Меня же интересует, в чем вы, дорогие дети, видите смысл своей собственной, а не чужой жизни. Желает ли кто-нибудь из вас, поразмыслив, ответить на такой серьезный вопрос:

для чего Господь Бог сотворил именно вас, как вы это понимаете?» Минуту-другую все помалкивали. Да и немудрено — взрослые тоже были озадачены. Но затем поднялась одна рука, другая, третья — и вот уже несколько учеников воскресной школы были готовы дать ответ на этот, казалось бы, совсем не детский вопрос. Первым вызвался отвечать пресимпатичнейший малыш с белобрысой головкой, совсем как на картине Поленова «Московский дворик». Встав, он бойко и без запинки сказал: «Меня Бог сотворил, чтобы я ухаживал за своим хомячком!» Многие засмеялись. «Тут не над чем смеяться, — возразил я, — ответ дан очень и очень глубокий. Видите, мальчик убежден, что Господь Бог воззвал его из небытия для того, чтобы изливать любовь... ну пусть сначала на хомячка. Ведь и в Библии у премудрого царя Соломона написано: *Праведный печется и о жизни скота своего...* (Притч. 12: 10). Действительно, полюбив и доказав своим попечением любовь к крошечному хомячку, он затем дорастет и до любви к людям, которая требует гораздо более трудов и самоотвержения». Казалось, мой комментарий удовлетворил всех. Но в этот момент захотела отвечать маленькая Катенька: «А меня Господь создал, чтобы я ухаживала за своей черепашкой». Уже никто не смеялся, но мне пришлось заметить, что ответ не вполне самостоятелен, хотя опекать черепашек — дело тоже достойное. Следующим поднялся мальчуган лет шести с короткой стрижкой и еще более коротким именем Тит. Сейчас это уже вполне взрослый юноша. «Я сотворен Богом, — глубокомысленно изрек он, — чтобы не было скучно». Воцарилось молчание. Признаться, и я на минуту почувствовал себя в растерянности — уж слишком неожиданным оказался ход детской мысли. «Позвольте, позвольте, "чтобы не было скучно", — повторил я изречение, одновременно размышляя над ним. — Ну конечно! Совершенно ясное свидетельство, полностью подтверждаемое Священным Писанием! Во-первых, у царя Соломона в Книге Притчей есть речение о том, что Божественная Премудрость веселится о создании рук Своих. Бог по преизбытку благости сотворил мир, дабы разумные Его создания, Ангелы и люди, познавая Творца и служа Ему, об-

ретали бы в этом источник неиссякаемого блаженства. Во-вторых, — продолжал я осмыслять ответ Тита, — Господь даровал мальчика его маме, чтобы ей не было грустно, но чтобы, взращивая его, она непрестанно благодарила Создателя. Помните, как говорит Господь о рождении дитяти: *Женщина... когда родит младенца, уже не помнит скорби от радости, потому что родился человек в мир* (Ин. 16: 21). В-третьих, самому Титу теперь вовсе не скучно, ибо он открытыми глазами смотрит на мир Божий, полный всевозможных чудес». Поглядывая на родителей, я видел на их лицах радостное изумление по поводу столь серьезных ответов их детей. Некоторые мамы записывали в блокнотики и тетрадки мысли детей и разъяснения священника. Родители тоже чувствовали себя полноправными учениками воскресной школы. Наконец одна девочка постарше, лет десяти-одиннадцати, сказала: «А меня Бог сотворил на добрые дела». Я удивился — до какой степени ее представление о собственном предназначении совпадало с ясными словами святого апостола Павла о том, что Бог приготовил от вечности добрые дела для всякого христианина [См.: Еф. 2: 10], желающего угодить своему Искупителю. Больше всего впечатлений от прошедшего урока о смысле жизни получил я сам. Душа моя не переставала удивляться мудрым ответам детей, которые, казалось, вовсе не доросли до размышления на подобные темы. И правда, устами младенца глаголет истина.

Протоиерей Артемий Владимиров, (13)

«Не бойся, Господи, я с Тобой...»

Дети пишут Богу

Ты что, воздуха невидимее? *Диана*

Для чего нужен человек? *Алик*

Может, я могу Тебе чем-то помочь? *Света*

Как мне жить, чтоб все на свете были счастливы? *Лиза*

Как бы добожиться до Тебя? *Юра*

Почему, когда кого-то обидишь, настроение портится, а когда кого-то прощаешь, становится радостно? *Алла*

На каком языке говорят души? *Рая*

Пожалуйста, сделай жизнь проще. *Павел*

Господи, сделай, пожалуйста, так, чтоб и после смерти всей нашей семьи мы на том свете были вместе. Маме без нас и в раю будет ад. *Саша*

Дорогой Бог, прошу Тебя, сделай так, чтоб, начиная от бабушки и кончая слонами, все были счастливы, сыты и обуты. *Тоня*

Я не хочу в мир взрослых — там все неправда. *Андрей*

Прости мне, Господи, мои грехи и сделай святым с детства. *Александр*

Ведь Ты же есть в каждом человеке, так что, пожалуйста, расскажи ей, как она мне нравится. Сам я стесняюсь. *Коля*

Господи, я Тебе благодарна за все, что Ты раньше делал. Но помоги мне сейчас. Моего папу посадили ни за что в тюрьму, и теперь он уже сидит 8 месяцев. Я жду его все время. Если бы у меня была возможность, то я бы его освободила. Я Тебя очень прошу, помоги мне. Это самая большая просьба. Потом я беспокоить Тебя никогда не буду. Даже если случится умирать. *Ира*

Господи, я хочу умереть не больно. *Таня*

Милый Боженька, забери меня обратно, здесь так скучно. *Вася*

Когда я умру, не хочу ни в рай, ни в ад. Хочу к Тебе. *Вера*

Давай встретимся до смерти. *Юра*

Хочу, чтоб Ты жил на земле. *Антон*

Я Тебя уважаю за веру в человека. *Игорь*

Не бойся, Господи, я с Тобой! *Андрей*

(19)

«Тише, Бог идет!»

Не зря народная мудрость гласит: «Устами младенца глаголет истина». Часто через детей, кротких, незлобивых, Господь открывает то тайное, что мы не можем видеть.

Так я однажды убедилась, как близки к Богу наши больные детки из интерната. Мы привели малышей на службу в храм блаженной матушки Ксении. Усевшись в ряд прямо на коврике, детишки притихли, наблюдая с любопытством за батюшкой, хором и незнакомыми дядями и тетями, которые довольно шумно себя вели. Потом, как все дети, они устали и стали баловаться. Я старалась их успокоить, забыв о главном — о том, что *сие место свято есть* [Ср.: Нав. 5: 15] и что пришли мы с детьми к Богу. Шла Литургия верных. И вдруг после возгласа священника — *Святая святым!* — маленький Андрюша громко, на весь храм, вскрикнул:

— Тише, Бог идет!

Все притихли, а мне стало страшно. Ведь это было явное чудо. Откуда ребенок, который почти не говорит и, казалось, не понимает смысла происходящего, мог так точно предвозвестить вынос Святой Чаши?

Из дневниковых записей сестры N, (107)

Бог с нами

Ему было не более четырех лет. Отец его, подобно многим русским крестьянам, любил оказывать гостеприимство странникам. Однажды, в праздничный день, с особенным удовольствием он пригласил к себе некоего книгоношу, надеясь от него, как человека «книжного», узнать что-либо новое и интересное, ибо томился он своей «темнотой» и жадно тянулся к знанию и просвещению.

В доме гостю был предложен чай и еда. Маленький Семен с любопытством ребенка смотрел на гостя и внимательно прислушивался к беседе. Книгоноша доказывал отцу, что Христос не Бог и что вообще Бога нет. Мальчика Семена особенно поразили слова: «Где Он, Бог-то?»; и он подумал: «Когда вырасту большой, то по всей земле пойду искать Бога». Когда гость ушел, маленький Семен сказал отцу: «Ты меня учишь молиться, а он говорит, что Бога нет». На это отец ответил: «Я думал, что он умный человек, а он оказался дурак. Не слушай его». Но ответ отца не изгладил из души мальчика сомнения.

Много лет прошло с тех пор. Семен вырос, стал большим здоровым парнем и работал неподалеку от их села, в имении князя Трубецкого, где старший брат его взял подряд на постройку. Работали они артелью, Семен — в качестве столяра. У артельщиков была кухарка — деревенская баба. Однажды она ходила на богомолье и посетила между прочим могилу замечательного подвижника — затворника Иоанна Сезеновского (1791–1839). По возвращении она рассказывала о святой жизни затворника и о том, что на его могиле бывают чудеса. Некоторые из присутствовавших стариков подтвердили рассказы о чудесах, и все говорили, что Иоанн был святой человек. После этой беседы Семен подумал: «Если он святой, то, значит, Бог с нами, и незачем мне ходить по всей земле — искать Его», и при этой мысли юное сердце загорелось любовью к Богу.

Удивительное явление, с четырехлетнего до девятнадцатилетнего возраста продержалась мысль, запавшая в душу ребенка после слов книгоноши; мысль, которая, видимо, тяготила его, оставаясь где-то в глубине неразрешенной, и которая разрешилась таким странным и, казалось бы, наивным образом.

(80)

На первой исповеди

В воспоминаниях Евгении Рымаренко о первой исповеди старшего сына, которому было всего пять с половиной лет, у отца Нектария есть удивительные строки. Мама не утерпела и спросила мальчика о том, что спрашивал у него старец. Он сказал, что тот задал вопрос: «Любишь ли ты маму?» Мальчик честно и ответственно отнесся к нему и сказал на это: «Нет». Евгения очень удивилась, не зная, чем объяснить такое. Сынишка же без колебания в правоте своего понимания любви пояснил: «Я ведь тебя часто не слушаюсь». Поневоле вспомнишь евангельское: *Если любите Меня, соблюдите Мои заповеди* (Ин. 14: 15).

(93)

***

Мой сын пяти лет воспринимает Бога как абсолютно реальную Личность. Ну как бабушку свою, например. Так же и Ангелов и Богородицу. Как-то застала его с молитвословом в руках — а читать он еще не умеет. Он стоял в комнате один перед иконами и говорил, глядя на образа: «Богородица, ты хорошая».

***

Мои внуки перед едой иногда молятся своими словами. Однажды один из них, перекрестившись, произнес: «Господи, благослови меня покушать». В это время подошел другой внук и, глядя на икону, серьезно добавил: «И меня тоже».

***

Мне все вспоминается тронувший меня случай. Машке тогда было около четырех лет. Я усадила ее обедать, поставила перед ней тарелку с супом. Она произнесла свое обычное: «Господи, благослови еду», перекрестила суп, взялась за ложку и... Ай! Суп оказался горячим. Я ей — подуй, мол. А она, не глядя на меня, все с той же серьезностью: «Господи, благослови, чтоб не горячий!»

(106)

Воробей

Как-то в холодный день в Аничковом саду я подобрал воробья. По всей вероятности, он выпал из гнезда, беспомощно лежал на траве и, закрыв глазки, показывая белую пленку, тяжело дышал. Я тихонько взял его на ладонь и, зная правила птичьей медицины, стал на него дышать... Ники и Жоржик стояли около меня, затаив дух. Я казался им великим человеком.

— Он, может, кушать хочет? — спросил потом Ники.

— Сначала отогреть, — сурово сказал я... Воробей лежал без движения.

— Он, может, мертвенький? — робко спросил Ники.

— Ничуть. Смотри на живот, — сурово говорил я, — видишь, как ходит туда-сюда животик?..

«Надо на кухню», — вдруг сообразил я...

[...] Моя трезвая санчопансовская голова тревожилась только об одном: как бы из всего этого приключения не получилось крупных неприятностей с головомойкой, так как я не мог не понимать, что визиты на кухню никак не могли входить в программу нашей жизни. «У нас же — не как у людей», — размышлял я и рассчитывал только на то, что спасенный воробей из благодарности должен умолить Бога.

...Мои думы о молитве были переданы по наитию Ники, и Ники вдруг сказал:

— Надо помолиться за воробушка, пусть его Боженька не берет, — мало у Него воробьев?

И мы, вообще любившие играть в церковную службу, внимательно за ней следившие, спрятавшись за широкое дерево, отслужили молебен за здравие воробья, и воробей остался в живых.

(90)

«А тебе являлся Ангел?»

Это было на праздник Крещения Господня. Служилась вторая утренняя Литургия в верхнем Свято-Елисаветинском храме. После ночной службы людей было немного. Полупустой строящийся храм уже согрет молитвой и теплом человеческого дыхания. Тихо и спокойно. Но я почему-то никак не могу побороть суету своих мыслей, углубиться в слова молитвы. И по моему малодушию подкрадывается знакомое состояние тоски, душа начинает страдать. Чувствую себя выдворенной прочь из-за небрачных одежд. Темными красками окрашен мир вокруг.

Мрачные мысли рассеял внезапный шум. Сестры и братья привели в храм детей из дома-интерната. Дети были возбужденными, шумно раздевались, жестикулировали, радостно спешили что-то объяснить друг другу. Я с грустью наблюдала за ними, всматриваясь в их лица. В какой-то момент мне показалось, что и мои грехи отразились в их нескладном внешнем облике.

Вдруг один из отроков, вырвавшись из-под опеки брата Геннадия, устремился в алтарь, но его успели остановить. Мальчик принял это за игру и начал бегать по храму, то и дело устремляясь в алтарь, и в какой-то момент оказался возле меня. Я попыталась успокоить его, протянув ему руку с четками. Он, прикоснувшись к «игрушке», присел на стоящую рядом скамейку и с сердечным доверием стал рассказывать мне о чем-то. Я с трудом понимала малую часть его рассказа, одновременно пытаясь следить за службой. Внезапно прозвучал четкий и требовательный вопрос:

— А тебе являлся Ангел?

Я с удивлением взглянула на своего собеседника:

— Нет, — и задала встречный вопрос:

— А тебе?

— Мне являлся.

— Какой же он?

— Очень краси-и-и-вый!

Сказанные в простоте слова глубоко потрясли меня и, как весенний дождь, омыли мою душу. И чудный глагол «являлся», сегодня почти не используемый нами, но произнесенный устами болящего отрока, наполнил сердце радостью. Господь явил мне, немощной, Свою любовь. Непостижима человеческая душа и бесценна она для Бога. Человек, страдающий множеством болезней, умственных и физических недостатков, имеет царскую награду — видеть Ангела. А мне, грешной, великим утешением было слышать об этом.

Из дневниковых записей монахини N, (107)

Письмо Богу

Самый известный сегодня греческий святой — святитель Нектарий Эгинский. Но до того, как стать монахом, он носил имя Анастасий.

Семья, в которой родился младенец Анастасий, жила очень бедно, но родители старались за все благодарить Господа и учили этому своих детей. По воскресным дням вся семья шла в церковь на Литургию. Маленькому Анастасию очень нравились проповеди. Иногда, придя домой после службы, он взбирался на стульчик и по памяти повторял то, о чем говорил батюшка. Еще будучи маленьким мальчиком, Анастасий усердно молился. А в семь лет он сам склеил тетрадь и сказал маме, что будет вписывать в нее слова Божии.

Святитель Нектарий, Эгинский чудотворец

Анастасий рос одаренным мальчиком, но, чтобы продолжить учебу, ему надо было уехать из родных мест. Из-за бедности родителей ему пришлось отправиться в Константинополь, чтобы там зарабатывать деньги и учиться. Получив благословение и взвалив на плечи сумку с вещами, он отправился в порт Селиврии.

Узнав, что есть пароход, который плывет в Константинополь, Анастасий попросился на палубу. Но так как денег у мальчика не было, капитан отказал ему. Анастасий стоял на причале, с горестью смотрел на небольшой пароход и просил Бога о помощи. На судне запустили двигатель, но оно не трогалось с места. Капитан приказал прибавить обороты, но пароход по-прежнему стоял на месте. В какое-то мгновение раздосадованный капитан встретился взглядом с грустным Анастасием и, неожиданно для себя самого, произнес: «Поднимайся!» Мальчик стрелой влетел на судно, и корабль вышел в море. Радости отрока не было предела, он непрестанно благодарил и славил Бога.

И вот пароход приплыл в Константинополь. Анастасий, никого в городе не знавший, стал искать работу (в те времена работать разрешалось и детям 8–12 лет). Место нашлось на табачной фабрике. Юный Анастасий работал много, но платили ему очень мало. Анастасий жил в такой бедности и такой нужде, что в детской простоте решил написать письмо Господу, чтобы рассказать Ему о своей нужде. «Попрошу я у Него фартук, одежду и обувь, ведь у меня ничего нет, мне холодно», — думал Анастасий. Взяв листок бумаги и карандаш, он написал: «Христос мой, у меня нет фартука, нет обуви. Прошу Тебя послать их мне. Ты знаешь, как я люблю Тебя». Затем сложил письмо, запечатал его, а на конверте написал: «Господу Иисусу Христу на Небеса». С тем и отправился на почту. По дороге ему повстречался сосед-торговец и спросил:

— Анастасий, куда ты идешь?

Мальчик не знал, что сказать, и только мял в руках конверт.

— Давай мне твое письмо, я его отправлю.

Анастасий, не раздумывая, отдал конверт. Торговец взял его, положил в карман и пошел дальше. Опуская письмо в почтовый ящик, он обратил внимание на адрес и, подумав, вскрыл конверт. Прочитав письмо, торговец пожалел мальчика. На следующий день Анастасий получил по почте конверт, в котором лежали деньги.

(110)

Маленькие молитвенники

В знакомой мне семье в сибирском городе Ноябрьске заболел недавно воцерковившийся мужчина. В течение первого дня его пятилетний сынишка озабоченно ходит вокруг лежащего папы... На следующее утро больной уже приподнимается... Максимка

вбегает в спальню отца и на бегу спрашивает: «Ты уже не болеешь?» Получив в ответ: «Уже получше, но все-таки еще болею», — мальчишка, не останавливаясь, тут же разворачивается в обратную сторону и на бегу бросает: «Тогда я побегу еще помолюсь!»

А вот случай, свидетелем которого я сам был. В июне прошлого года меня пригласили прочитать несколько лекций в Тамбове.

Нетрудно представить себе поезд, который идет из Москвы в начале лета. Вагоны полны детишками, которых родители конвоируют к бабушкам в деревню. В моем купе едет типично московская семья. Мама с папой везут к бабушке в деревню двух мальчишек. Старшему девять, а младшему около шести. Естественно, они видят, что я священнослужитель, и мама рассказывает, что они тоже «во что-то» верят, что папа строитель, как-то даже трубы к храму прокладывал. Детишки, мол, тоже не без Бога растут. «Младший, Сашенька, даже *Отче наш* знает», — мама хвастается. Тут же малыша поднимает: «Сашенька, ну покажи, как ты знаешь *Отче наш!*» Обычно ребенку очень не хочется декламировать что-либо

перед взрослыми людьми: что стихотворение, что молитву. И вот Саша «с пятого на десятое», с огромной неохотой прочитал молитовку (только отстаньте, мол, от меня).

Легли спать. Их станция была часов в шесть утра. За час детишек будят. Собирают. Буквально без десяти шесть, не доехав лишь несколько километров до станции, поезд вдруг останавливается. Стоит час, другой. Потом выяснилось, что в поезде, который шел перед нами, взорвалась цистерна. Детишки нервничают, родители тоже беспокоятся: их машина из колхоза должна встречать.

И неожиданно мама нервно говорит: «Ну, Сашенька, ты, что ли, помолись!?» Она-то, похоже, даже не всерьез об этом попросила. Но Сашенька все понял правильно. Встает и работает уже всерьез: *Отче наш, Иже еси на Небесех...* Какие-то фразы опуская, слова путая... И когда он сказал: *Аминь,* — поезд тронулся. Проехал нужные километры до станции, на которой юному молитвеннику надо было сходить, и встал там уже надолго.

Моих молитв Господь не принимал...

Диакон Андрей Кураев, (41)

Быть другом Христовым

Послали мальчика лет семи на исповедь к митрополиту Антонию Сурожскому. Мальчик еще ни разу не был на исповеди и не знает, что говорить. Мама подсказала, и он добросовестно все повторил. Владыка выслушал и спросил:

— Скажи, это ты чувствуешь себя виноватым или ты повторяешь то, в чем упрекают тебя твои родители?

— Это мне мама сказала, что я должен исповедоваться в том или другом, потому что это ее сердит и этим я нарушаю покой домашней жизни.

— Теперь забудь. Не об этом речь идет. Ты пришел не для того, чтобы мне рассказывать, на что сердится твоя мать или отец. А ты мне скажи вот что: ты о Христе что-нибудь знаешь?

— Да.

— Ты читал Евангелие?

— Мне мама и бабушка рассказывали, и я кое-что читал, да и в церкви слышал...

— Скажи мне, тебе Христос нравится как человек?

— Да.

— Ты хотел бы с Ним подружиться?

— О да!

— И ты знаешь, что такое быть другом?

— Да. Это значит — быть другом.

— Нет. Этого недостаточно. Друг — это человек, который верен своему другу во всех обстоятельствах жизни, который готов все делать, чтобы его не разочаровать, его не обмануть, остаться при нем, если все другие от него отвернутся. Друг — это человек, который верен своему другу до конца. Вот представь: ты в школе. Если бы Христос был простым мальчиком и весь класс на Него ополчился, что бы ты сделал? У тебя хватило бы верности и храбрости стать рядом с Ним и сказать: если вы хотите Его бить, бейте и меня, потому что я — с Ним? Если ты готов быть таким другом, то ты можешь сказать: да, я друг Христов, — и уже ставить перед собой вопросы для твоей исповеди. Читай Евангелие! Ты можешь узнать из него о том, как можно прожить, чтобы в самом себе не разочароваться; как можно прожить, чтобы Он радовался за тебя, видя, какой ты человек, каким ты стал ради этой дружбы. Ты понимаешь это?

— Да.

— Ты готов на это идти?

— Да...

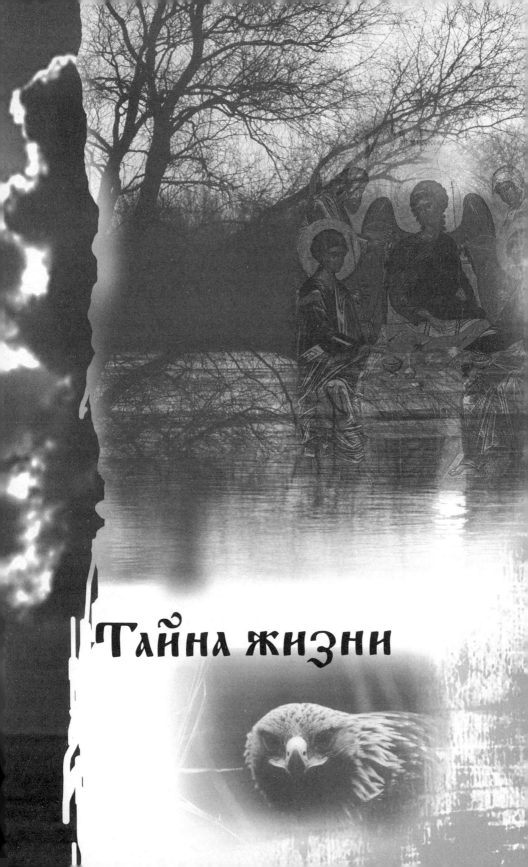

Тайна жизни

Я жить хочу не в жалком опьяненье,
Боясь себя «зачем?» пытливо вопросить,
А так, чтоб в каждом дне, и в часе, и в мгновенье
Таился б вечный смысл, дающий право жить.

Семен Надсон

> *Память о смерти учит человека, что истинный смысл дарованной ему жизни не в кружении в земной суете, а в приготовлении к вечности. Поэтому память о смерти — это путеводитель к Богу. Приобретается она через понуждение себя, усилием воли.*
>
> Архимандрит Рафаил (Карелин)

Memento mori

Всякая вера начинается с того, что человек задумывается о смерти. Первый раз это происходит в самом юном возрасте. Когда ребенку исполняется три-четыре года, он приходит в недоумение: а что с ним будет потом? Начинает спрашивать у взрослых, но обычно ему никакого ответа не дают, и этот вопрос потом забывается, маленький человек перестает об этом думать. Причем когда мы были детьми, у нас не было страха перед смертью. Он появляется потом, когда люди начинают покойников бояться и бывают подвержены всякой прочей глупости. Это происходит оттого, что человека пугает всякая неизвестность. Поэтому, не зная, что его ждет после смерти, он начинает бояться смерти.

Раньше, не так еще давно, люди умирали на руках у своих родственников. Сейчас нет, сейчас так устроено, что человек обычно умирает в больнице, и у родных нет возможности ни обмыть покойника, ни обрядить, они получают уже готовый гроб с телом. Поэтому мы с этим таинством смерти непосредственно не сталкиваемся и не видим, как происходит момент смерти.

Если мы увидим, как люди умирают, то начнем задумываться: а сам-то я как буду умирать?

Смерти бывают разные: люди верующие, а тем более святые, умирают совсем не так, как люди безбожные или маловерующие. Вот Лев Николаевич Толстой всю жизнь ломал голову, почему крестьяне так легко и хорошо, со спокойной душой умирают: чувствуя приближение кончины, позовет человек своих детей, благословит их, скажет, как распорядиться имуществом, сложит руки на груди, вздохнет два-три раза, и душа отходит. И Толстой все бился над этим вопросом, никак не мог его разрешить. Его удивляло, почему простого мужика ничто не мучает, голова его ни о чем не болит, душа его совершенно спокойна, он не кричит, не плачет, не говорит: «Доктор, спасите меня! Почему вы меня не лечите?» За горло никого не хватает, а отходит спокойно. В чем основа такого спокойствия? Основа — в глубокой вере в Бога и в глубоком знании того, что с ним будет потом.

Протоиерей Дмитрий Смирнов, (76)

О бессмертии души

По учению святых отцов, человек здесь, на земле, созидает в себе то направление души, которое будет продолжением его жизни за гробом. Поэтому Бог и дает возможность каждой душе приобрести во время земной жизни все необходимое.

И в истории Церкви (и даже в повседневной, обыденной жизни) известно большое количество случаев, когда Господь возвращал на землю души уже умерших людей, оказавшихся почему-либо не подготовленными для того мира.

Вернувшиеся из загробного мира рассказывали о своих переживаниях после разлучения их с телом. Во всех рассказах неизменно повторяются следующие моменты:

1) ушедшая из тела душа продолжает мыслить, и чувствовать, и переживать события так же, как и будучи в теле;

2) по смерти тела душа входит в общение с Ангелами или бесами;

3) душа подвергается суду за все поступки;

4) переживания души после смерти тела (во временном их разлучении) сохраняются в памяти после возвращения души опять в тело и оказывают на душу сильное впечатление.

Обычно эти переживания совершают в человеке духовный переворот; нерадивые души начинают жить богоугодно, иногда принимают монашество, а иногда — уходят в затвор. Для них земная жизнь обычно теряет свою привлекательность, и они начинают думать преимущественно о подготовке к будущей жизни, реальность которой они познали на своем личном опыте. Для людей, не верующих в Бога и в существование вечной жизни, наступает период глубоких размышлений и в большинстве случаев приводит к твердой вере. А иногда вера приходит сразу и становится непоколебимой.

Из врачебной практики от людей, отнюдь не религиозных (как врачей, так и самих переживших состояние временной смерти), мы узнаем, что многие из них теперь из опыта достоверно знают, что после смерти существует жизнь.

Врачи-психиатры, которых заинтересовали рассказы «вернувшихся с того света» людей, записали рассказы опрошенных ими (причем опрошено было в различное время порядка 150−200 человек в различных местах и странах).

Рассказы людей, приславших врачам письма с желанием поделиться пережитым ими необычным состоянием, очень сходны.

Все говорят, что ощущали какое-то раздвоение в себе, что видели свое тело, наблюдали за ним как бы со стороны; встретились почти сразу после отделения от тела со своими умершими ранее знакомыми и родственниками; ощущали присутствие некоего света и т. п.

И самое глубокое впечатление оставляет у всех, переживших состояние смерти, — встреча с *Существом света*, о котором говорится во всех описаниях.

Речь идет о свете то мягком, то сияющем. Но даже если блеск его становится максимальным, он не ослепляет и не мешает наблюдать окружающие события.

Люди, видевшие этот свет, уверены, что речь идет о *Существе*, от которого исходит тепло, любовь, притяжение, которое невозможно передать словами.

Хотя описания этого светлого *Существа* во многом совпадают, разные люди определяют его по-разному. Христиане называют его Богом и Христом, евреи — *Ангелом*, а неверующие ограничиваются названием *светящееся Существо*. И с этим *светящимся Существом* как бы происходит разговор без произнесения слов. Спрашивается: готов ли человек умереть? Перед человеком как в молниеносном кинематографе проходит вся его жизнь. По рассказам складывается такое впечатление, что все моменты жизни встают перед глазами мгновенно и одновременно. И вместе с тем отчетливо различаются детали всех моментов жизни. И переживания всех минувших и уже забытых событий испытываются настолько сильно, что вернувшиеся к жизни в течение нескольких дней находятся под их впечатлением.

Люди, вернувшиеся к жизни и рассказавшие о всем пережитом, были, как видно, не готовы к смерти по тем или иным причинам, и потому вернулись продолжать свою земную жизнь.

И в описаниях момента отделения души от тела тоже очень много общего. Все они говорят о сильных ощущениях почти молниеносного прохождения через какой-то коридор или темное длинное пространство вроде трубы, что-то вроде туннеля.

«Мое существо, — пишет один молодой человек, — дух или душа, называйте это как угодно, вышло из тела. Оно имело какую-то плотность, не в физическом смысле слова, скажем, в виде облака».

Или в другом письме: «Это было другое тело, и даже не тело. Я чувствовал себя как бы в прозрачной оболочке или в сгустке энергии...»

Все говорят о том, что часть, отделившаяся от тела (душа), все видит, слышит, наблюдает над действиями врачей (старающихся вернуть тело к жизни), но не может обнаружить себя, не может ничем проявить себя, сказать людям, что не следует стараться вернуть человеку жизнь, потому что в новом состоянии человек чувствует себя очень хорошо. Человек, ушедший из этой жизни, чувствует себя лучше, чем в теле. И очень многие говорили именно о том, как им не хотелось возвращаться в свое тело.

Люди, религиозно настроенные, верят в бессмертие души. А у людей, прошедших через внетелесный опыт, речь идет уже не о вере, но об уверенности. И они, продолжая свою земную жизнь, уже больше не боятся смерти.

Как видим из приведенного выше, врачебная практика и опыт людей, различных по своему религиозному настроению, но переживших свое внетелесное состояние, схожи отчасти с опытом святых отцов и подвижников веры.

О загробной жизни душ мы знаем и из других источников. Это явления душ умерших, которые бывают по Промыслу Божию для известной цели. Явления эти бывают либо людям спящим, либо наяву.

И из Святого Евангелия (притча о богатом и Лазаре — См.: Лк. 16: 19—31) мы знаем не только о непрекращающейся жизни после смерти тела, но и о различных судьбах людей.

Если задуматься над вопросом о целесообразности смерти тела, то по многим причинам можно понять ее пользу и даже необходимость для падшего человечества.

Поэтому смерть тела не «нелепа», как говорят про нее люди мира сего, а необходима и целесообразна.

Смерть тела для многих — это средство спасения от духовной гибели.

Мы теперь четко представляем, что то, что в обыденной жизни мы называем *смертью*, относится только к части человека (состоящего из тела, души и духа) — к его телу, ставшему смертным после грехопадения. А главная часть человека — образ и подобие Бога, душа, — жива всегда.

Разлучившись с телом на какой-то отрезок времени (до Суда Божия), она продолжает жить в загробном мире, правда несколько в другой форме, в других условиях. Но при этом она сохраняет индивидуальные качества данного человека, его личность, самосознание... Такой она предстанет на Суд, так как она должна будет дать отчет в своих действиях при земной жизни.

Характер и свойства принадлежат душе, а не телу.

Каждая душа имеет свои естественные свойства, принадлежащие лично ей и отличающие ее от других душ (от другого человека). И с этими естественными (личными) свойствами душа переходит в загробную жизнь, такой она войдет и в вечную жизнь, опять соединившись с телом, в котором она обитала во время земной жизни (только и тело уже будет видоизмененным).

Таким образом, с наступлением смерти (телесной) не умирает ни наше сознание, ни все те чувства, с которыми мы живем, и в условиях новой загробной жизни все это раскроется во всей своей глубине и силе.

Архимандрит Иоанн (Крестьянкин) , (31)

Из рассказов побывавших в обителях загробной жизни

Замечательна история человека, побывавшего в обители загробной жизни, К. Икскуля. Икскуль был крещен в Православии, но остался безразличным к истинам своей собственной веры и даже не верил в загробную жизнь. Однажды он заболел воспалением легких. Болел долго и серьезно, но как-то утром вдруг почувствовал себя совсем хорошо. Кашель исчез, температура упала до нормы. К его удивлению, врачи забеспокоились... принесли кислород. А потом — озноб и полная безучастность к окружающему. Около больного суетились врачи, а он даже не следил за тем, что они делали.

«Во мне как бы вдруг обнаружились два существа: одно — крывшееся где-то глубоко и главнейшее; другое — внешнее и, очевидно, менее значительное; и вот теперь словно связывавший их состав выгорел или расплавился, и они распались, и сильнейшее чувствовалось мною ярко, определенно, а слабейшее стало безразличным. Это слабейшее было мое тело... Меня тянуло вниз, и вдруг мне стало легко, я почувствовал покой... Дальнейшее я помню ясно. Я стою в комнате, посредине ее. Справа от меня полукругом стоят врачи и сестры, вокруг кровати. Я удивился — что они там делают, ведь я не там, я здесь. Я подошел ближе посмотреть. На кровати лежал я. Увидев своего двойника, я не испугался, а был только удивлен — как это возможно? Я хотел потрогать самого себя — моя рука прошла насквозь, как через пустоту. Себя стоящего я тоже видел, но ощущать не мог, рука проходила через туловище насквозь. И пола я не чувствовал... Дотянуться до других тоже не мог. Я позвал доктора, но тот не реагировал. Я понял, что я совершенно одинок, и меня охватила паника».

Он видел, как старушка няня перекрестилась: «Ну, Царство ему Небесное», — и вдруг увидел двух Ангелов. В одном он почему-то узнал Ангела Хранителя, а другого он не знал. Ангелы взяли его за руки и пронесли через стены палаты на улицу. «Мы стали быстро подыматься вверх. И по мере того как подымались мы, взору моему открывалось все большее и большее пространство, и наконец оно приняло такие ужасающие размеры, что меня охватил страх от сознания моего ничтожества перед этой бесконечной пустыней...

Вдруг послышался сначала какой-то неясный шум, а затем, выплыв откуда-то, к нам с криком и гоготом стала быстро приближаться толпа каких-то безобразных существ. "Бесы!" — с необычайной быстротой сообразил я и оцепенел от какого-то особенного, неведомого мне дотоле ужаса. Окружив нас со всех сторон, бесы с криком и гамом требовали, чтобы меня отдали им, они старались как-нибудь схватить меня и вырвать из рук Ангелов, но, очевидно, не смели этого сделать. Среди их невообразимого и столь же отвратительного для слуха, как сами они были для зрения, воя и гама я улавливал иногда слова и целые фразы...

"Он наш: он от Бога отрекся!" — вдруг чуть не в один голос завопили они и при этом с такой наглостью набросились на нас, что от страха у меня на мгновение застыла всякая мысль.

Я вспомнил о молитве и стал молиться, призывая на помощь тех святых, которых знал и чьи имена пришли мне на ум. Но это не устрашало моих врагов. Жалкий невежда, христианин лишь по имени, я чуть ли не впервые вспомнил о Той, Которая именуется Заступницей рода христианского... Едва я, вспомнив, произнес Ее имя, как вдруг вокруг нас появился белый туман, который стал быстро заволакивать безобразное сонмище бесов. Туман скрыл их от моих глаз. Рев и гогот бесов слышался еще долго, но по тому, как он постепенно ослабевал и становился глуше, я мог понять, что страшная погоня отставала от нас».

Он увидел свет... ярче солнечного: «Всюду свет и нет теней. Свет был так ярок, что я не мог ничего видеть, как во тьме. И вдруг сверху, властно, но без гнева, раздались слова: "Не готов", и началось стремительное движение вниз». Он вернулся к телу. Ангел Хранитель сказал: «Ты слышал Божие определение. Войди и готовься». Оба Ангела стали невидимы. Появилось чувство стеснения и холода и глубокая грусть о чем-то утраченном, которая навсегда осталась с Икскулем. Он потерял сознание и очнулся в палате на койке. Врачи, наблюдавшие за Икскулем, сообщили, что все клинические признаки смерти были налицо и состояние смерти продолжалось 36 часов.

Об этом «посмертном» опыте в 1910 году К. Икскулем был написан рассказ, озаглавленный «Невероятное для многих, но истинное происшествие». Сам К. Икскуль, рассказавший о том, что с ним произошло, вскоре после случившегося ушел в монастырь.

> *Смерть — великое таинство. Она — рождение человека из земной, временной жизни в вечность.*
>
> Святитель Игнатий Брянчанинов

Загробная участь души
(По учению Православной Церкви)

После смерти душа остается живой, и чувства ее более обострены, чем при земной жизни. Это и понятно. Все болезни, склеротические бляшки на сосудах, высокое артериальное давление, боли, сводившие с ума, — все это осталось в мертвом теле, от которого душа освободилась. Душа оставляет тело, подобно тому как мы сбрасываем старую негодную одежду, и ожидает облачения в новую плоть после всеобщего воскресения из мертвых. Итак, тело — это только храм души, дом, где она обитает.

И вновь о несчастных безбожниках... Страшно подумать о том, что должен переживать безбожник в последний час отделения души человеческой от тела. Можно жить без Бога, но как без Бога умирать? Можно жить без Бога, потому что можно заполнить жизнь пустыми переживаниями, заботами и суетой, но как умирать без Бога? Здесь не помогает мирская суета, которой человек заполняет свою пустоту, все кончено здесь, все мирское отошло, изжито, и здесь остается лишь душа сама с собой. Смертью человек как бы рассекается на две части, его составляющие, и по смерти уже нет человека: отдельно существует душа его, и отдельно существует тело его. Причем душа ощущает себя вначале целостным человеком. Она может видеть, в частности свое мертвое тело, передвигаться, она даже пытается общаться с окружающими, но, поняв, что ее никто из живых не видит и не слышит, душа остро чувствует свое одиночество и страх перед тем, что будет дальше.

Благодаря успехам современной науки врачи до определенного времени могут с помощью реанимационных мер вернуть душу обратно в мертвое тело. Но это бывает очень редко, и на все воля Божия. Ведь и до развития науки были известны случаи, когда недавно умершие люди оживали. Это может означать только одно: Господь по милости Своей дает человеку еще один шанс покаяться в грехах своих и улучшить свою загробную участь. Ведь покаяние возможно только на земле. Именно об этой стадии перехода в загробную жизнь имеется более всего свидетельств. Многие люди пережили клиническую смерть (а это и есть отделение души от тела) и имеют посмертный опыт.

Вот как один человек описал просмотр своей жизни. «Я почувствовал себя вне моего тела и парящим над зданием, а тело мое я видел лежащим внизу. Потом со всех сторон окружил меня свет, и в нем я увидел как бы двигающееся изображение, в котором показывалась вся моя жизнь. Мне стало невероятно стыдно, потому что многое из этого я раньше считал нормальным и оправдывал, а теперь я понимал, что это дурно. Все было чрезвычайно реально. Я чувствовал, что надо мной происходит суд и какой-то высший разум руководит мной и помогает мне видеть. Больше всего меня поразило то, что он показывал мне не только то, что я сделал, но и то, как мои дела отразились на других людях. Тогда я понял, что ничего не стирается и не проходит бесследно, но все, даже каждая мысль, имеет последствия».

После смерти душу умершего встречают Ангелы, которые сопровождают ее на пути в загробную жизнь.

Согласно православному учению о смерти, два дня до мытарств душа в сопровождении Ангелов-защитников находится на земле. Она может посетить те места, которые ей были дороги, или побывать там, где хотелось побывать при жизни.

Ад

Учение о двух днях после смерти известно Православной Церкви с IV века.

Святоотеческое предание сообщает, что Ангел, сопровождавший в пустыне святого преподобного Макария Александрийского, сказал: «Душа умершего получает от стерегущего ее Ангела облегчение в скорби, каковую чувствует от разлучения с телом, отчего в ней рождается благая надежда. Ибо в продолжение двух дней позволяется душе вместе с находящимися при ней Ангелами ходить по земле, где она хочет. Посему душа, любящая тело, скитается иногда возле дома, в котором разлучалась с телом, иногда возле гроба, в который положено тело, и таким образом проводит два дня как птица, ища гнезда себе. А добродетельная душа ходит по тем местам, в которых имела обыкновение творить правду...»

Когда душа христианина начнет восходить к Небу, руководимая святыми Ангелами, тогда темные духи представляют ей грехи ее, не изглаженные покаянием.

Мытарства — это своего рода заставы на пути от земли к Небу. Заставы эти охраняются воздушными истязателями и обличителями наших дел (проще говоря, злыми духами), которые всячески стараются воспрепятствовать душе при восхождении ее на Небо. Они с неумолимой строгостью выискивают и поставляют ей на вид все, что только допущено было ею в земной жизни зазорного в мыслях, словах и делах, что может явить ее недостойной Царствия Небесного. Но на этом пути сопровождают душу и добрые Ангелы, которые указывают все то, что было сделано ею в земной жизни доброго.

Наконец душа согласно своим поступкам осуждается или оправдывается на частном суде, получая временное, до Страшного Суда, место пребывания.

Отсюда очевидно, что:

1) мытарства представляют собой неизбежный путь, которым совершают свой переход от временной жизни к вечной души христиан;

2) на мытарствах каждая душа в присутствии Ангелов и демонов, без сомнения, пред оком Всевидящего Судии постепенно и подробно истязается во всех ее делах, злых и добрых;

3) вследствие этих истязаний души добрые, оправданные на всех мытарствах, возносятся Ангелами в райские обители, а души грешные, обвиненные в неисповеданных грехах, влекутся по приговору частного суда демонами в ад.

Некоторые люди спросят: а почему Бог не защитит нас от этого кошмарного испытания? — А мы много думали о Боге, когда грешили, не думая о покаянии? За все рано или поздно приходится отвечать.

Подробное описание мытарств и порядок, в котором они следуют, православное учение основывает на сказании преподобной Феодоры, память которой Святая Церковь совершает 30 декабря.

Мытарство 1: грех словом, то есть празднословие — праздное расточительство слов, многоглаголание — многословие, невоздержанность в речи, пустословие, насмешки, кощунство, злые и нескромные шутки.

Мытарство 2: ложь, произнесение имени Божия всуе, неисполнение обетов, данных Богу, утаивание грехов на исповеди.

Мытарство 3: клевета, осуждение, уничижение Бога, ругательство, насмешки, забвение собственных согрешений и недостатков.

Мытарство 4: чревоугодие, объядение, пьянство, тайноядение и трапеза без молитвы, нарушение постов, сластолюбие, все виды угождения чреву.

Мытарство 5: леность, грехи от беспечности, нерадение в служении Богу, уныние, оставление церковных и домашних молитв, тунеядство и исполнение своих обязанностей с небрежением.

Мытарство 6: всякого рода хищения и воровство, грубое, явное, тайное, хитростью, благовидное, с насилием.

Мытарство 7: сребролюбие и скупость.

Мытарство 8: лихоимство — присвоение чужого.

Мытарство 9: неправда всякого рода, тем более, если из-за неправды кто-то пострадал.

Мытарство 10: зависть, досада, ненависть.

Мытарство 11: гордость, тщеславие, самомнение, презрение, возвеличивание себя.

Мытарство 12: ярость, гнев, запальчивость, злоба, жестокосердие.

Мытарство 13: злопамятство (помнить согрешения ближнего) и памятозлобие (непрощение обид, мстительность).

Мытарство 14: убийство, отравление ядом и прочее.

Мытарство 15: чародейство, волхвование, наговоры, призывание бесов.

Мытарство 16: блуд, нечистые слова, мысли, желания и дела.

Мытарство 17: прелюбодеяние, то есть несоблюдение супружеской верности, блудные падения лиц, посвятивших себя Богу.

Мытарство 18: содомские грехи, то есть противоестественные грехи, кровосмешение.

Мытарство 19: ересь, то есть ложное мудрствование о вере, сомнение в вере, отступление от православной веры.

Мытарство 20: немилосердие и жестокосердие.

Основной целью мытарств является самопознание человека, приведение его к осознанию итога своего жизненного пути.

Пройдя через мытарства и покончив навсегда с земным, душа посещает Небесные обители и адские бездны, знакомясь с настоящим потусторонним миром, еще не зная, где она останется, и только на сороковой день назначается ей место до воскресения мертвых и Страшного Суда.

Согласно откровению Ангела преподобному Макарию Александрийскому, особое церковное поминовение усопших на девятый день после смерти связано с тем, что до девятого дня душе показывали красоты рая и только начиная с девятого дня, в течение остальной части сорокадневного периода, ей показывают мучения и ужасы ада.

После знакомства с потусторонним миром, на сороковой день, душу доставляют в обитель, где ей теперь будет суждено жить.

Частный суд, в отличие от Страшного Суда, происходит не торжественно и не пред лицом всего мира и имеет цель определить участь души не на целую вечность, как Страшный Суд, а только до всеобщего воскресения. Поэтому воздаяние после частного суда — неполное и неокончательное. Окончательное и уже бесповоротное решение совершится на Страшном Суде, где Судией будет Сам Господь.

Разлучившиеся же с телами души после частного суда переходят или к радости, или к печали и скорби. Они начинают жить по другим законам.

Душа в загробном мире до всеобщего воскресения не имеет самостоятельности, она не может сама изменить себя и потому нуждается в молитвенной помощи оставшихся на земле людей.

Мы часто слышим благовест (колокольный звон). Он изображает архангельский глас, который прозвучит при конце мира. Благовест как раз напоминает нам об этом конце.

Когда-то все люди услышат тот страшный глас, внезапно, без всякого предупреждения раздастся он, а за ним Страшный Суд, который будет торжественным и открытым.

Судия явится во всей славе Своей со всеми святыми Ангелами и произведет суд перед лицом целого мира, Небесного, земного и загробного.

Решение Страшного Суда будет целостным, то есть не для одной только души человека, как после частного суда, а для души и для тела — для целостного человека.

Решение это для всех пребудет неизменным вовеки, и ни для кого из грешников не останется никакой возможности освободиться когда-либо из ада, как остается она после частного суда. Страшный Суд определит на всю вечность участь каждого человека.

(92)

«Почему существует ад?»

Один из самых естественных вопросов сомневающегося — «почему существует ад?»

Если Бог есть Любовь, почему Он обрекает грешников на вечные мучения?

Ответ на этот кажущийся неразрешимым вопрос на самом деле не так сложен.

Самое главное здесь то, что христианство пришло в мир вовсе не с вестью о существовании ада. Нет. Ад — темное царство мертвых — известен всем дохристианским культурам.

Своим же Воскресением Христос открыл людям тайну жизни, а не смерти, — тайну рая.

Рай

К сожалению, наши представления об аде и рае далеки от христианских. Слово *ад* у многих современников вызывает в памяти картинки из журнала «Крокодил» советских времен: сковородки, бока которых жадно лижут языки адского пламени; грешники, страдающие в кипящем масле на этих сковородках, и рогатые черти, немилосердно тычущие грешников.

Смею утверждать, что картины эти при всей своей наглядности имеют мало общего с христианским пониманием вечных мук.

И если говорить об образах, то я бы предложил обратиться к... современному отечественному кино! В картине Валерия Тодоровского «Страна глухих» есть сцена, прекрасно передающая христианский нерв ощущения ада.

Для тех, кто не видел фильм, поясню: главная героиня — молодая девушка. Ее любимый парень — азартный игрок — должен огромную сумму денег. Рискуя жизнью, девушка собирает для любимого необходимую сумму, но он (игрок же!), перед тем как вернуть долг, решает еще раз попытать счастья. И... вновь проигрывает все до копейки.

А дальше потрясающая по силе и проникновенности сцена: ни одного упрека, ни одного слова обвинения. Все, что пытается сделать девушка, — это успокоить любимого. Она говорит, что он не должен расстраиваться, что деньги — это не главное, что она еще заработает. Главное — они любят друг друга, поэтому все будет хорошо.

В ответ парень «взрывается» и начинает гнать от себя девушку. Он кричит, что не может находиться рядом с ней, что ему больно от осознания того, что он — последняя сволочь — проиграл заработанные ею деньги, а в ответ от нее — ни слова упрека, а только обещание любить его, что бы он ни натворил. Но такая любовь выше его сил, так как он не может быть с ней, ощущая свою подлость! Ему БОЛЬНО ОТ ЕЕ ДОБРОТЫ, и он ее прогоняет.

Конечно, дальше ему станет только ЕЩЕ БОЛЬНЕЕ. Прогнав любимую, он будет всю жизнь мучиться, потому что такая любовь — одна и на всю жизнь. Но, согласитесь, трудно в этой ситуации обвинить девушку, упрекнуть ее в том, что именно она обрекает парня на мучения...

Этот образ, на мой взгляд, вполне по-христиански описывает ощущения души грешника, встречающей Бога — Того, Кто есть Любовь. Любовь, которая обжигает, но без которой нет жизни.

Так человек, просидевший долгое время в темной комнате и отказывавшийся выходить к свету, неизбежно слепнет, когда солнечные лучи впервые касаются его лица.

И кто виноват, что на постоянный призыв выйти на улицу, к свету, он отвечал отказом?..

А глаза тем временем потеряли способность воспринимать свет, то есть жизнь. Поэтому именно сам человек обрекает себя на вечную тьму, вечное мучение.

И все же повторю еще раз: христианство — это Благая Весть (по-гречески — *Евангелие*) о Жизни, а не о смерти. И все что требуется от нас — это открыть дверь и выйти к Свету, пока не поздно. Время у нас еще есть.

(42)

«...Я Господь Бог твой, целитель твой» (Исх. 15:26)

Очень сложно сопоставлять медицину наших дней и современную международную классификацию болезней с библейскими временами. В Библии классификация внутренних болезней отсутствует, а медицинские наблюдения весьма суммарны; они сводятся к тому, что видимо: к кожным болезням, ранениям, переломам, лихорадке, сопровождающей инфекционные заболевания. Присутствуют также общие понятия слабости и немощи, возбуждения и припадка. Но, несмотря на это, взгляд Библии на медицину  для нас все-таки очень важен, ибо он — ориентир для верующего человека.

В библейские времена естественных причин болезней даже не ищут, кроме тех, которые очевидны: ранения, падения, одряхление и слепота при старости.

Главная причина такого подхода в том, что болезнь обычно рассматривалась как наказание за грехи. Так, увидев слепорожденного, ученики спросили у Иисуса: *Равви! кто согрешил, он или родители его, что родился слепым?* (Ин. 9: 2)

Для религиозного сознания главнейшее заключается в религиозной этике: что значит болезнь для того, кто болен? Почему болезнь, поражая тело, так или иначе затрагивает и душу человека, в которой следует видеть и образ Божий?

Человек состоит из двух основных элементов: материального тела и духовной бессмертной души. *И создал Господь Бог человека из праха земного, и вдунул в лице его дыхание жизни, и стал человек душею живою* (Быт. 2: 7).

В Библии плоть никогда не рассматривается как нечто дурное по своему существу. Плоть вышла из рук Божиих как бы из рук ткача, и псалмопевец славит Бога: *...Ты устроил внутренности* *мои и соткал меня во чреве матери моей. Славлю Тебя, потому что я дивно устроен* (Пс. 138: 13, 14).

Наше тело, по Библии, не является совокупностью плоти и костей, плоти и крови, которой обладает человек во время своего земного существования. Тело не только объединяет все члены, его составляющие, — оно выражает личность в ее главных состояниях. Существование души после смерти даже в Царствии Божием не является полноценным состоянием личности. Поэтому тело должно воскреснуть, как Сам Господь, ибо, по слову апостола, *тела ваши суть члены Христовы* и *храм живущего в вас Святаго Духа* (1 Кор. 6: 15, 19).

Понятие *душа* в библейском смысле этого слова отличается от нашего обыденного понимания. Наше сознание чаще всего представляет человека состоящим из тела и души как сосуд с несмешивающимися жидкостями (скажем, с водой и маслом). В Библии *душа* имеет очень много значений, и все зависит от контекста.

В общем же, *душа* обозначает всего человека, поскольку он оживлен духом жизни, но душа не является «частью», образующей в соединении с телом человеческое существо. Собственно говоря, душа не обитает в теле, а выражается телом, которое, в свою очередь, как и плоть, обозначает всего живого человека. Поэтому понятия *жизнь* и *душа* часто оказываются равнозначны. Душа как субъект совпадает с нашим «Я» так же, как и библейские *сердце* или *плоть*, но с большим оттенком внутренней углубленности и жизненной силы. Это «Я» выражается в различных видах деятельности, которые даже не всегда духовны.

Так, например, в одной из притч Христовых богач говорит: *...скажу душе моей: душа! много добра лежит у тебя на многие годы: покойся, ешь, пей, веселись. Но Бог сказал ему: безумный! в сию ночь душу твою возьмут у тебя* (Лк. 12: 19, 20).

Душа — это символ жизни, но не ее источник. Источник жизни — Бог, действующий посредством Своего Духа: *И вдунул (Бог) в лице его дыхание жизни, и стал человек душею живою* (Быт. 2: 7).

Отличие человека от других тварей в том, что он органично соединяет в себе два мира — материальный и духовный. Потому процесс их разделения, или смерти, так страшен и томителен для человека, что он перестает быть человеком. Несомненно, душа нуждается в теле, а тело в душе. Душа несовершенна без тела, а тело несовершенно без души.

Существует разрываемая только смертью органичная связь между душой и телом. Через болезнь уже начинает проявляться власть смерти над человеком, и поэтому Библия касается в основном религиозного значения болезней.

Испытание болезнью должно возбудить в человеке сознание греха. Однако встает вопрос, является ли каждая болезнь следствием личных грехов болящего? И ответ на этот вопрос не всегда ясен.

При религиозном взгляде на болезнь исцеление понималось как знамение того, что человек прощен Богом: *...ибо Я Господь Бог твой, целитель твой* (Исх. 15: 26).

Со времени Иисуса Христа значение болезни видится не в том, что она должна исчезнуть с лица земли, а в том, что Божественная сила, которая ее в конце концов победит, уже действует на земле. Ибо болезнь, хотя и имеет некий смысл, все же остается злом. В эсхатологических откровениях ее не будет, и *листья древа жизни будут исцелять народы* (Ср.: Откр. 22: 2).

Преосвященный Константин (Горянов), (91)

Основная мысль человека есть мысль о Боге, основная мысль Бога есть мысль о человеке.

Николай Александрович Бердяев (1874–1943), русский философ

Бог обязан помогать человеку

Свидетельство господина Елевферия Тамиолакиса с острова Крит: «Однажды, обремененный многими обязанностями, я оказался в трудном положении и поехал за поддержкой на Афон — к старцу Паисию. По сугробам, в сильную непогоду дошел до его каливы и постучал в дверь. Старец тут же открыл. Завел меня внутрь. "А я тебя ждал", — сказал он. Конечно же, я не предупреждал его о своем приезде. Он усадил меня возле печки и не спеша стал готовить мне чай. Налив в маленький кофейник воду, он осенил себя крестным знамением со словами: "Слава Тебе, Боже!" Потом, насыпав в воду разных трав, снова перекрестился и произнес: "Слава Тебе, Боже!" А поставив кофейник на огонь, снова осенил себя крестом с теми же самыми словами: "Слава Тебе, Боже!"

Пока, кроме "а я тебя ждал", он не сказал мне ни слова. Глядя на старца, я стал нервничать из-за его неторопливости, спокойствия: меня очень беспокоили мои проблемы. Когда чай был готов, старец налил мне его в кружку и, взглянув простодушно и сочувственно, тихо спросил, что со мной происходит и почему у меня такой озабоченный вид. Находясь в нервном возбуждении, я стал решительно и напористо "выкладывать" перед старцем свои проблемы, стараясь обратить его внимание на то, что люди в миру испытывают очень много затруднений.

Старец чуть улыбнулся, отпил из кружки и совершенно бесстрастно ответил: "Ну и что ты переживаешь? Бог поможет". Я разнервничался еще больше. Я очень любил старца, мог разговаривать с ним свободно и поэтому воскликнул: "Да уж ладно тебе, Геронда!.. Бог помогает раз, помогает два... Он что, обязан помогать постоянно?"

Тогда он серьезно взглянул на меня и произнес слова, поразившие меня как молния. "Да, — сказал он, — Бог обязан помогать постоянно". Он сказал эти слова так уверенно, что было совершенно очевидно: он знал о том, что говорит, "из первых уст".

Внезапно у меня внутри все переменилось: исчезла нервозность, я успокоился, ощутил в себе безграничную тишину. У меня оставалось только одно недоумение, которое я ему и высказал: "А почему Бог обязан нам помогать?" Ответ, который дал старец, мог дать только человек, который действительно чувствует себя Божиим чадом и имеет к своему Отцу дерзновение. Старец сказал: "Вот ты, родив детей, сейчас чувствуешь себя обязанным помогать им, приезжаешь из Салоник на Афон в такую непогоду, идешь ко мне, — и все потому, что о них беспокоишься. Так и Бог, Который создал нас и для Которого мы — дети, тоже заботится о нас, потому что Он чувствует необходимость нам помочь. Да: Он обязан нам помогать!"

Меня потрясла непосредственность его ответа. Вдруг куда-то исчезло все то, что меня тяготило, и с этого момента я окончательно перестал тревожиться о будущем».

(33)

Бог не есть равенство, Бог есть любовь.

Равенство бы исключило всю справедливость и всю любовь — исключило бы всю нравственность.

Из-за равенства ли любит муж жену свою?

Из-за равенства ли мать любит дитя свое?

Из-за равенства ли друг любит друга своего?

Неравенство является основой справедливости и стимулом любви.

Пока существует любовь, никто не думает о равенстве.

Пока царит справедливость, никто не говорит о равенстве.

Когда утрачивается любовь, люди говорят о справедливости и думают о равенстве.

Когда с любовью исчезает и справедливость, люди говорят о равенстве и думают о безнравственности.

То есть, когда исчезает нравственность, ее заменяет безнравственность.

Из могилы любви прорастает справедливость, из могилы справедливости прорастает равенство.

Святитель Николай Сербский

Два вопроса о добре и зле

— *Как сочетать существование всемогущего Бога, олицетворяющего добро, справедливость, с тем, что творится на земле не только в области человеческих взаимоотношений, но и в природе, где царят хаос, борьба и жестокость? Какой ответ даете Вы на этот вопрос?*

Митрополит Антоний: Это очень трудный вопрос в том отношении, что действительно можно из одинаковых предпосылок прийти или к вере, или к сомнению. Мне кажется, что христианин даст приблизительно такой ответ. Да, Бог всемогущ; но Он создал человека свободным, и эта свобода, конечно, несет с собой возможность и добра, и зла; возможность отклонения от закона жизни или, наоборот, участия в этом законе жизни. И вот

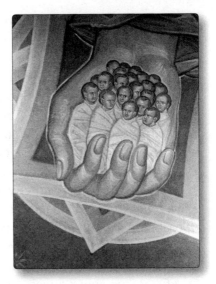

этот вопрос свободы является центральным, мне кажется, для проблемы добра и зла. Если бы Бог создал человека неспособным на отклонения, человек был бы так же неспособен ни на что положительное. Скажем, любовь немыслима иначе как в категориях свободы; нельзя себя отдать, когда нельзя отказать в самоотдаче; нельзя человека любить, если это чисто механическое соотношение; если бы не было свободы отказа, отречения, если не было бы, в конечном итоге, возможности зла, то любовь была бы просто силой притяжения, силой, связующей все единицы, но никак не создающей между ними нравственное соотношение.

— *Скажите: заботится ли Бог о судьбах человечества? Если да, то как Вы объясняете себе такое чудовищное явление, как, например, Гитлер, которое я лично считаю совершенно исключительным явлением, потому что в этом случае даже не было сделано попытки оправдать злодеяния какими-то высшими, мнимыми этическими соображениями, а было сказано просто и ясно: мы хотим творить зло? Как Вы объясняете возникновение такого явления, если Вы исходите из того, что Бог заботится о судьбах человечества?*

Митрополит Антоний: Если Бог действительно сделал человека свободным, то есть способным ответственно принимать решения, которые отзываются в жизни поступками, то Бог уже не имеет права в эту свободу вторгаться насильно. Он может войти в жизнь, но на равных правах: вот как Христос стал человеком и от этого умер на Кресте; да, это я понимаю. Если же Он вторгался бы в жизнь в качестве Бога, то есть со всем Своим могуществом, всеведением и так далее, получилось бы так, что земной злодей, который Богом же одарен свободой, стал бы жертвой Божественного гнева, то есть он был бы просто изничтожен, убит. А еще хуже: человек только успел задумать какой-нибудь неправый поступок — Бог его тут же уничтожил бы, потому что Бог знает, что в будущем случится. И все человечество жило бы, одаренное этой проклятой свободой, под вечным страхом: ой, промелькнула злая мысль — сейчас кара придет на меня... Ой, мне захотелось чего-то не того — что сейчас будет?... Это было бы чудовище, а не Бог; Он был бы из злодеев злодей.

Митрополит Антоний Сурожский, (5)

О времени

Древние не могли раскрыть тайну времени. Они не могли раскрыть тайну вечности, которая представлялась им какой-то статикой или паузой между циклами космической истории. Поэтому для древних время было знаком обреченности, было подобно страшной змее, намертво сжимающей в своих кольцах добычу.

Тайной времени владеет Церковь, но эта тайна проста. Бог создал время как приготовление к вечности. Время не безначально и не бесконечно, оно протекает на фоне вечности.

Время — это состояние подготовки и выбора, перекресток дорог, где решается главный вопрос человеческого существования: с кем человек — с Богом или без Бога. Время — это возможность изменения, становления человеческой личности, проявления или утраты богоподобия, приобретения того, что раскроется в вечности.

Здесь, на земле, — пребывание, в вечности — истинное бытие. Время — поле испытания человека, а вечность — принадлежность Самого Божества, поэтому для христианина вечность открывается во времени, через приобщение души к предвечной благодати. Образно говоря, вечность — это как бы дыхание Божества, которое душа может ощутить во время молитвы. Для неверующего, как и для древнего язычника, время — лишь преддверие смерти, негатив бытия, крушение человеческих надежд. Поэтому у неверующих остается только один способ бороться со временем и смертью — забыть о них.

Для христианина время — это великий Божий дар и вместе с тем огромная ответственность: ведь вечность может стать для нас и бесконечной потерей Бога.

Архимандрит Рафаил (Карелин), (66)

Вечный календарь

Русская Православная Церковь живет по старому стилю — тому календарю, по которому жили люди во времена земной жизни Спасителя.

В основе светского, григорианского, календаря лежит периодичность движения небесных светил. Церковный же календарь соотносит наш мир с миром совершенно иным — духовным, нематериальным, иными словами — связывает наше земное время с вечностью, с тем состоянием бытия, когда времени уже нет. Но для того чтобы соединить то, что стоит за этими несовместимыми понятиями — вечность и время, дух и материя, — надо, чтобы их Кто-то объединил.

В этой таинственной точке отсчета, где сходятся время и вечность, перед нами на Кресте предстает Богочеловек Иисус Христос. И надо понять, что именно Христос, Его земная жизнь лежит в основе христианского времяисчисления, а не периодичность движения небесных светил. Вехи Его земной жизни — Рождество,

Крещение, Преображение, Распятие, Воскресение, Вознесение — суть те события, на которых строится церковный год.

Спаситель жил на земле в то время, когда древний мир пользовался календарем, введенным Юлием Цезарем за 46 лет до Его Рождества. И, естественно, этот календарь взят за основу церковного. В церковных канонах есть такое правило: Пасха, Воскресение Христово, непременно должна праздноваться после иудейской пасхи и не совпадать с ней. Ибо Спаситель был распят и умер на Кресте накануне иудейской пасхи и в третий день воскрес. Когда Православная Церковь по юлианскому календарю определяет ежегодную дату празднования христианской Пасхи, хронология евангельских событий сохраняется. Каждый год вычисляют свою пасху и евреи в память об исходе из египетского рабства — по лунному календарю. Дата Воскресения Христова, вычисленная по «исправленному» григорианскому календарю (где естественный ход событий опережается на 13 дней), нарушает историческую последовательность евангельских событий: иногда католическая Пасха предваряет дату иудейской пасхи, и случается это нередко. Например, только за 100 лет (с 1851 по 1951) Пасха у католиков должна была 15 раз наступать раньше, чем у евреев. Этого не происходило потому только, что Католическая Церковь искусственно переносила дату празднования Пасхи уже после ее вычисления.

Самое поразительное в церковном календаре состоит в том, что определенные моменты жизни Спасителя отмечены особыми чудесами. Самое главное чудо — это схождение на Гроб Господень в Иерусалиме в храме Воскресения Христова Благодатного огня. Оно повторяется каждый раз в Великую Субботу накануне православной Пасхи, которая, как известно, бывает в разные дни. Огонь сходит лишь тогда, когда принимает его православный Патриарх. От небесного огня зажигаются свечи у предстоящих в храме людей, и в первые минуты он не обжигает: люди водят этим невещественным пламенем по своим лицам, словно умываясь.

Поныне в день Крещения Господня, 6/19 января, воды Иордана в месте Крещения текут вспять, а та вода, которая освящается в православных храмах, — *великая агиасма*, крещенская вода — делается нетленной, святой, подает исцеления и сообщает благодать Божию каждому человеку по вере его.

В день Преображения Господня, который Православная Церковь празднует 6/19 августа, каждый год на вершину горы Фавор спускается облако и на некоторое время полностью покрывает ее. И это при том, что в остальные дни над Фавором практически не бывает облаков, разве что изредка, в январе, в сезон дождей.

Церковный календарь — это таинственные часы, у которых христианские праздники — своего рода стрелки, которые задают единый ритм и гармонию жизни Небесного и земного миров.

(85)

> Если ты провел день в добрых делах, вечером ты всегда будешь испытывать радость.
>
> Фома Кемпийский (1380–1471), немецкий монах и священник

Для чего нам дано время?

Бог сильнее всего именно в слабости. Он предстает во всей полноте Божества лишь тогда, когда опустошает Себя. Это очень хорошо понимал Григорий Нисский: «То, что всесильная Сущность смогла снизойти до бессильного состояния человечества, доказывает Его всемогущество явственней, чем величайшие и удивительнейшие из чудес... Его нисхождение к нашей низости есть наивысшее выражение Его силы». О том же читаем и у Нестория: «Всякое величие вырастает из самоотречения, а не из превозношения себя». Причина, по какой Бог избрал спасти нас не насильно, а лишь с нашего добровольного согласия, состоит в том, что Он нас любит и потому хочет, чтобы мы оставались свободными.

Только в этом контексте свободы и любви полнее всего раскрывается смысл времени. Время напрямую связано с *опустошением* или *умалением* Божиим, оставляющим нам, людям, свободу, чтобы любить. Это, если угодно, «пространство», которое позволяет нам свободно и по доброй воле идти навстречу Богу. *Се, стою у двери и стучу, — говорит Христос, — если кто услышит голос Мой и отворит дверь, войду к нему, и буду вечерять с ним, и он со Мною* (Откр. 3: 20). Бог стучит, но не ломится в дверь; Он ждет, пока мы откроем. Это ожидание Божие и составляет самый смысл времени. Как сказал отец Станилоэ, «для Бога время измеряется продолжительностью паузы ожидания между тем, как Он постучал и мы открыли». Бог взывает к нашей свободе: *Кого Я пошлю, кто пойдет для Нас?* — и ждет нашего добровольного ответа: *И тогда я сказал: вот я, пошли меня* (Ср.: Ис. 6: 8). Время — это промежуток между Божиим призывом и нашим откликом. Нам, людям, этот промежуток нужен для того, чтобы в свободе возлюбить Бога и друг друга; без него не мог бы начаться диалог любви.

Но на уровне тварной человеческой свободы любви нужно учиться, а всякое учение требует времени, о чем мы с вами очень хорошо знаем. Положение, в каком находится человечество, очень точно выразил в своих «Песнях невинности» У. Блейк:

Мы посланы сюда, чтоб глаз привык
К лучам любви, к сиянию Небес.

Епископ Каллист (Уэр), (36)

Бог знает и предвидит все; нет ничего, что остается или могло бы остаться неизвестным для Него; для нас, смертных, существует настоящее, прошлое и будущее: настоящее мы знаем отчасти, будущего же совершенно не знаем; для Бога же нет таких разделений во времени, потому что Он объемлет всю полноту времени. Но ведение (или предведение) Божие не есть предопределение: судьба человека хотя и находится под Промыслом Божиим, но также подвластна и физическим законам и принадлежит власти свободы воли в человеке. Предведение Божие не связывает человека, не властвует над ним и отнюдь не определяет насильственно его судьбы или вида кончины. Да, Промысл Божий является благой заботой о человеке, но о таком человеке, который не отступил от Него и не ушел в землю далекую [Ср.: Лк. 15: 13] от Него, но продолжает пребывать в Отчем доме [Ср.: Ин. 14: 2] Его неги.

Михаил Пселл (1018–1090), философ, математик, медик, историк, политический деятель Византийской империи

И злом добро творит

Шла Вторая мировая война. Во время немецкой оккупации, в 1941 году, Священный Кинот Святой Горы направил Адольфу Гитлеру письмо с просьбой сохранить монастыри от разрушения. Вскоре на Афон прибыла группа немецких офицеров. Для того чтобы вести с ними переговоры, нужен был монах, знающий немецкий язык, а на Афоне в то время грамотных монахов было очень мало. Но отец Софроний знал несколько европейских языков. Его-то и попросили сопровождать офицеров, чтобы убедить их в необходимости сохранения Святой Горы от разрушения. Своей образованностью, воспитанием и скромностью отец Софроний так поразил немцев, что рапорт, который они подали в ставку Гитлера после посещения Афона, был самым благожелательным. Ответ ставки также был положительным. В результате ни один из монастырей Афона во время оккупации не пострадал и не лишился своего самоуправления. Более того, немецкий гарнизон перекрыл доступ на Афон всем мирянам.

Хуже было во время гражданской войны 1946–1949 годов. Малограмотные и малодуховные монахи-националисты (а скорее всего те, кто стоял за ними) стали распространять слухи о сотрудничестве отца Софрония с немцами. При этом они несправедливо порочили его честное имя. Вот так обычно в жизни и бывает. Вместо благодарности за помощь в сохранении святынь Афона (по просьбе самих же святогорцев) его обвинили в грязном пособничестве оккупантам. Именно эта немилосердная травля и являлась главной, но мало кому известной причиной вынужденного отъезда отца Софрония со Святой Горы. Но, как говорится, *любящим Бога, призванным по Его изволению, все содействует ко благу* (Рим. 8: 28). Даже зло! По воле Божией даже оно в конечном итоге приводит праведника к добру. Так случилось и с отцом Софронием. Сначала он вынужден был уйти в Андреевский скит, а затем уехать во Францию.

Но если бы дьявол не изгнал отца Софрония с Афона, неизвестно, смог бы он закончить и издать свою рукопись. Проблематичным было бы тогда и прославление старца Силуана. Вероятно, не было бы написано и множество других его книг, не существовало бы его бесед, которые теперь тщательно собираются и издаются. Не смогли бы обратиться к Православию многие католики, протестанты и даже атеисты, с которыми встретился отец Софроний в Европе и которые под влиянием его благодатной личности оставили свои прежние заблуждения. Многие из них стали потом монахами. Безусловно, не существовало бы тогда и Иоанно-Предтеченского монастыря в Англии, который стал буквально школой Православия для всей Западной Европы. Я прожил с ним в этом монастыре более 20 лет. Тысячи людей разных национальностей, изломанных жизнью и томимых духовной жаждой, приходили в монастырь. Они уходили от отца Софрония уже совсем другими людьми. Многие из них становились православными христианами, принимая крещение.

(27)

***

Надобно возлюбить пути Господни, и они станут для нас приметными. «Дай любящего, — говорит блаженный Августин, — и — откроется любимый». Если бы мы постоянно наблюдали за своей жизнью, имели детское доверие к той спасительной истине, что без воли Божией действительно не падает с головы нашей ни одного волоса, то сколько раз, при размышлении о нашей судьбе, тот же самый рассудок наш, который теперь недоумевает, теряется в догадках, не знает, что делать, — сколько бы раз он сам остановил наше внимание, говоря: «Смотри, это рука Божия!»

Святитель Иннокентий Херсонский

Загадка

«Если Бог всемогущ, может ли Он создать такой тяжелый камень, что и Сам его не подымет?» — до революции этой каверзной загадкой ставили в тупик новичков шкодливые семинаристы. Если не может сотворить, значит — не всемогущ; если сотворит, но не подымет, все равно — не всемогущ. При всем своем кажущемся легкомыслии эта головоломка содержит в себе очень серьезную

Сотворение мира

философскую проблему: может ли творение быть неподвластным Творцу? Возможно ли, чтобы всемогущий Бог создал нечто, над чем не будет обладать абсолютной властью? Способен ли Он ограничить собственное всемогущество?

Вопросы очень серьезные, но в православном вероучении на них имеется совершенно ясный ответ. Святитель Филарет Московский про загадку о камне сказал: «Бог не только может создать такой камень, но — уже создал его. Камень этот — человек». Церковь учит, что Бог сотворил человека для его участия в блаженстве бытия. Весь мир был устроен так, что существование людей в этом мире наполняло их жизнь радостью и весельем. А главной радостью бытия для человека была любовь к нему Бога. Но ответить на любовь может лишь тот, кто свободен в своем выборе. И Бог дал человеку эту удивительную возможность — любить или не любить своего Создателя. Так в огромном сотворенном Им мире, который полностью подчинялся своему Творцу, вдруг появилась территория, над которой Он не имел власти. Это было сердце человека, которое только он сам мог наполнить любовью к Богу, но так же свободно мог и отказаться от этой любви.

(82)

Промысл Божий в жизни святого Ефрема Сирина

Преподобный Ефрем Сирин (IV век) в юности имел небезупречный характер, также и образ мыслей его не отличался постоянством. Он, например, не мог убедиться в существовании Промысла Божия. Но Бог наставил его и исправил. Вот что об этом говорит он сам: «В юности, когда меня тревожило сомнение, я однажды отправился за город, задержался там и остался ночевать вместе с пастухом овец в лесу. Ночью напали на стадо волки и растерзали овец. Когда пастух объявил хозяевам о случившемся, те не поверили, обвинили меня в краже овец и отправили к судье. В то же время приведен был к судье и другой юноша, обвиняемый в преступлении. Судья отложил разбирательство дела и отправил обоих нас в темницу, где я нашел еще одного юношу. В темнице я узнал, что заключенные со мной юноши также

Преподобный Ефрем Сирин

обвинены несправедливо, и еще более начал сомневаться. Семь дней провел в темнице, все время думая о Промысле Божием, и наконец увидел во сне человека, который сказал мне: "Перебери в мыслях, о чем ты думал и что делал, и по себе узнаешь, что заключенные с тобой юноши страдают по заслугам".

Пробудившись, я начал внимательно перебирать в мыслях все свои поступки и нашел, что когда-то давно в том же селении с злым намерением выгнал из загона корову одного бедного селянина, и она была растерзана зверями.

Когда я рассказал сон и о своей вине двум юношам, то и они проверили свою прошедшую жизнь и припомнили за собой нехорошие дела. Один вспомнил, что видел тонувшего в реке человека и не спас его, хотя мог это сделать, а другой — что присоединился однажды к обвинителям одной вдовы, имевшим намерение лишить ее отцовского наследства. Теперь только я убедился, что Бог все знает, обо всем печется и посылает наказания по заслугам. С этого времени я дал обещание исправить свою жизнь», — пишет преподобный. И действительно, трудами и строгим наблюдением за своими поступками Ефрем Сирин уничтожил все худые наклонности своего характера и достиг святости.

(18)

Неразумная молитва

Некий старец, придя в одно селение, чтобы продать свое рукоделие, встретил простолюдина, который, окруженный нищими и убогими, возвращался с работы в свой дом. Старец вместе с другими вошел к нему, и простолюдин омыл всем ноги, всех накормил, напоил и успокоил. Узнав, что это был камнесечец Евлогий, который каждый день всю заработанную плату делил с бедными, старец подумал: «Если бы этот человек был богат, то сколько бы он сделал добра!» И стал молить Бога, чтобы Он дал Евлогию богатство. Молитва старца была услышана, и Господь сказал ему: «Евлогию лучше оставаться так, как теперь. Но если хочешь, Я дам ему богатство, только поручишься ли за него?» — «Да, Господи, — отвечал старец, — от рук моих взыщи душу его!» На другой день Евлогий, по обычаю придя на работу, начал ударять мотыгой в каменную скалу и, пробив отверстие, увидел в скале пещеру, наполненную золотом. Задумался Евлогий и решил золото тайно перенести домой. И вот уже нищие забыты, а Евлогий по ночам возит к себе золото. Затем он удалился в Византию, купил дворцы, сделался вельможей. Прошло два года. Однажды старец видит во сне, что Евлогий изгоняется от лица Господня. Ужаснулся отшельник и пошел в то селение, где в первый раз встретил Евлогия. Долго ища и не находя его, он обратился к одной старице с вопросом: «Нет ли у вас в селении какого нищелюбца?» Старица сказала ему: «Увы, был у нас один такой, камнесечец, но теперь он стал вельможей и ушел от нас». Старец воскликнул: «Что я сделал, ведь я убийца!» Он сел на корабль и отправился в Византию. Найдя дом Евлогия, он сел у его ворот и стал ждать выхода хозяина. Дождался: выходит Евлогий, окруженный рабами, гордый, надменный. Старец пал перед ним и воскликнул: «Помилуй, я что-то хочу сказать тебе!» Но Евлогий вместо ответа приказал бить старца. Встретил он в другой раз Евлогия и опять был бит. В третий раз ему также нанесли раны. В отчаянии он решил вернуться домой, сел на корабль и тут упал без чувств. В это время во сне он снова видит Господа с гневным лицом, окруженного Ангелами, и Господь повелевает им изринуть старца от Своего лица, как виновника в погибели Евлогия. Но явилась Матерь Божия и стала умолять

Господа о прощении. Тогда Господь сказал старцу: «Впредь не проси того, чего не должно. Я возвращу Евлогия в его прежнее положение». Радостный проснулся старец и со слезами возблагодарил Господа и Пречистую Его Матерь.

Что же случилось? Умер в Царьграде царь Иустин, любивший Евлогия, а новый приказал отобрать его имение в казну, а самого его убить. Евлогий бежал и наконец достиг своего села. Первым его делом было пойти к скале, не найдется ли в ней опять золота. Но золота не нашлось. Тогда он пришел в себя и через некоторое время вновь сделался нищелюбцем и страннолюбцем. Старец, узнав об этом, прославил Бога.

(68)

От Меня это было

Думал ли ты когда-либо, что все, касающееся тебя, касается и Меня? Ибо касающееся тебя касается зеницы ока Моего. Ты дорог в очах Моих, многоценен, и Я возлюбил тебя, и поэтому для Меня составляет особую отраду воспитывать тебя. Когда искушения восстанут на тебя и враг придет, как река, Я хочу, чтобы ты знал, что от Меня это было.

Что твоя немощь нуждается в Моей силе и что безопасность твоя заключается в том, чтобы дать Мне возможность бороться за тебя. Находишься ли ты в трудных обстоятельствах, среди людей, которые тебя не понимают, которые не считаются с тем, что тебе приятно, которые тебя отстраняют, — от Меня это было.

Я — Бог твой, располагающий обстоятельствами. Ты не случайно оказался на твоем месте, это то самое место, которое Я тебе назначил. Не просил ли ты, чтобы Я научил тебя смирению, — так вот, смотри, Я поставил тебя как раз в ту среду, в ту школу, где этот урок изучается. Твоя среда и живущие с тобою только выполняют Мою волю. Находишься ли ты в денежном затруднении, тебе трудно сводить концы с концами — знай, что от Меня это было.

Ибо Я располагаю твоими материальными средствами. Я хочу, чтобы Ты прибегал ко Мне и был бы в зависимости от Меня. Мои запасы неистощимы. Я хочу, чтобы ты убеждался в верности Моей

*Преподобный
Серафим Вырицкий*

и Моих обетований. Да не будет того, чтобы тебе могли сказать о нужде твоей: *...вы не верили Господу, Богу вашему* [Втор. 1: 32]. Переживаешь ли ты ночь скорбей, ты разлучен с близкими и дорогими сердцу твоему — от Меня это было.

Я — Муж скорбей, изведавший болезни, Я допустил это, чтобы ты обратился ко Мне и во Мне мог найти утешение вечное. Обманулся ли ты в друге твоем, в ком-нибудь, кому открыл сердце свое, — от Меня это было.

Я допустил этому разочарованию коснуться тебя, чтобы ты познал, что лучший друг твой есть Господь. Я хочу, чтобы ты все приносил ко Мне и говорил Мне. Наклеветал ли кто на тебя — предоставь это Мне и прильни ближе ко Мне, убежищу твоему, душою твоею, чтобы укрыться *от пререкания языков* [Пс. 30: 21]. *Я изведу, как свет, правду твою и справедливость твою, как полдень* (Ср.: Пс. 36: 6). Разрушились ли планы твои, поник ли ты душою и устал — от Меня это было.

Ты создавал себе свои планы и принес их Мне, чтобы я благословил их. Но я хочу, чтобы ты предоставил Мне распоряжаться обстоятельствами твоей жизни, и тогда ответственность за все будет на Мне, ибо слишком тяжело для тебя это и ты один не можешь справиться с ними, так как ты только орудие, а не действующее лицо. Посетили ли тебя неожиданные неудачи житейские и уныние охватило сердце твое, знай — от Меня это было.

Ибо Я хочу, чтобы сердце твое и душа твоя были всегда пламенеющими пред очами Моими и побеждали бы именем Моим всякое малодушие. Не получаешь ты долго известий от близких и дорогих тебе людей и по малодушию твоему впадаешь в отчаяние и ропот, знай — от Меня это было.

Ибо этим томлением твоего духа Я испытываю крепость веры твоей в непреложность обетования, силу дерзновенной твоей молитвы о сих близких тебе. Ибо не ты ли вручил их покрову Матери

Моея Пречистыя, не ты ли некогда возлагал заботу о них Моей промыслительной любви? Посетила ли тебя тяжкая болезнь, временная или неисцельная, и ты оказался прикованным к одру своему — от Меня это было.

Ибо Я хочу, чтобы ты познал Меня еще глубже в немощах своих телесных и не роптал бы за сие ниспосланное тебе испытание, не старался проникнуть в Мои планы спасения душ человеческих различными путями, но безропотно и покорно преклонил бы выю твою под благость Мою к тебе. Мечтал ли ты сотворить какое-либо особенное дело для Меня и вместо того слег на одр болезни и немощи — от Меня это было.

Ибо тогда ты был бы погружен в дела свои и Я не мог бы привлечь мысли твои к Себе, а Я хочу научить тебя самым глубоким мыслям, и той из них, что ты на службе у Меня.

Я хочу научить тебя сознавать, что ты — ничто.

Некоторые из лучших соработников Моих суть те, которые отрезаны от живой деятельности, чтобы им научиться владеть оружием непрестанной молитвы. Призван ли ты неожиданно занять трудное и ответственное положение — иди, полагаясь на Меня.

Я вверяю тебе эти трудности, ибо за это благословит тебя Господь Бог твой во всех делах твоих, на всех путях твоих, всем, что будет делаться твоими руками. В сей день даю в руку твою этот сосуд священного елея. Пользуйся им свободно, дитя Мое. Каждое возникающее затруднение, каждое оскорбляющее тебя слово, каждая помеха в твоей работе, которая могла бы вызвать чувство досады и разочарования, каждое откровение твоей немощи и неспособности пусть будут помазаны этим елеем — от Меня это было.

Помни, что всякая помеха есть Божие наставление, и потому положи в сердце своем слова, которые Я сказал тебе в сей день, — от Меня это было.

Храни их, знай и помни всегда, что всякое жало притупится, когда ты научишься во всем видеть Меня.

Все послано Мною для совершенствования души твоей — от Меня это было.

(74)

Время на покаяние

В августе 1395 года грозный, непобедимый Тамерлан, устрашенный и вразумленный видением Богоматери, приказавшей ему немедленно отступить, — сразу же покидает пределы нашего отечества. Русь спасена!

Вскоре Тамерлан отправляется в Византию. А там скопились несметные полчища турецкого султана Баязета (Баязида), прозванного Молниеносным, — грозного, могучего завоевателя, который жаждал взять Константинополь и окончательно сокрушить Византийскую империю. И вот в 1402 году закаленный в боях хромоногий Тимур посылает Баязету свой знаменитый ультиматум. «Во вселенной не может быть двух повелителей. Сложи оружие — и будешь жить. Иначе — не жди пощады!»

Баязет и не думает сдаваться, готовится к сражению. Наступил решающий день. Грянула жестокая битва. Огромное войско — около 500 тысяч сабель — у Тамерлана, и примерно столько же у турецкого полководца. Хочется отметить один замечательный момент. У Баязета — арабские скакуны: красавцы, летят как ветер — но быстро устают. А у Тимура — такие невзрачные, кривоногие монгольские лошаденки — но они коренасты, кряжисты, мускулисты и чрезвычайно выносливы. Именно это во многом и решило исход сражения. После полного разгрома Баязет попал в плен.

Перед Тамерланом открывался путь на практически беззащитный Константинополь с его воистину бесценными сокровищами. И что же он делает?! Не трогает обреченную столицу и выводит победоносные войска из Византии. Грекам было дано время на покаяние — вплоть до падения Константинополя в 1453 году.

...Накануне последнего штурма византийской столицы, как пишут некоторые историки, турецкий экспедиционный корпус находился в крайне плачевном состоянии. На боеспособности турецких войск сильно сказывались большие потери. Затянувшаяся осада города не принесла никаких результатов и лишь до предела измотала турецких солдат и офицеров. Кроме того, в турецком лагере свирепствовали болезни и кончался провиант. В довершение всех бед турки были наголову разбиты на море и почти полностью утратили боевой дух. В свете вышесказанного приказ о решающем штурме воспринимался как явное безумие, граничащее с самоубийством. И тем не менее — вопреки здравому смыслу и всем законам логики — город пал!

...Некий подвижник созерцал благодать Святого Духа в виде громадного пламени, исходившего из Софийского собора и восходившего в небо. Этим было ясно показано, что за грехи народа, и прежде всего за тягчайший грех богоотступничества духовных лиц — унию с римо-католиками, — Костантинополь лишен неодолимой защиты и отдан на поругание врагам.

(98)

Смысл жизни

Весь смысл жизни в том, чтобы ум наш и сердце жили Богом; чтобы Бог стал нашей жизнью. Этого Он только и ищет. Для этого мы и созданы, чтобы жить Его жизнью, и притом во всей ее беспредельности...

Это слово может нас пугать, когда мы видим наше настоящее жалкое состояние, но это так, и веру эту не надо терять. Одна из наибольших опасностей — снизить и умалить замысел Божий о человеке. Всякое наше страдание, даже неправое, знает Бог. Знает и сострадает нам. С Ним необходимо установить «личные» отношения; почти «человеческие»...

Я надеюсь, что ты меня понимаешь. Понимаешь, что под этим я разумею внутреннюю, интимную связь с Богом. Ибо к жизни в Нем призван весь человек, то есть не только его высшая способность созерцания — «дух», но и чувства — «душа», и даже тело.

Архимандрит Софроний (Сахаров)

Где найти себя?

Иногда человек думает: «Если бы я находился в другом месте, если бы мои ближние были духовными людьми, я бы жил по-другому. Вот бы поехать на Афон, в Иерусалим, поменять бы все». Это неправда — от себя не убежишь. Каков ты, какова твоя внутренняя

жизнь, такова и обстановка вокруг тебя. Иуда присутствовал на Тайной Вечере. Рядом был Христос, вокруг — святые апостолы, но это не помогло ему. А распятый разбойник смирился, сдержал свой ропот и сразу увидел Бога, осознав, что рядом с ним не меньше, а больше, чем он, страдает Христос.

Часто говорят: «Я страдаю, мучаюсь. Почему? За что? Где правда?» Если такие мысли и чувства живут в душе человека, если он ищет земной правды, то Правды Небесной он не найдет. В поисках врачей земных Врач Небесный будет забыт.

«Что мне делать? Как мне поступить?» Прежде всего человек должен спросить себя: чего он хочет? Как он думает строить свою жизнь? Ищет ли он удачной, по мирским меркам, и счастливой, по земным понятиям, жизни или решается идти за Христом туда, куда Он его поведет? Бог тихо, спокойно зовет душу: *Приидите ко Мне все...* [Мф. 11: 28]

Протоиерей Андрей Лемешонок, (107)

О счастье

До тех пор, пока люди не научатся бороться со своими страстями, то есть пока зло не побеждено внутри человека, оно не может быть побеждено и вовне, ибо дух творит себе формы.

Заповеди же Христовы — это не препятствие к вольной жизни, а объективные законы человеческого бытия, которым, как и законам мира физического, необходимо следовать, чтобы быть счастливым и здравым и чтобы жить в мире, а не в войне. Христианство ничего не отнимает у человека.

Перефразируя мысль Паскаля, можно сказать: христианство, не лишая человека ничего жизненно необходимого, дает ему в то же время возможность даже в тяжелейших условиях этой жизни иметь то, что именуется счастьем.

Очень показателен в связи с этим пример с оптинским старцем Никоном (Беляевым). Будучи арестованным, посаженным в концлагерь со шпаной, где заболел туберкулезом, он в одном из предсмертных писем произносит поразительные слова: «Счастью моему нет предела! Наконец я понял, что такое — *Царствие Божие внутрь вас есть* (Лк. 17: 21)».

То есть здесь, на земле, даже в самых жутких условиях христианство дает возможность человеку найти то, что так часто и бесплодно он ищет вне себя, — счастье. Ведь когда говорят: *Царствие Божие внутрь вас есть*, то говорят не о богатстве или славе, которые мимолетны и неотвратимо отнимаются смертью, но о том счастье, которое находится в душе человека и является вечным его достоянием.

Христианство говорит, что без изменения духовной жизни каждого отдельного человека невозможно положительное решение никаких жизненно важных проблем, в том числе и проблемы войны.

(109)

Тайна, открытая Богом

То, что мы знаем о Боге, человек сам не мог бы узнать никогда. И в то же время знание это совершенно необходимо для того, чтобы человек мог жить в Боге, сознательно идти дорогой богосовершенства. Человеческое сознание могло бы прийти к мысли о бытии Божием. Но о сущности Божества он сам ничего бы не мог узнать ни из окружающей жизни, ни из смутных очертаний своего богоподобного образа.

Что же открыто нам о Боге? Бог — это то, что было *всегда*. Это то, что выводит нас из бесконечного ряда вечно меняющихся явлений, из бессмысленности ни для чего не нужного круговращения. Бог дает начало вселенной во времени, будучи Сам безначален. Мы находим покой в абсолютности Его свойств, потому что они вмещают в себя все вечное, все превышающее человеческое разумение. Но Бог за пределами изменчивого бытия, имеющего начало, не есть слепая безличная сила или нечто отвлеченное, пустая безжизненная абстракция. Мы знаем из Откровения нечто о Его предвечной жизни. Бог единосложен по Своему составу, абсолютно прост. Но это Единое по существу абсолютное Начало, все создавшее и силой Своей все содержащее, имеет три Лица, три Ипостаси, не раздробляющие и не разъединяющие Его *Существа*. И потому *Единый* Бог по Трем Лицам Своим — Пресвятая, Единосущная и Нераздельная *Троица*.

Святые отцы указывают некоторое подобие в окружающем нас видимом мире для уразумения этой великой тайны. Солнце имеет три образа своего бытия: вещество, его составляющее, свет, который в его лучах, и тепло, которым оно согревает землю. Все это единое солнце, но три его как бы лица, единое существо выражающие: вещество, свет, тепло.

Ты недоумеваешь: как число три может не быть сложным и равняться единице? Но число только в применении к явлениям материального мира имеет те количественные свойства, которые делают для тебя несообразным понятие несложной троицы, равной единице. Ведь твоя *единая* личность лишь условно, применительно к земным свойствам чисел, определяется как троичная по своему составу, состоящая из ума, чувства и воли.

Но будем углубляться дальше в познание истины. Что нам открыто в Божественном Откровении о Существе Божием: *Бог есть любовь* (1 Ин. 4: 16). Или как говорит святой Григорий Богослов: «Если бы у нас кто спросил, что мы чувствуем и чему поклоняемся? Ответ готов. Мы чтим любовь».

Что мы знаем о любви? Мы знаем о ее действии и в этом действии хотя и не постигаем, но с трепетом чувствуем и самую ее сущность. Для нас любовь, где бы и как бы она в мире ни действовала, это всегда есть сила Божия, нас с Существом Божиим соединяющая.

Это так удивительно выражено святителем Василием Великим в его «Шестодневе»: «Целый мир, состоящий из разнородных частей, Бог связал каким-то неразрывным союзом любви в единое общение и единую гармонию, так что части, по положению своему весьма отдаленные одна от другой, кажутся соединенными посредством симпатии».

Протоиерей Валентин Свенцицкий, (71)

Путь Божий

К горе Святой, ко Граду Божью
Различных множество дорог:
Но всех начало у Подножья
Креста, на Коем распят Бог!

И без венца из острых терний,
Без ран, и оцта, и гвоздей,
Без мук сердечных и томлений
До райских не дойти Дверей.

Все ж бремя легкое Христово
Не тяжко будет нам нести,
Если сумеем Его Слово
Себе на память привести.

Что скорби праведников многи,
Но Он от всех избавит сих,
И что тернистые дороги
Введут в Покой и Радость их.

Что Царство Божие открыто
Для тех, кто узким шел путем,
И что для нас теперь сокрыто,
Тому разгадку там найдем...

Что там, где вечное сияет
Светило Божией Любви,
Блаженство Рая ожидает
Страдальца — путника Земли.

Протоиерей Николай Гурьянов

Биографические сведения

Александр Свирский, преподобный (1448–1533), — светоч монашества, жил в Новгородских владениях, удостоился явлений Живоначальной Троицы и Пресвятой Богородицы. В житии преподобного Александра Свирского рассказывается о множестве чудес, совершенных им: печальных он утешал, больных исцелял, грешных направлял, имел дар возвещать будущее.

Алексий Московский (Мечев), праведный (1859–1923), — московский старец, «старец в миру», как называли его современники. Родился 17 марта 1859 года в благочестивой семье регента кафедрального Чудовского хора. Учился Алексий Мечев в Заиконоспасском училище, затем в Московской Духовной семинарии, после окончания которой мечтал поступить в университет и стать врачом, но мать сказала, что хочет видеть его священником. Алексий покорился и поступил псаломщиком в церковь. Впоследствии он понял, что обрел свое истинное призвание. 19 марта 1893 года диакон Алексий Мечев был рукоположен во священника. Церковь Николая Чудотворца в Кленниках на Маросейке была маленькой, и приход ее был очень мал. Став настоятелем, отец Алексий ввел в храме ежедневное богослужение и восемь лет служил в пустом храме почти в одиночестве. Прошло время, и люди потянулись в храм. Отец Алексий имел благодатный дар прозорливости, но по своему глубокому смирению старался не показывать полноты этого дара. Истинными духовными друзьями батюшки были оптинские старцы иеросхимонах Анатолий (Потапов) и игумен Феодосий. Они изумлялись подвигу московского старца «во граде яко в пустыни». В согревающей и милующей любви к ближнему прошел отец Алексий свой жизненный путь. На юбилейном Архиерейском Соборе 2000 года протоиерей Алексий Мечев был причислен к лику святых. В 2001 году на праздник Всех святых, в земле Российской просиявших, совершилось обретение мощей святого. В настоящее время мощи праведного Алексия Мечева находятся в Москве в храме святителя Николая в Кленниках.

Амвросий Оптинский (Гренков), преподобный (1812–1891), — оптинский старец, подвижник и молитвенник. Одним из духовных благодатных дарований старца Амвросия, привлекавших к нему многие тысячи людей, была прозорливость. Преподобный глубоко проникал в душу собеседника и читал как раскрытую книгу. Старец Амвросий щедро раздавал милостыню и заботился о вдовах, сиротах, больных и страждущих. В последние годы жизни старца в 12 верстах от Оптиной Пустыни, в деревне Шамордино, по его благословению была устроена женская Казанская Пустынь. Здесь же были открыты детский приют, школа, богадельня и больница.

Антоний Сурожский (Блум), митрополит (1914–2003), — величайший пастырь-проповедник и богослов нашего времени, в течение сорока лет возглавлявший епархию Русской Православной Церкви в Великобритании. Проповедь владыки Антония — проповедь Евангельской Любви и Свободы — имеет огромное значение в наше время. В России слово митрополита Антония звучало многие десятилетия благодаря религиозным передачам русской службы Би-Би-Си. Особенность творчества Владыки в том, что он ничего не пишет: его слово рождается как устное обращение к слушателю — не безликой толпе, а каждому человеку, нуждающемуся в живом слове о Живом Боге. Поэтому все изданное печатается по магнитофонным записям и сохраняет звучание этого живого слова. Митрополит Антоний умел передать окружающим глубоко личностные отношения с Богом, щедро поделиться духовным опытом, глубоко укорененным в Предании Церкви и вместе с тем открытым современному человеку.

Афанасий (Евтич), епископ (родился в 1938 году), — известный иерарх и богослов Сербской Православной Церкви, добрый пастырь и проповедник, ученик преподобного Иустина (Поповича).

Варсонофий Оптинский (Плиханков), преподобный (1845–1913), — оптинский старец, ученик преподобного Амвросия Оптинского. Как в спасительную гавань, стремились люди в благословенный оптинский скит к преподобному Варсонофию. Он видел душу, и по молитвам ему открывалось в человеке самое сокровенное, а это давало преподобному Варсонофию возможность направлять ближнего на путь истинный, исцелять болезни, душевные и телесные.

Василий (Родзянко), епископ (1915–1999). Родился в Екатеринославской губернии. В 1920 году семья эмигрировала в Югославию. Владимир Родзянко окончил классическую гимназию в Белграде и богословский факультет университета. Его учителями и наставниками были великие подвижники XX века — святитель Иоанн (Максимович), архимандрит Иустин (Попович), митрополит Николай

(Велимирович), а также глава Русской Зарубежной Церкви митрополит Антоний (Храповицкий). В 1939 году был рукоположен во иереи Сербской Православной Церкви. Во время Второй мировой войны участвовал в сербском сопротивлении, а в 1949 году был осужден на восемь лет титовским судом «за превышение дозволенной религиозной пропаганды». Отсидел в лагерях два года, после чего был выслан из Сербии. С 1952 года в течение 26 лет вел религиозные передачи по Би-Би-Си на Россию. В 1978 году овдовел, принял монашеский постриг и через несколько месяцев был рукоположен во епископа Вашингтонского. В течение четырех лет возглавлял Сан-Францисскую епархию. После 1986 года часто приезжал на Родину, подолгу жил в Троице-Сергиевой Лавре, читал лекции по апологетике в Духовной Академии, написал книгу «Теория распада вселенной и вера Отцов».

Василий Великий, святитель (330–379), — архиепископ Кесарии Каппадокийской (Малая Азия), святой отец Церкви. В семье, в которой родился святитель, было десять детей, из них пятеро были потом причислены к лику святых. Философ, филолог, оратор, юрист, естествовед, имевший глубокие познания в астрономии, математике и медицине, святитель Василий Великий около 357 года вступил на путь аскетической жизни. Своими письмами Василий Великий привлек в пустыню своего друга Григория Богослова. В уединении святые Василий и Григорий изучали Священное Писание по руководствам древнейших толкователей, из произведений которых они составили сборник — «Филокалия» («Добротолюбие»). В то же время Василий Великий по просьбе иноков написал сборник правил нравственной жизни. Образовывались монастыри, в которых Василий стремился соединить жизнь киновиальную (общежительную) с отшельнической. Святой Василий Великий составил чин Божественной литургии; им написаны также «Беседы на Шестоднев»; шестнадцать бесед на псалмы, пять книг в защиту православного учения о Святой Троице; двадцать четыре беседы на различные богословские темы; семь аскетических трактатов; правила монашеские; устав подвижнический; две книги о Крещении; книга о Святом Духе; несколько проповедей и триста шестьдесят шесть писем разным лицам. За свои труды святитель Василий назван Великим и прославляется как «слава и красота Церкви», «светило и око вселенной», «учитель догматов». Частица мощей святителя Василия и поныне пребывает в Почаевской Лавре. Честная глава святителя Василия благоговейно хранится в Лавре святого Афанасия на Афоне, а десница его — в алтаре храма Воскресения Христова в Иерусалиме.

Елисавета Феодоровна, Великая Княгиня, преподобномученица (1864–1918), — принцесса Гессен-Дармштадтская, младшая сестра последней российской Императрицы Александры Феодоровны, супруга Великого Князя Сергея Александровича. После трагической смерти мужа она посвятила свою жизнь служению людям. Елисавета Феодоровна организовала в Москве обитель милосердия в честь святых жен-мироносиц Марфы и Марии. При обители были устроены больница и приют для девочек, столовая для бедных. После убийства царской семьи, ночью 18 июля 1918 года, большевики убили Великую Княгиню, ее келейницу инокиню Варвару Яковлеву вместе с другими членами императорского дома, живыми сбросив их в шахту заброшенного рудника под Алапаевском. Архиерейский Собор Русской Православной Церкви в 1992 году причислил к лику святых новомучеников России преподобномученицу Великую Княгиню Елисавету и инокиню Варвару. Святые мощи настоятельницы Марфо-Мариинской обители и ее верной келейницы Варвары находятся в Иерусалиме в храме Святой равноапостольной Марии Магдалины в Гефсимании.

Ельчанинов Александр, протоиерей (1881–1934), — педагог, духовный писатель. Родился в городе Николаеве. Еще в детстве началась его дружба с П. А. Флоренским. Отец Александр окончил историко-филологический факультет Санкт-Петербургского университета, учился в МДА. В 1905 году стал первым секретарем религиозно-философского общества им. В. Соловьева. В 1910 году активно занялся педагогической деятельностью. В 20-х годах XX века отец Александр с семьей поселился в Ницце, где и был рукоположен (1926). «Не только по своим личным качествам пастырской призванности и одаренности, совершенно исключительной, но в особенности по своему типу, отец Александр как священник представлял собой явление необычайное и исключительное, ибо он воплощал в себе органическую слиянность смиренной преданности Православию и простоты детской веры со всей утонченностью русского культурного предания» (протоиерей Сергий Булгаков).

Ефрем Сирин, преподобный (IV век), — святой отец Церкви, великий учитель покаяния. Преподобным Ефремом написано много молитв и песнопений, обогативших церковное богослужение. Его покаянная молитва *Господи и Владыко живота моего...* читается Великим постом. Церковь с древних времен высоко ценила труды преподобного Ефрема. И ныне по Уставу Церкви некоторые его поучения положено читать в дни Великого поста. Преподобный Ефрем, по своему смирению считая себя ниже и хуже всех, в конце своей жизни отправился в Египет, чтобы увидеть подвиги великих пустынников. Он был принят там как желанный гость и сам получил большое утешение от общения с ними. На обратном пути он посетил в Кесарии Каппадокийской святителя Василия Великого, который пожелал посвятить его во пресвитера, но преподобный счел себя недостойным иерейства и, по настоянию святителя, принял лишь сан диакона, в котором пребывал до смерти.

Игнатий Брянчанинов, святитель (1807–1867), — епископ, подвижник и духовный писатель XIX века. Сочинения, изданные еще при жизни святителя, привлекают внимание глубоким знанием Священного Писания и творений святых отцов, творчески переработанных и осмысленных применительно к духовным запросам современности. Произведения святителя Игнатия представляют собой ценное пособие для всех идущих по тернистому пути опытного богопознания. Епископ Игнатий канонизирован Поместным Собором Русской Православной Церкви в 1988 году. Его святые мощи покоятся в Свято-Введенском Толгском монастыре Ярославской епархии.

Иннокентий (Борисов), архиепископ Херсонский и Таврический, святитель (1800–1857), — выдающийся богослов и церковный писатель, который составил много различных служб и акафистов. Трудами святителя были открыты почти все крымские монастыри в середине XIX века. Современники называли святителя Иннокентия «русским Златоустом». Его перу принадлежат книги: «Жизнь апостола Павла», «Жизнь святого Киприана», «Последние дни земной жизни Иисуса Христа». Книги святителя до сих пор вызывают огромный интерес у православных читателей.

Иоанн (Крестьянкин), архимандрит (1910–2006), — старец, пастырь-молитвенник, духовник Свято-Успенского Псково-Печерского монастыря, духовный писатель и проповедник. Отец Иоанн был рукоположен в священный сан в год окончания Великой Отечественной войны, но уже спустя пять лет оказался в заключении. После семи лет лагерей и ссылок двенадцать лет служил в Псковской и Рязанской епархиях. 10 июня 1966 года в Сухуми отец Иоанн принял монашество. Постриг совершал глинский старец схиархимандрит Серафим (Романцов). 5 марта 1967 года иеромонах Иоанн поступил в Псково-Печерский монастырь. После этого — почти сорок лет подвижнического труда по духовному окормлению сотен и тысяч православных верующих. Боговдохновенные книги архимандрита Иоанна — «Опыт построения исповеди», «Проповеди, размышления, поздравления», «Настольная книга для монашествующих и мирян», «Письма архимандрита Иоанна (Крестьянкина)» и другие — являют глубокий дар духовного рассуждения и многолетний опыт пастырского служения. «Христианство — это подвиг жизни, это крестоношение, это труд», — пишет отец Иоанн. Вся жизнь старца была подтверждением этих слов.

Иоанн (Максимович), архиепископ Сан-Францисский, святитель (1896–1966), — прозорливец и молитвенник, пастырь Христов и блаженный чудотворец, один из апостолов нового времени, сохранивших Русскую Церковь в рассеянии, выдающийся проповедник, богослов и церковный историк. Владыка Иоанн мирно почил о Господе 2 июля 1966 года во время архиерейского посещения Сиэтла с чудотворной иконой Божией Матери Курской-Коренной. Усыпальница владыки с первых дней его упокоения превратилась в место поклонения. У нетленных мощей святителя обильно подаются телесные и духовные исцеления. 25 июня 2008 года архиепископ Иоанн (Максимович) был прославлен Русской Православной Церковью в лике святителей.

Иоанн Кронштадтский (Сергиев), святой праведный (1829–1908), — праведник, чудотворец, великий подвижник и молитвенник. Родился в селе Сура Пинежского уезда Архангельской губернии в семье церковного причетника. С 1839 года Иван учился в Архангельском приходском училище, в 1851 году с отличием окончил Архангельскую Духовную семинарию. 12 декабря 1855 года Иоанн был посвящен в иереи Андреевского морского собора в Кронштадте, где прослужил 53 года. Отец Иоанн получил всероссийскую известность как вдохновенный проповедник и духовный наставник. Божественная литургия была центром жизни всероссийского Батюшки. Обычно он совершал ее долгие часы, а причастников Святых Таин Христовых бывало до нескольких тысяч человек. Он веровал, что за словом, как тень за телом, следует и дело, не допуская ни малейшего сомнения в исполнении Богом обращенного к Нему слова. Святой праведный Иоанн построил в Кронштадте Дом трудолюбия с храмом, народной школой на 200 учащихся, приютом, с мастерскими и комнатами для приезжающих богомольцев. Около четверти века он преподавал Закон Божий в Кронштадтском городском училище. Написал книгу «Моя жизнь во Христе» (1894). Праведный Иоанн неоднократно посещал село Суру, свою родину, где основал женский монастырь во имя святого апостола Иоанна Богослова и каменный приходской храм во имя Николая Чудотворца. В Санкт-Петербурге его усилиями был воздвигнут женский монастырь на Карповке, где святой и был упокоен. Праведный Иоанн Кронштадтский был канонизирован в 1990 году на Поместном Соборе Русской Православной Церкви.

Иоанн Златоуст, архиепископ Константинопольский, святитель (347–407), — один из трех вселенских святителей, вместе со святителями Василием Великим и Григорием Богословом. Златоуст — название, данное ему одной простой женщиной в храме, в порыве восторга от его слова. В своих многочисленных беседах (до 800) святой Златоуст оставил вдохновенные объяснения (толкования) на многие книги Священного Писания. Он составил последование (чин) Литургии, ввел в церковное употребление крестные ходы и некоторые другие благочестивые обычаи. Святитель Иоанн послал и на Русь к тогдашним скифам проповедников веры и почитается одним из ее просветителей.

Каллист (Уэр), епископ (родился в 1934 году). Англиканин с рождения, Тимоти Уэр в 1958 году принял Православие. Продолжительное время провел в монастыре святого Иоанна Богослова на острове Патмос (Греция). В 1966 году Тимоти был рукоположен во иеромонаха. В том же году он вернулся в Англию и стал профессором богословия Оксфордского университета. В 1982 году рукоположен во епископа Диоклийского, викария архиепископа Фиатирского и Великобританского. После епископской хиротонии остался в Оксфорде, где продолжал возглавлять греческий православный приход и читать лекции в университете. Самая известная книга владыки Каллиста — «The Orthodox Church» («Православная Церковь») — вышла в свет в 1963 году, еще до принятия им священного сана и монашества.

Лука (Войно-Ясенецкий), архиепископ Симферопольский и Крымский, святитель (1877–1961), — исповедник, выдающийся ученый и хирург, духовный писатель. Его богословские трактаты пробуждают веру и убеждают сомневающихся в истинности бытия Божия, опровергая различные псевдонаучные теории. В 1996 году состоялось обретение святых останков архиепископа Луки, которые в настоящее время почивают в Свято-Троицком кафедральном соборе города Симферополя. В 2000 году Архиерейским Собором Русской Православной Церкви архиепископ Лука прославлен как исповедник в сонме новомучеников Российских и почитается как святой другими поместными Церквами, в частности Греческой Православной Церковью.

Макарий Великий, Египетский, преподобный (301–391). Родился в Нижнем Египте. По желанию родителей вступил в брак, но скоро овдовел. После смерти жены и родителей Макарий раздал бедным все свое имущество и удалился к одному старцу в пустыню. Старец наставил его в науке поста и молитвы, научил рукоделию — плетению корзин. Прожив три года в пустыне, Макарий пошел к святому

Антонию Великому, отцу египетского монашества, и впоследствии стал его учеником. По совету святого аввы Макарий удалился в Скитскую пустыню и там столь просиял своими подвигами, что его стали называть «юношей-старцем», так как ему было около тридцати лет. Шестьдесят лет провел святой авва Макарий в пустыне. Пятьдесят бесед и семь подвижнических слов остались драгоценным наследием духовной мудрости преподобного. Святая Церковь включила в общеупотребительные вечерние и утренние молитвы подвижнические молитвы преподобного Макария Великого.

Марк Подвижник, преподобный (конец IV–начало V века). Принадлежит к числу знаменитейших отцов египетских. Прославился великой святостью жизни и духовной мудростью своих писаний.

Нектарий Оптинский (Тихонов), преподобный (1853–1928), — последний соборно избранный оптинский старец, ученик скитоначальника преподобного Анатолия (Зерцалова) и преподобного старца Амвросия. Необыкновенным было смирение преподобного старца: исцеляя больных, обладая даром прозорливости, чудотворения и рассуждения, он скрывал эти высокие духовные дарования под внешним юродством.

Нектарий Эгинский, святитель (1846–1920), — митрополит Пентапольский, чудотворец, святой, прославленный Греческой Церковью в 1961 году. Почитание святителя Нектария Эгинского в Церквах Востока (Константинопольской, Элладской, Иерусалимской и других) сравнимо с почитанием в России преподобного Серафима Саровского.

Николай (Велимирович) Сербский, святитель (1880–1956), — епископ Охридский и Жичский, организатор православного народного движения в Сербии, поэт и проповедник, видный богослов и религиозный философ, почетный доктор нескольких мировых университетов. Крупнейший духовный автор, перекинувший мост к поэтике средневековых сербских стихир. «У сербского народа два великих вождя, два великих святителя, два пастыря добрых — святой Савва и святой владыка Николай» (преподобный Иустин (Попович)). Владыка Николай был прославлен Сербской Православной Церковью в мае 2000 года.

Николай Гурьянов, протоиерей (1909–2002), — благочестивый старец, более сорока лет подвизавшийся на острове Залит. Батюшка Николай — один из самых почитаемых молитвенников и духовных наставников современности. Родился он в купеческой семье в селе Чудские Заходы Гдовского уезда Санкт-Петербургской губернии. В детстве Николай прислуживал в алтаре. В 1928 году, окончив Гатчинский педагогический техникум и первый курс Педагогического института в Ленинграде, вернулся в родные места и с 1929 по 1934 годы служил псаломщиком в Тосно. В конце тридцатых годов отец Николай был арестован и прошел этапы, лагеря, ссылки. Начало пастырского служения совпало с Великой Отечественной войной. 8 февраля 1942 года он был рукоположен в сан диакона, а 15 февраля в сан иерея. После он служил на приходах в Латвии и Литве. В 1958 году отец Николай был переведен в Псковскую епархию и назначен настоятелем храма святителя Николая Чудотворца на острове Залит в Псковском озере, где и пребывал до своей блаженной кончины.

Николай (Касаткин), архиепископ Японский, святой равноапостольный (1836–1912), — величайший миссионер XX века, проповедовавший Слово Божие в Японии. В 1870 году отцом Николаем была основана Русская духовная миссия. В 1873 году отец Николай приступил к строительству в Токио церкви и школы, а затем и духовного училища, которое в 1878 году было преобразовано в семинарию. К 1874 году при Миссии в Токио действовали четыре духовных училища, и два в городе Хакодате. Во второй половине 1877 года Миссией стал регулярно издаваться журнал «Церковный вестник». К 1878 году в Японии насчитывалось уже 4115 христиан, существовали многочисленные христианские общины. 30 марта 1880 года в Александро-Невской Лавре состоялась хиротония архимандрита Николая во епископа. Вернувшись в Японию, святитель с еще большим усердием стал продолжать свои апостольские труды: завершил строительство собора Воскресения Христова в Токио, принялся за новый перевод богослужебных книг, составил на японском языке особый православный Богословский словарь. Большие испытания выпали на долю святителя и его паствы в период русско-японской войны. В эти тяжелые годы он был возведен в сан архиепископа. 3 февраля 1912 года святитель Николай мирно отошел ко Господу. Он стал первым европейцем, которого похоронили на древнем кладбище в Токио. Священный Синод Русской Православной Церкви 10 апреля 1970 года вынес акт о прославлении святителя в лике равноапостольных, ибо в Японии святой уже давно был чтим как великий праведник и молитвенник пред Господом.

Нилус Сергий Александрович (1862–1929) — духовный писатель и общественный деятель. После встречи со святым праведным Иоанном Кронштадтским Сергий Нилус обращается в православную веру.

В 1903 году в свет выходит его первая книга «Великое в малом», выдержавшая пять изданий. С 1907 по 1912 год Нилус жил в Оптиной Пустыни. Разбирая богатейший оптинский архив, писатель бережно извлекает из него свидетельства прозорливцев, странников и старцев. Эти материалы вошли в книги «На берегу Божьей реки», «Сила Божия и немощь человеческая» (1908) и «Святыня под спудом. Тайны православного монашеского духа» (1911). Революция застала Нилуса в Малороссии, подвергнув его жесточайшим испытаниям. Гонения, преследования, обыски. За чтение его книг расстреливали, но Сергий Нилус не впадал в уныние, а, хранимый Самим Господом, продолжал писать о проявлении воли Божией — о чудотворениях, о спасительной силе покаяния, о Церкви как водительнице совести. Эти материалы легли в основу второй части книги «На берегу Божьей реки».

Паисий Святогорец (Езнепидис) (1924–1994) — блаженный старец, схимонах. Родился в Каппадокии (Малая Азия), вырос в Греции. С детских лет вел подвижническую жизнь. В 1950 году стал монахом, подвизался на Святой Афонской Горе, а также в монастыре Стомион в Конице и на Святой Горе Синай. Старец Паисий нес исключительные аскетические подвиги и был щедро наделен от Господа многими благодатными дарованиями.

Порфирий Кавсокаливит (Байрактайрис), старец (1906 — 1991). В двенадцатилетнем возрасте, прочитав житие святого Иоанна Каливита, решил тайно от родителей отправиться на Афон — и трижды возвращался в нерешительности. Наконец Сам Бог вручил юношу попечениям духовника — старца Пантелеимона, после чего началась молитвенная жизнь на Святой Горе. Старец Порфирий необычайно остро чувствовал реальность духовного мира и видел проявления Божественного Промысла в каждом человеке, в каждой твари. Большую часть жизни старец Порфирий нес свое служение в миру — тридцать три года он был настоятелем и духовником больничного храма при Афинской поликлинике, к нему приходило множество людей, и эти люди оставили невероятное количество свидетельств о его прозорливости, чудесах и исцелениях по его молитвам. Незадолго до своей кончины, готовясь к ней, старец вернулся на столь любимую им Святую Гору, в Кавсокаливию, где он и отошел ко Господу. Его последними словами были слова из первосвященнической молитвы Спасителя: *Да будут едино* (Ин. 17: 22).

Свенцицкий Валентин, протоиерей (1882–1931), — выдающийся пастырь и духовный писатель. Родился в 1882 году в Казани. Получил прекрасное образование, причем учился сразу на трех факультетах Московского университета: филологическом, юридическом, историко-философском. В то время он сблизился с отцом Сергием Булгаковым, отцом Павлом Флоренским, князем Трубецким. Революция 1905 года захлестнула Валентина идеей христианского социализма. Им овладела мысль о революционном переустройстве общества. В 1909 году он вынужден был тайно бежать во Францию. Спустя год, вернувшись в Россию, он посетил кавказские монастыри и Оптину Пустынь. Там-то и произошло его духовное перерождение. Он стал духовным сыном великого оптинского старца Анатолия (Потапова). В 1915 году Валентин Свенцицкий издает книгу «Граждане Неба», в которой описывает путешествие по скитам пустынножителей Кавказа. Приняв сан в тяжелом для России 1917 году, он становится армейским священником. В гражданской войне отец Валентин участвовал на стороне Добровольческой армии. В 1928 году в сибирской ссылке протоиерей Валентин написал «Диалоги», одну из лучших книг о том, как обрести веру.

Серафим (Роуз), иеромонах (1934–1982), — подвижник, духовный писатель. Юджин Роуз родился в курортном калифорнийском городке Сан-Диего, в протестантской семье. В молодости, разочаровавшись в протестантизме, пройдя через многие искушения, свойственные тому времени, — битничество, рок-музыка, дзен-буддизм, — пришел к православной вере. В 1962 году по благословению святителя Иоанна (Максимовича) стал чтецом на клиросе. В 1970 году принял монашеский постриг с именем Серафим в честь преподобного Серафима Саровского. Вместе с другом и духовным братом отцом Германом (Подмошенским) отец Серафим основал монастырь в честь преподобного Германа Аляскинского в Калифорнии. Книги отца Серафима: «Православие и религия будущего» (1975), «Душа после смерти» (1980), «Святые отцы: верный путь христианства» (1983), «Будущее России и конец мира: православное мировоззрение» (1991).

Серафим Вырицкий (Муравьев), преподобный (1866–1949). До революции был богатым купцом — одним из пяти крупнейших торговцев пушниной в Санкт-Петербурге. Он вел дела и за рубежом, занимался широкой благотворительной деятельностью. В 1920 году принял монашество в Александро-Невской Лавре, а затем стал ее духовником. С 1930 года до своей кончины жил в Вырице. За любовь к людям Господь даровал подвижнику великую духовную мудрость, слово врачевания немощных душ, слово истинного провидения и пророчества. В 2000 году Серафим Вырицкий был причислен к лику святых Православной Церкви.

Силуан Афонский (Антонов), преподобный (1866–1938), — блаженный старец, афонский схимонах. Отец Силуан родился в селе Шовском (Тамбовская губерния) в крестьянской семье. На Афон приехал в 1892 году, в мантию пострижен в 1896 году. После пострижения в схиму в 1911 году преподобный Силуан нес послушание монастырского эконома. «Опыт многих лет показал, что эконом должен любить людей как мать любит своих детей, а если кто непослушлив, то должен за того усердно молиться Богу». В то же время он пишет свои записки, опубликованные в 1952 году его учеником архимандритом Софронием (Сахаровым). Многие монашествующие называют их «новым Добротолюбием». В течение сорока шести лет схимонах Силуан подвизался на Афонской горе в Русском монастыре Святого великомученика Пантелеимона. В своей жизни старец Силуан удостоился двух явлений Господа нашего Иисуса Христа. Первое явление Господа совершилось, когда преподобный был еще послушником, а второе — через пятнадцать лет. Через преподобного Силуана христианский мир получил богооткровенное слово спасения: «Держи ум твой во аде и не отчаивайся». С 1970-х годов известны случаи многочисленных исцелений, совершавшихся от главы преподобного, которая хранится в Пантелеимоновском монастыре. Часть его мощей находится в Иоанно-Предтеченском монастыре в Великобритании. Преподобный Силуан прославлен Константинопольской Церковью в 1987 году. Имя его внесено в Месяцеслов Русской Православной Церкви в 1992 году. Всю жизнь старец Силуан молился Господу за весь мир, и на иконе предстоящий Христу преподобный держит свиток со словами молитвы: «Молю Тебя, Милостивый Господи, да познают Тебя Духом Святым все народы земли».

Софроний (Сахаров), архимандрит (1896–1993), — монах-подвижник, ученик и сотаинник преподобного Силуана Афонского, богослов, один из самых известных писателей-аскетов прошлого столетия. Его книги «Преподобный Силуан Афонский» (1952), «Видеть Бога как Он есть» (1985), «О молитве» (1991), «Опыт Богопознания» (2001), «Духовные беседы», переведенные на многие языки мира, прочно вошли в сокровищницу православного Предания. В простых словах отец Софроний открывает бесценный монашеский опыт жизни во Христе, чтобы сделать его доступным и понятным современному человеку. Эта беспредельность любви «к каждому человеку как неповторимой вечной ценности» наполняет всякое его слово, к кому бы оно ни было обращено. Своим живым примером архимандрит Софроний показывает, как «мы стоим перед необходимостью "раскрыть" себя для "всего" и всех, чтобы самим стать христианами». В 1959 году в Великобритании, в графстве Эссекс, отец Софроний вместе со своими духовными детьми основал монастырь святого Иоанна Предтечи.

Уникальная община монастыря (состоит из двух общин — мужской и женской) с самого начала была интернациональной, и всенощное бдение совершалось на славянском, греческом, английском и французском языках. За годы своего пребывания в Великобритании архимандрит Софроний приобрел известность как выдающийся духовник. Тысячи людей из разных стран приезжали к нему за духовным советом и молитвенной помощью.

Таврион (Батозский), архимандрит (1898–1978), — старец, подвижник XX века, духовник Спасо-Преображенской Пустыни под Елгавой Рижского Свято-Троицкого монастыря. Для многих и многих людей отец Таврион в советской России был живым свидетельством Воскресения Христова и, как следствие его, царственной свободы христианина. Он действительно жил в любви и свободе тогда, когда это казалось невозможным, а Спасо-Преображенская Пустынь, в которой он служил начиная с марта 1969 года, была местом, где светил чистый свет непобежденной вратами ада Христовой Церкви.

Феофан Затворник Вышенский (Говоров), святитель (1815–1894), — величайший богослов, подвижник-аскет XIX века. Святитель Феофан оставил обширное и драгоценное духовно-литературное наследие: многочисленные труды по христианской нравственности, сочинения с изложением основ святоотеческой психологии, переводы аскетической письменности (в том числе перевод «Добротолюбия»), глубочайшие толкования Священного Писания. По своей плодотворности труды святителя Феофана сопоставимы с творениями святых отцов IV столетия — золотого века Византии. На Поместном Соборе Русской Православной Церкви, посвященном 1000-летию Крещения Руси, Феофан Затворник был причислен к лику святых.

Филарет (Дроздов), митрополит Московский и Коломенский, святитель (1783–1867), — выдающийся проповедник, пастырь, почти полвека возглавлявший московскую кафедру. С 1816 года владыка Филарет работал над переводом на русский язык книг Священного Писания. В частности, он перевел Евангелие святого апостола Иоанна Богослова. В 1823 году был напечатан его «Христианский Катехизис Православной Кафолической Восточной Греко-Российской Церкви». До настоящего времени катехизис святителя Филарета остается одним из основных пособий по изучению основ православной веры. В 1992 году святитель Филарет был причислен к лику святых Русской Православной Церкви. 13 октября 1994 года произошло обретение мощей святителя, а 9 июня 2004 года они были перенесены в московский кафедральный храм Христа Спасителя.

Шмеман Александр, протоиерей (1921–1983), — известный богослов, проповедник и историк Церкви. Родился в городе Ревеле (Эстония). В 1945 году окончил Парижский Богословский институт и остался при кафедре церковной истории. В 1946 году был рукоположен во иерея. В 1951 году принял приглашение Свято-Владимирской семинарии и переселился с семьей в Нью-Йорк. В 1959 году защитил в Париже докторскую диссертацию по литургическому богословию. С 1962 года — декан Свято-Владимирской семинарии. Много выступал с проповедями по радио в передачах для России. Книги протоиерея Александра Шмемана: «Исторический путь Православия» (1954), «Введение в литургическое богословие» (1961), «Великий пост» (1969), «Водою и духом. О Таинстве Крещения» (1974), «Евхаристия: Таинство Царства» (1984), «Дневники: 1973-1983» (2002).

Источники

1. Авраам, игумен. Стихотворения. — Екатеринбург: Издательство Ново-Тихвинского женского монастыря, 2002. — 40 с.
2. Агапит (Беловидов), архимандрит. Житие преподобного Амвросия, старца Оптинского. — Свято-Введенская Оптина Пустынь, 1999. — 583 с.
3. Антоний Сурожский, митрополит. О слышании и делании. — М.: Издательство Московского Подворья Свято-Троицкой Сергиевой Лавры, 1999. — 384 с.
4. Антоний Сурожский, митрополит. Пастырство. — Таганрог: Новые Мехи. Информационное агентство Белорусской Православной Церкви, 2005. — 464 с.
5. Антоний Сурожский, митрополит. Труды. — М.: Практика, 2002. — 1081 с.
6. Антоний Сурожский, митрополит. Человек перед Богом. — М.: Паломникъ, 2001. — 384 с.
7. Афанасьев В. Оптинские были. Очерки и рассказы из истории Введенской Оптиной Пустыни. — М.: Русский Хронографъ, 2003. — 736 с.
8. Бородина А.В. Основы Православной культуры. — М.: Издательский дом «Покров», 2003. — 288 с.
9. Бусьос Димитрий, протоиерей. Поучительные истории из жизни одной греческой епархии. — Минск: Издательство Свято-Елисаветинского монастыря, 2005. — 96 с.
10. Василий (Родзянко), епископ. Теория распада вселенной и вера Отцов. Каппадокийское богословие — ключ к апологетике нашего времени. Апологетика XXI века. — М.: Паломникъ, 2003. — 254 с.
11. Вениамин (Федченков), митрополит. Вера, неверие, сомнение. — М., 1995.
12. Весна покаяния. — М.: Даниловский благовестник, 2006. — 224 с.
13. Владимиров Артемий, священник. Учебник Жизни. — М.: Издательство Православного Братства Святителя Филарета митрополита Московского, 1998.
14. Всеволод (Филипьев), инок. Ангел апокалипсиса. Духовные сочинения. — М.: Попечительство о нуждах российских репатриантов, 2002. — 158 с.
15. Гипп Константин, протоиерей. Болезнь или преступление. // Фома. 2006. № 2.
16. Горбачева Н. Таинства Церкви. — М.: Паломникъ, 2004. — 304 с.
17. Дворкин А. Афонские рассказы. — М.: Православный Свято-Тихоновский Гуманитарный Университет, 2006. — 200 с.
18. Добротолюбие. — Свято-Троицкая Сергиева Лавра, 1992.
19. Дымов М. Дети пишут Богу. — Рига: Вайделоте, 1997.
20. Евсин И. Судьба и вера Сергея Есенина. — Рязань: Зерна, 2006. — 160 с.
21. Ельчанинов Александр, священник. Записи. — М.: Русский путь, 1992.
22. Житие и чудеса св. вмч. Пантелеимона. — Издательство «Ковчег».
23. Житие оптинского старца Анатолия (Потапова). — Свято-Введенская Оптина Пустынь, 1995. — 176 с.
24. Житие святого праведного Иоанна Кронштадтского и всея России Чудотворца. — Оранта, 2005.

25. Зайцев Б. Афон. — М.: Дар, 2007.

26. Игнатий Брянчанинов, святитель. Отечник. — Минск: Лучи Софии.

27. Игумен N. Сокровенный Афон. — М.: Даниловский благовестник, 2002. — 224 с.

28. Иларион (Алфеев), игумен. Вы — свет мира. Беседы о христианской жизни. — Клин: Фонд «Христианская жизнь», 2001.

29. Иларион (Алфеев), игумен. Человеческий лик Бога. — Клин: Фонд «Христианская жизнь», 2001. — 240 с.

30. Иоанн (Крестьянкин), архимандрит. Письма. — Издательство Псково-Печерского монастыря, 2004.

31. Иоанн (Крестьянкин), архимандрит. Проповеди, размышления, поздравления. — М.: Правило веры, 2006. — 850 с.

32. Иоанн Кронштадтский, святой праведный. Моя жизнь во Христе. — М.: Издательство Сретенского монастыря, 2005.

33. Исаак, иеромонах. Житие старца Паисия Святогорца. — М.: Издательский дом «Святая Гора», 2006. — 736 с.

34. Исаева А. Хранители Православия в Тунисе. // Фома. 2007. № 1.

35. Как научиться Иисусовой молитве. — Мн.: Свиток, 2001. — 176 с.

36. Каллист (Уэр), епископ. Внутреннее царство. — Киев: Дух i Лiтера, 2004. — 196 с.

37. Камо грядеши. Миссионерский сборник № 5. — М.: Московская Духовная Академия, 2003. — 32 с.

38. Константин, монах. Беседа о молитве. Как сохранить душевный мир и живую молитву в условиях современной суеты. — Задонский Рождество-Богородицкий мужской монастырь, 2006. — 112 с.

39. Коняев Н.М. Обретение мощей преподобного Александра Свирского. //Русский дом. 1998. №12.

40. Кураев Андрей, диакон. Дары и анафемы. Что христианство принесло в мир. Размышления на пороге третьего тысячелетия. — М.: Издательство Московского Подворья Свято-Троицкой Сергиевой Лавры, 2001. — 448 с.

41. Кураев Андрей, диакон. Школьное богословие. — М.: Благовест, 1997.

42. Легойда Владимир. Страна глухих. //Фома. 2000. №1.

43. Марущак Василий, протодиакон. Святитель-хирург. Житие архиепископа Луки (Войно-Ясенецкого). — М.: Даниловский благовестник, 1997.

44. Миллер Л. Святая мученица Российская Великая княгиня Елисавета Феодоровна. — М.: Паломникъ, 2006. — 352 с.

45. Не от мира сего. Жизнь и труды отца Серафима Роуза. — М.: Русский Паломник, 1995.

46. Небесный Ангел. — Издательство «Русский вестник», 2002.

47. Неволина Е.В. «Золотой святыни свет...» Воспоминания матушки Надежды — последней монахини Марфо-Мариинской Обители Милосердия. — М.: Издательство «Горлица», 2006. — 704 с.

48. Нектарий Эгинский, святитель. О святых Божиих заступниках на небесах. — М.: Издательство Свято-Тихоновского Гуманитарного университета.

49. Николай Гурьянов, старец. Любовь ко Господу ведущая. Жизнеописание, воспоминания, письма. — Издательство «Отчий дом», 2007. — 174 с.

50. Николай Сербский (Велимирович), епископ. Библейские темы. — М.: Паломникъ, 2005. — 480 с.

51. Николай Сербский (Велимирович), епископ. С нами Бог. Всевидящее Око Господне. — М.: Издательство Сретенского монастыря, 2002. — 160 с.

52. Николай-до. Святитель Николай Японский. Краткое жизнеописание. Выдержки из дневника. — Библиополис, 2001. — 224 с.

53. Нилус С. Сила Божия и немощь человеческая. Великое в малом. — Издание Сретенского монастыря, 2003. — 1040 с.

54. О врачевании души. — Минск: Издательство Свято-Елисаветинского монастыря, 2006. — 64 с.

55. О жизни схиархимандрита Виталия. — М.: Новоспасский монастырь, 2002.

56. Осипов А. И. Православное понимание смысла жизни. — Киев: Общество любителей православной литературы. Издательство имени святителя Льва, папы Римского, 2001. — 240 с.

57. Островский Константин, протоиерей. Умереть нам не удастся. — Успенский храм г. Красногорска, 2001.

58. Отец Арсений. — М.: Издательство Православного Свято-Тихвинского Богословского института, 2003. — 784 с.

59. Откровенные рассказы странника духовному своему отцу. — М.: Лествица, 2003. — 496 с.

60. Павлова Н. Пасха Красная. — С. Льялово: Храм Рождества Пресвятой Богородицы, 2002. — 416 с.

61. Паисий Святогорец, блаженной памяти старец. Слова. Т. 1. С болью и любовью о современном человеке. — М.: Издательский дом «Святая Гора», 2002. — 382 с.

62. Паисий Святогорец, блаженной памяти старец. Слова. Т. 2. Духовное пробуждение. — М.: Издательский дом «Святая Гора», 2002. — 368 с.

63. Паисий Святогорец, блаженной памяти старец. Слова. Т. 3. Духовная борьба. — М.: Издательский дом «Святая Гора», 2003. — 344 с.

64. Пастырь добрый. Жизнь и труды московского старца протоиерея Алексея Мечева. — М.: Серда-Пресс, 2000. — 768 с.

65. Порфирий Кавсокаливит, старец. Житие и слова. — Малоярославец: Издание Свято-Никольского Черноостровского женского монастыря, 2006. — 368 с.

66. Преподобные Старцы Оптинские. Жития и наставления. — Козельск: Свято-Введенская Оптина Пустынь, 2002. — 512 с.

67. Преподобный Варсонофий Оптинский. Беседы. Келейные записки. Духовные стихотворения. Воспоминания. Письма. «Венок на могилу Батюшки». — Козельск: Издательство Свято-Введенской Оптиной Пустыни, 2005. — 704 с.

68. Пролог в поучениях. В 2-х частях. Сост. протоиерей Виктор Гурьев. — Издание Свято-Троицкой Сергиевой Лавры, 1992.

69. Рафаил (Карелин), архимандрит. Путь христианина. — М., 2005. — 592 с.

70. Рафаил (Карелин), архимандрит. Умение умирать или искусство жить. — М.: Издательство Московского Подворья Свято-Троицкой Сергиевой Лавры, 2005. — 448 с.

71. Свенцицкий Валентин, протоиерей. Избранное. — Издательская группа Свято-Троице Серафимо-Дивеевского женского монастыря.

72. Святой праведный Иоанн Кронштадтский в воспоминаниях самовидцев. — М.: Отчий дом, 1998. — 350 с.

73. Серафим (Роуз), иеромонах. Герман (Подмошенский), игумен. Блаженный Святитель Иоанн Чудотворец. — Калифорния: Братство Преподобного Германа Аляскинского, Платина. М.: Российское Отделение Валаамского Общества Америки, 2003. — 102 с.

74. Серафим Вырицкий, иеросхимонах. От Меня это было. — М.: Издательство «Даниловский благовестник», 2007. — 104 с.

75. Смирнов Дмитрий, протоиерей. Проповеди. Т. 1. — М.: Сестричество во имя преподобномученицы Вел. Кн. Елисаветы, 2007. —320 с.

76. Смирнов Дмитрий, протоиерей. Проповеди. Т. 5. — М.: Сестричество во имя преподобномученицы Вел. Кн. Елисаветы, 2007.

77. Софроний (Сахаров), архимандрит. Молитвенное приношение. — М.: Паломникъ, 2004. — 144 с.

78. Софроний (Сахаров), архимандрит. О молитве. О молитве Иисусовой. — Киев: Издательство храма прп. Агапита Печерского. Издательство «Дух і Літера», 2000. — 160 с.

79. Софроний (Сахаров), архимандрит. Письма близким людям. — М.: Отчий Дом, 2002. — 176 с..

80.. Софроний (Сахаров), иеромонах. Преподобный старец Силуан. — Англия, Ессекс: Патриарший Ставропигиальный Монастырь Св. Иоанна Предтечи, 1990. — 224 с.

81. Таврион (Батозский), архимандрит. Вся жизнь — Пасха Христова. — М.: Отчий дом, 2001. — 208 с.

82. Ткаченко А. Исправитель зла. //Фома. 2006. №9.

83. Тростников В. Понимаем ли мы Евангелие? — М.: Русский переплет, 1997.

84. Тулупов Вячеслав, протоиерей. Чудо Святого Причащения. — Сергиев Посад: Храм Архангела Михаила. М.: Русский Хронографъ, 2005. — 176 с.

85. Управляют ли нами звезды? Церковь об астрологии. — Пермь: Православное общество «Панагия». М.: Православно-просветительский центр «Пересвет», 2004. — 56 с.

86. Феофан Затворник, святитель. Мудрые советы. — Минск: Издательство Белорусского Экзархата, 2002. — 352 с.

87. Филимонов В. П. Житие прп. Серафима Вырицкого. — СПб.: Сатисъ, 2000.

88. Фомин А. В. Доказательства существования жизни после смерти. — М.: 2006. — 512 с.

89. Христодул Агиорит, иеромонах. Старец Паисий. — Свято-Покровская монашеская община, 2001. — 256 с.

90. Царские дети. — М.: Сретенский монастырь, 2004. — 448 с.

91. Церковь и медицина: на пороге третьего тысячелетия. — Минск: Издательство Белорусского Экзархата, 1999. — 192 с.

92. Что суждено нам за чертой жизни? Что такое смерть? В чем смысл жизни, если мы все равно умрем? — М.: Благо, 2003. — 272 с.

93. Чудо исповеди. Непридуманные рассказы о Таинстве Покаяния. — М.: Даниловский благовестник, 2001. — 64 с.

94. Шеваров Д. Освещенные солнцем: Добрые лица XX века. — М.: ОАО «Московские учебники и Картолитография», 2004. — 416 с.

95. Шмалий Владимир, священник. Когда человек меняется... // Фома, 2006. № 1.

96. Шмеман Александр, протоиерей. Проповеди и беседы. — М.: Паломникъ, 2002. — 208 с.

97. Юнак Д. О. Миф или действительность. Исторические и научные данные в защиту Библии. — М.: Весть для тебя, 1996.

98. Яковлев-Козырев Алексей. Димитрий, диакон. Ночь на вершине. Страницы афонского дневника. — СПб.: Миръ, Шпиль, 2001. — 304 с.

99. Living Orthodoxy. 1984. Jan. — Feb.

100. http://bishop.hilarion.orthodoxia.org

101. http://www.chudesnoe.ru

102. http://www.cofe.ru

103. http://www.foma.ru/

104. http://www.holyfire.org/
105. http://www.idrp. ru
106. http://www.nsad.ru
107. http://www.obitel-minsk.by
108. http://www.podvizhnik.orthodoxy.ru
109. http://www.pravbeseda.ru
110. http://www.prav-de.ru/
111. http://www.russk.ru

Содержание

Дом Бога

Слово Бога

О чудесах Божиих

Духовно-просветительное издание

Верую, Господи, помоги моему неверию...

Редактор *Игорь Полевиков*
Оформление обложки *Виктора Санько*
Корректор *Наталия Куренкова*
Компьютерная верстка *Анатолия Пляскина*
Ответственный за выпуск *Мария Мосилевич*

Подписано в печать 02.05.2014. Формат 70x100¹/₁₆.
Бумага офсетная. Печать офсетная.
Усл. печ. л. 24,51. Уч.-изд. л. 17,28.
Тираж 5000 экз. Заказ 3418

Свято-Елисаветинский женский монастырь в г. Минске.
Свидетельство о государственной регистрации
издателя, изготовителя, распространителя печатных изданий
№1/115 от 17.12.2013.
Пер. Марусинский, 3, 220053, г. Минск, Республика Беларусь.
Тел./факс +375 17 2890247
e-mail: izd_sem@mail.by http://www.obitel-minsk.by
Интернет-лавка: утварь, иконы, книги, диски, керамика,
изделия художественных мастерских, швейные изделия.

При участии ООО Агентство печати «Столица»
www.apstolica.ru, e-mail: apstolica@bk.ru

Отпечатано с готовых файлов заказчика
в ОАО «Первая Образцовая типография»,
филиал «УЛЬЯНОВСКИЙ ДОМ ПЕЧАТИ»
432980, г. Ульяновск, ул. Гончарова, 14